CLASSICI ITALIANI

COLLEZIONE FONDATA DA FERDINANDO NERI

DIRETTA DA

MARIO FUBINI

CLASSICI UTET

OPERE SCELTE

di

Giovan Battista Marino
e dei Marinisti

A CURA DI

GIOVANNI GETTO

Volume secondo
I MARINISTI

UNIONE TIPOGRAFICO-EDITRICE TORINESE

Prima edizione: 1954.
Seconda edizione riveduta: 1962.

Ristampa, 1970

Tipografia G. Marchisio, via C. Alberto 14 - S. Benigno Canavese

INTRODUZIONE

La distinzione che il Tasso, riordinando le sue *Rime*, introdusse fra lirica d'amore lirica encomiastica e lirica sacra, è possibile generalmente ritrovarla, magari accanto ad altre più minute e variate etichette di catalogazione, nei canzonieri dei poeti barocchi, i quali risentono per larga parte, o direttamente o attraverso il Marino, dei modi tassiani. E tale distinzione può giovare, almeno provvisoriamente, a dare una prima, e sia pure generica ed esteriore, configurazione alla vasta materia (la sconfinata e sconfortante vastità tematica è già un elemento che contraddistingue questa esperienza lirica) da essi assunta ed elaborata.

Sulla materia d'amore la critica ha concentrato con maggiore insistenza la sua attenzione, forse per il carattere più strano e tipico con cui essa appare trattata, un carattere che è diventato anzi simbolico dell'indiscusso cattivo gusto secentista (è qui che compare la serie celebrativa della bella zoppa, della bella balba, della bella lentigginosa, della bella nana, della bella dai pidocchi; è qui che intervengono i giochi arguti più complicati e rischiosi), e forse anche per quell'intervento di sensualità che sembra costituire l'unica nota umana, e dunque l'unica possibilità di poesia per questa civiltà, irrimediabilmente negata, sempre stando alla tradizionale critica, ad ogni verità sentimentale e lirica. Ebbene, subito a questo proposito si dovrà precisare che l'amore è solo raramente raffigurato come attualità di sentimento, come situazione patetica, come scena pervasa da una emozione. Più spesso sotto l'indicazione della lirica d'amore si raccolgono o complimenti

galanti, o ritratti femminili improntati ad un generico vagheggiamento della muliebrità, o considerazioni artificiose e motti emblematici su Eros di valore impersonale. Il sonetto del Paoli
sul poeta che insegna a leggere l'alfabeto alla donna amata, dove
una vivace scena a due esaurisce l'intero spazio espressivo, sigillato sul finale da questo delizioso quadretto-confessione:

> *Fingo in lei tardo ingegno, e minacciante*
> *tocco sul volto suo le chiome bionde,*
> *maestro ardito e rispettoso amante*

è un esempio eccezionale di una scena d'amore in atto, sostenuta
da un'animata tensione sentimentale, dalla forza perturbante
della passione che muove il protagonista, dalla tentazione che
avvolge l'uomo e determina i suoi gesti impacciati e audaci. Certo
le rare figurazioni d'amore di questo genere, contenute in sonetti
che sembrano svolgere una duplice dinamica, una intenzionale,
rivolta, secondo la tecnica comunissima di questi poeti, all'effetto dell'ultimo verso in funzione del quale si muovono tutti
gli altri (nel caso citato il contrasto, disposto in forma di chiasma,
e dunque sottolineato, fra maestro e amante, fra audacia e rispetto), e una dinamica effettiva, quella del piccolo dramma d'amore
scosso da una vampata calda di sensualità, queste figurazioni
d'amore, dicevamo, segnano un evidente acquisto di pulsante vita,
sul fondo dell'esangue tradizione petrarchista del cinquecento. L'assorta e sospirosa aura dell'amore platonico, propria di questa tradizione lirica, con i poeti barocchi si turba di uno squillare nuovo
di baci, sulla linea già segnata dal Tasso e dal Marino, mentre la
muliebrità è spesso ridotta alla seduzione delle rosee labbra, come
nel sonetto del Morando:

> *O coralli animati, o vive rose,*
> *caldi rubini e porpore spiranti,*
> .   .   .   .
> *o fonti del piacer, labbra amorose*

dove è tutto un erotico vagheggiamento, produttivo di una ricca
materia metaforica, la quale invade le due quartine, che si chiu-

dono infine col nome preciso e concreto della realtà ossessionante il desiderio del poeta, le « labbra amorose ». Ma proprio a questo sonetto il Morando ne fa seguire un secondo sull'inappagato desiderio, e un terzo che dichiara, attraverso il moltiplicarsi di iperboliche metafore, che « nulla in amore appaga » e afferma un'intuizione tormentosa e disperata dell'amore: sicché si determina una parabola dall'inquietudine del desiderio all'insoddisfazione del desiderio saziato, alla totale inestinguibilità del desiderio d'amore, in cui par trasferito all'amore quel sentimento di instabilità e inquietudine che si pone al centro della visione del mondo barocca.

Cotesta instabilità, allusivamente accennata nella forma dolorosa dell'amore che non si placa, sembra richiamata anche da altri modi, da certi toni librati fra un ridente moralismo e una mondanità scanzonata e monellesca, come nel sonetto del Dotti *A cantatrice che in scena fingeva l'amante*, con quella chiusa:

> *L'amor finto non biasmo, e il vero io lodo;*
> *poiché v'è l'uno e l'altro. Il punto è questo:*
> *godasi o l'uno o l'altro, è tutto a un modo*

in cui è il senso della relatività delle cose, della incertezza con cui ogni realtà si manifesta all'uomo ed è dall'uomo appresa. E, ancora, da taluni modi compiaciuti di effetti irreali e illusori, indiretti e sfuggenti, come in diversi madrigali dello Stigliani, nei quali l'amore è dichiarato e vagheggiato e celebrato nelle immagini riflesse da specchi reali o da specchi d'acque o dalla somma di entrambi:

> *Mentre ch'assisa Nice*
> *del mare a la pendice*
> *stava a specchiarsi in un piombato vetro,*
> *io, ch'essendole dietro*
> *affisati i miei sguardi a l'acqua avea,*
> *l'ombra sua vi vedea*
> *con la sinistra man di specchio ingombra:*
> *e ne lo specchio ancor l'ombra de l'ombra*

un documento interessante della ricerca, propria del barocco, di prospettive artificiali, di elusione dalla realtà, di immagini di immagini, in cui la realtà sfuma in illusione, la certezza del reale si perde in un gioco di riflessioni sovrapposte. Ma qui l'amore è rimasto un semplice pretesto. Ed è quel che accade, in genere, nei madrigali, che per lo più racchiudono nel loro breve giro un inchino aggraziato, un omaggio gentile, dal respiro sentimentale assai tenue e vago, illuminato da un sorriso che smorza e dà il suo giusto valore all'iperbole; che più raramente abbozzano una scena lieve, e colgono un fuggevole moto, un istante di vita. Si tratta senza dubbio di cose più comuni, anche se svolte, come in taluni esempi del Rovetti o del Massini, con singolare leggiadria. Eppure, anche nello schema non poco obbligato di questa forma metrica ed espressiva, questi frammenti di realtà manifestano qua e là qualche tratto più nuovo ed originale. Sarà il piede toccato sotto la tavola, che fa arrossire la donna e di rimando il poeta, accennato dal Rovetti, o sarà, in un madrigale del Massini, il segno delle labbra sul cristallo della coppa, da cui ha bevuto la donna e a cui « da quella parte istessa » berrà il poeta accendendosi di arsura d'amore: situazioni in cui c'è già come un presentimento della festevole grazia del rococò, ma che tuttavia appartengono bene al barocco, a quel barocco che non insiste soltanto sui toni più solenni e gonfi, secondo vorrebbe un'ormai consunta etichetta critica, ma che sa toccare anche le più squisite e delicate tonalità, che accanto a quello che i tedeschi chiamarono lo *Schwulst* sa accogliere quel *mignard et doux style* che sarà del rococò. Comunque sono situazioni ormai ben lontane da quelle proprie della tradizione che risaliva al Petrarca, proprio per il carattere di concretezza, per la fisica consistenza di quegli elementi. Ebbene questi tentativi di afferrare il reale, di sentire il peso delle cose, anche delle più lievi, di palparne la corporeità e constatarne le qualità, costituiscono un'altra direzione tipica del barocco, che sembra contrastare, e pur s'accorda, con quegli aspetti a cui prima accennavamo di instabilità ed elusività del reale.

A questo particolare clima di sensibilità e di gusto si informa evidentemente anche la figurazione della donna, che determina uno dei più notevoli centri di interesse, se non il più notevole senz'altro, per durata almeno, in cui si risolve l'attenzione del poeta nel trattare la materia d'amore. La donna appare in questa lirica rappresentata innumerevoli volte o negli elementi della sua bellezza o negli aspetti del suo abbigliamento o negli atteggiamenti più diversi della sua vita. La bellezza femminile, che nei petrarchisti riusciva genericamente individuata secondo schemi astratti e convenzionali (i capelli d'oro, le mani di neve, i piedi d'avorio, e poi le perle dei denti, i rubini delle labbra, i soli degli occhi), si arricchisce di determinazioni nuove e concrete, secondo un processo già iniziato dal Tasso, dal Tasso dell'*Aminta* soprattutto, che, come è noto, sperimenta un linguaggio originale, venato di toni parlati e sensuosi, ma anche del Tasso lirico, che profila un ambiente qua e là brillante di mondana evidenza. Il motivo, per esempio, del « picciol neo che 'l bianco avorio imbruna », toccato dal Tasso, ritorna nella lirica barocca, ed in maniera esemplare in un sonetto di Paolo Zazzaroni:

> *Per accrescer di fregi opra maggiore*
> *ornò di neo brunetto Amor quel viso,*
> *ché qual pittor industre ebbe in aviso*
> *di spiccar con quell'ombra il bel candore.*

Dove il sostantivo, che già di per sé s'accampa sulla pagina con estremo senso di novità, è reso anche più presente dall'aggettivo che gli è unito, usato nella forma vezzeggiativa, quasi a tradurre l'insistenza dello sguardo del poeta, sicché quel neo fa macchia e prende rilievo: e solo per la notazione pittorica dei due versi che seguono si redime dal peso della realistica precisazione in una nota di eleganza, di chiaroscurale raffinatezza. Allo stesso modo, su un suggerimento tassiano (i primi versi del secondo atto dell'*Aminta*), il Giovanetti scriverà il sonetto *Bella donna ridendo fa due pozzette nelle guance*:

> *Qualor Cilla vezzosa i lumi gira,*
> *e s'avvien che ridente il guardo ruote,*
> *forma vaghe pozzette in su le gote,*
> *ove quasi in suo centro il cor s'aggira...*

che inserisce in un ambiente espressivo ancora vagamente petrarchesco quella « pozzetta » ignota alla stilizzata e consunta morfologia della donna propria della lirica del cinquecento, e respinta dallo schifiltoso e selezionato lessico codificato dal Bembo. Il Tasso rappresenta nella storia della tradizione lirica italiana il momento in cui il modello del Petrarca viene per la prima volta a contatto di una grande personalità, e subisce la più sensibile trasformazione piegandosi alle esigenze di un gusto rinnovato. Non solo. Ma il Tasso sarà per la civiltà poetica barocca quel che il Petrarca era stato per l'età precedente. Sicché questa poesia, fondamentalmente antipetrarchista, accoglierà del Petrarca solo quel tanto che era passato nell'ancora petrarchista Tasso, e in quella maniera e in quella misura in cui il Tasso sarà a sua volta imitato attraverso il filtro del Marino. Ed è curioso osservare come su dati tipici del linguaggio petrarchista si operi un processo di caratteristica modificazione. Così, per esempio, nella prima terzina del citato sonetto:

> *Direi valli di gigli in campo alpino,*
> *direi cave di neve in mezzo ai fiori*
> *quelle fosse sul volto almo e divino...*

le parole consacrate, per indicare il candore della donna, « gigli » e « neve », perdono la loro inconsistente genericità per condensarsi in due immagini di precisa e sensibile natura, di una natura che, in questo caso, prende anche troppa consistenza e finisce con l'allontanare e confondere il volto della donna. Così ancora in un sonetto del Sempronio, *Capelli che pendevano sugli occhi di bella donna*, se lo spunto può essere ancora petrarchesco (il tema comunissimo dei biondi capelli al vento: si pensi al sonetto *Erano i capei d'oro a l'aura sparsi*), l'esecuzione avviene secondo una direzione di gusto completamente diversa:

> *Cari lacci de l'alme aurati e belli,*
> *ch'a ciocca a ciocca in su la fronte errate,*
> *e lascivi e sottili e serpentelli*
> *con solchi d'or le vive nevi arate...*

come provano, invero, quei due versi centrali, dove le ciocche pesano e acquistano un valore tattile e assumono una loro vita irrequieta e nervosa e pungente, che non si saprebbe immaginare nelle figurazioni gravi o leggiadre, ancora un po' angelicate, della tradizione che discende dai *Rerum vulgarium fragmenta*. Allo stesso modo il tema della luce che emana dalla donna, caro a quel costume lirico, sarà da un altro poeta, Giambattista Pucci, accentuato e rivolto a effetti di accesa e abbagliante luminosità:

> *Dentro al candido sen, tra le mammelle,*
> *stese madonna la man bianca al core,*
> *e da' giri lucenti il vivo ardore*
> *rivolse a un punto istesso in questa e in quelle.*
> *Biancheggiar, lampeggiar nevi e fiammelle...*

e così via, con toni anche più forti, per tutto il sonetto, nel quale il dato fisico perde quell'immaterialità che aveva in Petrarca (dove il dato materiale è in funzione della realtà spirituale, di quell'introspezione che è al centro della sua esperienza lirica) e si carica invece di fisica responsabilità, appena superata dal sorriso espressivo che alita sulla trama del gioco metaforico.

Ritornando al tema dei capelli d'oro, usato ed abusato da quattro secoli di poesia e di letteratura con alcuni rari esiti assai originali ma con diffuso e uggioso manierismo dopo l'impiego esclusivo fattone dal Petrarca, varrà la pena di esaminare come l'età barocca abbia tenuto presente questo schema figurativo della muliebrità per modificarlo e servirsene in modo diverso da quello tradizionale. I capelli d'oro, insieme ad altri elementi tipici, quali le labbra di rubino, i denti di perla, ecc., verranno introdotti non più per formare il solito figurino della bellezza superlativa e astratta, ma per creare attraverso l'eccesso metaforico insistente su quella materia preziosa, una ricca decorazione, per dar luogo ad un processo di trasfigurazione per cui la donna, secondo una maniera propria del Marino, tende ad assumere quasi una realtà minerale, d'aurea e gemmea e perlacea essenza, a diventare un lussuoso e raffinato gioiello. Inoltre questa ricchezza metaforica sarà usufruita quale motivo di contrasto e di gioco contrappuntistico con la condizione di reale povertà della donna, come

nel sonetto dell'Achillini *Bellissima mendica* che appunto si con-
clude:

> *Ché se vaga sei tu d'altro tesoro,*
> *china la ricca e preziosa testa,*
> *che pioveran le chiome i nembi d'oro.*

Ma l'esercizio di variazione, imposto dalla poetica della novità e
della meraviglia, applicandosi a questo « soggetto » saprà escogi-
tare tutta una serie di soluzioni impensate sì da portare ad una
vera rivoluzione tematica. Intanto la chioma bionda potrà (forse
sullo spunto offerto da una celebre scena del *Pastor fido*) essere
investita da un giudizio ,di falsità, e ne saranno allora ricavati
esiti molteplici dal grottesco al lugubre: e sarà appunto il risultato,
quest'ultimo, perseguito in un suggestivo sonetto del Sempronio,
che, muovendo da un'illusione di femminile splendore e da uno
scorcio di mondana civetteria e di ingegnoso amore, si arresta ad
un quadro di funerea putredine e di sepolcrale desolazione:

> *Falso è quell'oro; e poco dianzi gli era*
> *l'oscuro albergo e 'l doloroso ostello*
> *d'un putrido sepolcro, arca e miniera.*
> *Falso è quell'or; se ben ei par sì bello,*
> *già per suo paragon fetida e nera*
> *la pietra avea d'un tenebroso avello.*

La chioma bionda poi sarà addirittura passibile di venire sosti-
tuita, in questa costante ricerca di variazione, dalla chioma bruna.
Sarà dunque largamente sfruttato l'elogio delle nere chiome (già
tentato dal Tasso e da altri meno illustri, prima di lui, come Lorenzo Carbone), ed esso troverà il suo documento più alto in
un sonetto del Giovanetti, una delle liriche più ricche di valori
tattili e visivi, carico di un senso d'ombra, di riflessi oscuri, di
massa pesante e di lucido volume, con un finale

> *(Ch'arte fu, non error, se diè natura,*
> *quasi pittor che mesce l'ombre ai lumi,*
> *de la fronte al candor la chioma oscura)*

su cui gravita l'intera struttura, e su cui punta tutto l'effetto poetico del sonetto, sì da riuscirne come il vertice e l'esponente lirico (in una condizione dunque ben diversa da quella comune di questi componimenti, in cui il finale strutturale rimane estraneo alla poesia, la quale fiorisce semmai in margine, mentre esso procede dalle intenzioni di ricerca concettistica del poeta): un sonetto, insomma, che, qualunque possa essere la sua genesi e la sua giustificazione nel quadro della poetica barocca, ci offre una presenza viva, piena di sapore, un acquisto verace rispetto alla rigida stilizzazione femminile tradizionale. Ed ecco la donna dai capelli rossi (e questo non aveva osato, e non avrebbe potuto osare, il Tasso ancora troppo radicato nella *humus* rinascimentale). È di nuovo il Sempronio che tratta della *Chioma rossa di bella donna* in un sonetto che sviluppa le consunte metafore del petrarchismo (la fiamma e il fuoco d'amore, il vento dei sospiri, il sole della bellezza femminile) in senso nuovo, favorito dalla nuova realtà presa a soggetto (il diluvio di fiamme della chioma, il crine ardente della cometa, il sole che sorge purpureo), con un intervento di intenzioni formali di fantasiosa intelligenza e di risultati patetici di ammirazione e timore per quella strana bellezza, in un'aura un po' maligna e funesta di civetteria e di galanteria.

Ma non sono soltanto i singoli elementi della bellezza che il poeta barocco tende a variare, è la stessa bellezza celebrata nel suo complesso che egli cerca di sostituire con altri schemi, quello del mutare della bellezza, o quello del suo corrompersi, o quello ancora della sua assenza. Il canto della bellezza matura, che il Tasso aveva toccato con suggestivissima arte

> (*Così più vago è il fior poi che le foglie*
> *spiega odorate, e 'l sol nel mezzogiorno*
> *via più che nel mattin luce e fiammeggia*)

ritorna nella lirica barocca, per esempio in un sonetto di Fabio Leonida, nel quale tuttavia il tempo è ancora spostato e la bellezza avanza ormai verso il suo tramonto, in un pacato lume autunnale:

> *Più tranquillo e sereno anco risplende,*
> *senz'alterezza e con misura ardente.*
> *il raggio che negli occhi amor t'accende.*

> *Così riluce il sol più dolcemente,*
> *e meglio si vagheggia, allor che scende,*
> *passato 'l mezzo dì, verso occidente.*

Con maggiore insistenza compare il tema della donna destinata
a invecchiare, e della bellezza sfiorita e fatta preda di morte. Il
Petrarca aveva accennato, con penna lieve, alla donna ormai vecchia, a cui egli avrebbe finalmente confessato il suo amore ripor-
tandone « soccorso di tardi sospiri » e ne aveva ricavato un motivo
di delicata malinconia, di pensosa *rêverie*, dove la realtà fisica di
quella vecchiezza era appena sfiorata (« ... de' be' vostri occhi il
lume spento; E i cape' d'oro fin farsi d'argento »). I poeti barocchi
si compiaceranno invece di sottolineare proprio la fisica evidenza
della vecchiezza, la corruzione e il disfacimento che essa porta
con sé. Le conclusioni dichiarate saranno varie: dalla perseve-
ranza d'amore del poeta malgrado quella decadenza, alla beffarda
compiaciuta vendetta verso la donna crudele, alla malinconia per il
tramontare di ogni cosa umana, alla possibilità di sopravvivenza
della caduca bellezza nel canto del poeta (ed è motivo finemente
toccato dal Dotti:

> *L'età, ben mio, ch'ogni giardin dirama,*
> *farà pur de' tuoi fior scempio improviso,*
> *ma ciò che il tempo usurperatti al viso*
> *al nome ti potrà render la fama...*).

Però sempre il poeta (sarà il Morando o Ciro di Pers o altri)
poserà uno sguardo crudele su quella bellezza disfatta e sui tentativi vani della donna per restaurarla. E spietato resterà quello
sguardo anche quando il tema, come avviene nel Battista, subirà
una ilare variazione mediante il ricorso alla leggiadra inquadra-
tura tradizionale (di discendenza predantesca) del giardino primaverile, che determina un motivo di contrasto e una reazione
psicologica di invidiosa vendetta da parte della donna sfiorita:

> *Perché la gioventù godean vezzose,*
> *carnefice degli orti impaziente,*
> *tutte facea decapitar le rose.*

Mentre una nuova variazione spostata verso un esito diverso e sempre assai suggestiva sarà quella dell'Artale, che sostituirà alla generica donna la mitica Elena, la bellissima e amatissima donna, la cagione di tanti affanni e di tante morti, che invita i guerrieri sepolti nelle tombe di Troia di Argo e di Micene a sorgere per contemplare distrutta quella bellezza per cui tanto hanno lottato e sofferto: dove il tema storico-leggendario che è sovente un riempitivo erudito, una decorazione lussuosa ed inutile, diventa condizione di poesia (le altre rare immagini mitico-storiche fertili di un suggerimento lirico sono facilmente elencabili: Medea, in un sonetto del Battista strutturato su di un linguaggio di stampo senechiano, fosco di sconvolta realtà e di orrida magia, sigillato da un bel verso che getta un lampo di disperata luce d'amore su tutti gli altri versi: « Ma con Amore io non ho forza alcuna »; e poi Sardanapalo ed Eliogabalo, in due sonetti di Pietro Casaburi, pervasi da un piacere sottile di raffinata decadenza, lussuosa e lussuriosa e crudele). Il tema della bellezza femminile distrutta, nel componimento su *Elena invecchiata* si carica di un forte sapore moralistico. Fra ispirazione moralistica e ispirazione amorosa oscilla pure il motivo della bellezza rapita dalla morte. Anche il tema della donna morta è un tema tradizionale, predantesco addirittura. Su di esso il poeta barocco agisce con interventi molteplici, o di pietà per la fine della bellezza o di ammonimento su quel finire, e così via; talora anche, come in un sonetto del Sempronio, sfruttando metaforicamente il tipo di morte, la morte di vaiolo: una precisazione che concede al poeta, contro quanto si potrebbe supporre stando al tema violento, una movenza metaforica gentile, le rose del dolce volto devastate dalla tempesta, e la risoluzione della donna nell'immagine della rosa, e del destino della donna nel destino del fiore:

> *Donna che de la rosa ha la beltade,*
> *per legge di natura al fin conviene*
> *che de la rosa ancor viva l'etade.*

Sicché ne viene fuori una cosa delicata, sospesa in una malinconia efficacemente sentita, emblematicamente allusa nel tema della rosa dalla bellezza colma e fragile, del fiore che vive un'età splen-

dida e breve: un tema frequentissimo nella lirica barocca, e in
certo modo simbolico di questa età, che ebbe come poche altre
il senso della vita fastosa e caduca, della pompa e della morte,
della bellezza destinata a sfiorire.

Anche l'assenza della bellezza, o comunque la presenza in
essa di note disarmoniche, costituisce inizialmente un motivo di
variazione delle troppe donne belle e bellissime cantate dai petrarchisti. Il Tingoli fisserà dunque la sua attenzione sulla donna
brutta, e la caricherà di gioielli in modo da ricavarne una capric-
ciosa fantasia:

> *La perla onde la bocca orba notteggia,*
> *a l'orecchia plebea quasi per scherno*
> *pende, ed intorno al nero collo albeggia...*

E altri poeti tratteranno della bella guercia, della bella balbuziente,
della bella gobba, della bella zoppa e così via: tutta una tematica
che non si definisce semplicemente col discorrere di comicità o
di cattivo gusto, a seconda che si ammetta o meno un proposito
di riso o di sorriso da parte del poeta nel toccare questa strana
materia. Occorre infatti situare questi sonetti nell'ambito complessivo dei sonetti dedicati alla donna, e sullo sfondo degli schemi
fissi della tradizione petrarchista. Si comprende allora come essi
nascano in parte dal bisogno, come si diceva, di variare il figurino
della donna bella tradizionale, e in parte dalla necessità, da cui
sembra incalzato il poeta barocco, di toccare l'intera serie delle
possibili qualità della donna, senza escluderne alcuna e senza ri-
trarsi di fronte a nessuna di esse, per quanto negative e ripugnanti.
È questo un impulso che può venire inserito nel quadro della poetica della varietà e della novità e della meraviglia, e trovare la sua
giustificazione in procedimenti di natura intellettualistica e meccanica simili a quello documentato dal Tesauro quando discorre
dell'« indice categorico », ma che coincide comunque con certi
modi costituzionali e di più vasto significato della sensibilità
barocca: con la tendenza, per esempio, a percorrere la superficie
delle cose più che a penetrarne la profondità, a variare più che
a scavare i proprii temi; con la tendenza, ancora, a collezionare
la realtà e a non trascurare nessuno degli aspetti che costituiscono

un elemento di essa: e in ciò s'insinua direi perfino una possibilità di sentimento doloroso, un senso smarrito degli aspetti contrastanti e inconciliabili della vita, una consapevolezza nuova del volto mutevole delle cose, di quello che si direbbe il relativismo prospettico proprio di questa età. D'altra parte alcune conseguenze di quella dilatazione tematica nella figurazione della femminilità acquistano pure un loro non trascurabile peso nella storia dello sviluppo della civiltà letteraria e del linguaggio poetico. Il brutto, limitato prima in confini ben precisi, di determinati generi o di determinati schemi retorici, e per effetti particolari, entra ora per la prima volta, con pieno diritto, nella vita della poesia, e sia pure in una condizione ancora diversa da quella in cui comparirà nel mondo romantico. È vero che le realizzazioni più intense su questo piano si hanno non entro il gran tema della rappresentazione della donna e dell'amore, ma piuttosto nel giro di ispirazione di altri temi. Tuttavia è nella figurazione della donna che questa tendenza esercita le sue prove estreme. Ed un sonetto come quello celebre di Anton Maria Narducci

> *Sembran fere d'avorio in bosco d'oro*
> *le fere erranti onde sì ricca siete...*

(o l'altro di Giovanni Giacomo Lavagna: « Atomo saltator, ombra pungente... ») se non sembra superare il valore di un semplice bizzarro svolazzo e rispondere ad un mero proposito di meraviglia, vale però anche come estrema punta polemica nei confronti di quella poetica del petrarchismo preoccupatissima di selezionare gli aspetti della realtà in funzione di una visione tutta fatta di ideale bellezza, e si pone come documento significativo di quella nausea di squisitezza denunziata dai critici contemporanei, dallo Stigliani al Villani al Bartoli al Tesauro, e della nuova volontà di tutto dominare con l'espressione e tutto tradurre in prezioso ritmo figurativo senza le esclusioni contemplate nelle sue *Prose* dal Bembo (« E se pure aviene alcuna volta, che quello che noi di scrivere ci proponiamo, isprimere non si possa con acconcie voci, ma bisogna recarvi le vili o le dure o le dispettose, il che appena mi si lascia credere che avenir possa, tante vie e tanti modi ci sono da ragionare e tanto variabile e acconcia a pigliar diverse forme e diversi sembianti e quasi colori è la umana favella; ma se pure ciò aviene, dico che da tacere è quel tanto, che sporre non si può acconciamente, più tosto che, sponendolo, macchiarne l'altra scrittura; massimamente dove la necessità non istringa e non isforzi lo scrittore, dalla qual necessità i poeti, sopra gli altri, sono lontani »). Il sonetto del Narducci ci richiama ad altre rappresentazioni della donna colta in aspetti deturpanti: come i diversi sonetti sul tema della cortigiana frustata, che vogliono appunto essere considerati quali prove di un'intelligenza poetica audace, disposta a tutto ridurre in immagini e parole, a battere vie nuove e intentate e ritenute impossibili. Documenti dunque di un interesse essenzialmente stilistico, nei quali il contenuto interessa solo per i problemi di stile a cui può dare luogo e non per la sua immediata responsabilità patetica. Insomma non c'è qui un godimento del deforme o dell'ignobile o del crudele o del perverso. Come i pidocchi nei capelli non costituiscono un motivo comico o disgustoso, così la cortigiana frustata non rappresenta una scena di crudele lussuria, un'anticipazione quasi di quel sadismo che sarà presente in certe torbide zone della letteratura decadente. Questi sonetti non si collocano sotto l'insegna del marchese De Sade e del suo gusto erotico pervertito, ma sotto il titolo del cavalier Marino e della sua poetica della meraviglia, una meraviglia che si attua nella scelta della situazione, nello svolgimento e nelle modificazioni di essa, nelle conclusioni argute a cui dà origine. Il tema della cortigiana frustata scaturisce del resto da quella disposizione spirituale e formale, gnoseologico-fantastica e tecnica, su cui abbiamo richiamato l'attenzione, la tendenza cioè a considerare ogni dato della realtà, e la donna in particolare, in ogni sua possibile predicazione.

La predicazione multipla, numerosa e in certo modo inesauribile, della donna appare come un contegno fra i più tipici della scrittura dei canzonieri barocchi. Non solo la bellezza, nei suoi innumerevoli modi di presenza e di assenza, ma ancora il nome della donna, il suo abbigliamento, il suo agire e il suo patire nella serie illimitata delle possibilità, diventano pretesti di sempre variati motivi di poesia. (Il mondo dei sentimenti soltanto rimane piuttosto estraneo alla considerazione di questi poeti. Su di esso si ha solo qualche rara indicazione. Per esempio sulla malinconia della donna, che ne sciupa la bellezza — e ricadiamo in una realtà esterna — sfiorata dal Paoli in un sonetto di intenerita eloquenza, tramato con squisita eleganza su una delicata materia metaforica:

> *Pietà dei labri, a cui mancan le rose!*
> *pietà del sen, ch'è senza gigli incolto!...*

Oppure sulla capacità di infingimenti della donna, toccata in un sonetto dal Battista, risolta tuttavia in una impressione di mosse amabili e gesti capricciosi, in cui è già un presentimento della volubile grazia di certe damine del settecento). Ma in quella considerazione delle cose che entrano in relazione con la donna, la donna come elemento d'amore scade dall'interesse effettivo e diretto del poeta (e così generalmente rimane confinata in una zona di semplice programma la seduzione amorosa o galante) e prendono rilievo lirico proprio quelle cose. Evidente per questo è il sonetto del Fontanella *Nenia cantata dalla sua donna*:

> *Tremola navicella un dì movea*
> *quella che del mio cor regge la chiave,*
> *e spirando col canto aura soave,*
> *per l'onde de l'oblio lieta scorrea...*

dove la situazione d'amore (e anche quella galante, nonostante il paragone mitologico del finale madrigalesco) è dimenticata (affiora solo nel secondo verso — un verso programma, un verso matrice — che sta anzi ad indicare come una gratuita rappresentazione della donna, specie poi in una situazione così domestica, non fosse, in sede lirica, ancora concepibile) e vive invece il quadro musicalissimo, eppure di una rara evidenza di segno, della madre che canta e culla il bimbo (in cui è anche un cenno di quella poesia del fanciullo che il mondo barocco fondamentalmente ignora). Un quadro in cui è una presenza di vita reale così efficacemente suggerita da far quasi pensare a certi esemplari della contemporanea pittura di genere olandese. A quadri di un Vrel, di un Terborch, di un de Hooch si pensa effettivamente per taluni di questi sonetti. Così il sonetto del Sempronio *Bella donna inse-*

gnava a far lavori a varie fanciulle raccoglie l'attenzione essenziale sulle due quartine, dalle quali vien fuori una colorita scenetta:

> *Stuol di varie fanciulle in giro accolte*
> *davanti a la mia Clori un dì sedea,*
> *ed ella molte in tesser tele e molte*
> *in far trapunti ad instruir prendea.*
> *Là, de le fila a l'arcolaio avvolte*
> *un bianco e picciol globo altra facea;*
> *qua, con le sete or annodate or sciolte*
> *preziose orditure altra tessea.*

E lo stesso si dica del sonetto di Giovan Francesco Maia Materdona, *Bella libraia*, che ritrae con sguardo preciso e minuto il lavoro della legatrice la quale sa prima « troncar le fila, adeguar sa le carte »:

> *Poscia, di greve acciar le mani armate,*
> *le batte e le ribatte a parte a parte,*
> *e tra pelli sottil, tratta in disparte,*
> *le rende in mille nodi incatenate.*

La seduzione amorosa svolta nelle terzine non impegna del resto il sentimento d'amore, ma soltanto l'intelligenza del poeta, intenta a trovar simboli e a concentrarli in una struttura espressiva abilmente congegnata. In questa ricerca di costruzioni complesse, svolte su corrispondenze parallele o antitetiche e sulla sorpresa conclusiva, si risolvono, nell'intenzione del poeta, molti di questi sonetti d'amore. Il sonetto del Giovanetti *Bella donna presente a spettacolo atrocissimo di giustizia* obbedisce unicamente a questo gusto ingegnoso, che si pone come motivo di massimo rilievo:

> *Quale scampo il mio cor fia che ritrove?*
> *Là fra rigide morti a morte ei langue,*
> *qua di dolci ferite un nembo piove.*
> *Resta per doppia strage il petto esangue;*
> *fan bellezza e spavento eguali prove*
> *e nuotano gli amori in mezzo al sangue.*

Una conclusione in funzione della quale è costruito tutto il sonetto, che ignora perciò le suggestioni romantico-decadenti che
se ne potrebbero dedurre ove si badasse astrattamente a quegli
ingredienti di amore e morte, di bellezza e spavento, di crudeltà e
di sangue: ingredienti che restano enunciati puri e non dànno
origine ad alcuna figurazione. Ma altri sonetti, pur essendo so-
stenuti da un interesse concettistico accolgono in scorcio qualche
presenza figurativa, spesso di una saporosa realtà: sarà la raccolta delle castagne o la filatura della seta o la distillazione delle
rose o altro che attrae per un istante la curiosità del poeta. E di
nuovo varrà la pena di osservare che sono presenze che esulano
dalla convenzionale e selezionata realtà dei petrarchisti, ma che
pur sembrano talvolta scaturire da suggestioni di questo gusto
per la costante presenza stimolatrice, in senso polemico, dei mo-
duli del petrarchismo sulla fantasia dei poeti barocchi. Si veda
il sonetto del Maia *Giuoco di neve*, che tocca un soggetto molto
trattato dalla lirica barocca:

> *Cilla di bianco umor massa gelata*
> *coglie e preme e ne forma un globo breve;*
> *n'arma poscia la mano, a fredda neve*
> *calda neve aggiungendo ed animata...*

e si troverà che evidentemente la fantasia del poeta ha lavorato
intorno ad uno spunto tipico del linguaggio petrarchesco, la mano
di neve, fino a passare ad una scena concreta, il gioco delle palle
di neve, una scena idealmente predisposta dallo schema della
predicazione multipla della donna, e, in particolare, della analisi
delle azioni dalla donna compiute: una scena concreta dalla quale
in questo come in altri casi (ricordo il madrigale *Giuoco di neve*
di Leonardo Quirini) il poeta subito evade per ritornare ad una
realtà metaforica di inconfondibile stampo petrarchesco, quella
del « fuoco d'amore », che, a sua volta, permette il contrasto a
sorpresa del gelo che produce fuoco, sicché il poeta sembra prendere
terra in quella scena del gioco delle palle di neve solo per staccar-
sene subito, più capricciosamente. (Una particolare maniera di
lavorare su una proposta petrarchesca, in una ricerca insieme di
concretezza e di fantasiosità, di elaborazione comunque più de-

terminata, si riscontra nello sviluppo in senso emblematico di certe presenze della lirica petrarchesca, quelle di Amore, per esempio, che in qualche sonetto diventa protagonista di tutta una scenetta, come nel madrigale del Maia *Amor travestito*). Da uno spunto petrarchesco (si confronti nella canzone *Nel dolce tempo de la prima etade*: « ... e quella fera bella e cruda In una fonte ignuda Si stava... »; e forse anche lo spunto iniziale della celeberrima *Chiare, fresche e dolci acque*) deriva anche il tema della bella nuotatrice, che in questo clima barocco si sviluppa secondo particolari direzioni espressive: come sensuale ricerca di effetti luministici di rosee e nivee carni ed auree chiome, tra riflessi di limpide onde e di candide spume; come ricerca di movimento di membra flessuose e di acque turbate e ricomposte; come ricerca infine di meraviglia contemplativa di immaginari spettatori e di meraviglia arguta di attenti lettori. Ne è significativo documento un sonetto dell'Errico, ed esempio particolarmente felice un altro sonetto del Fontanella:

> *Lilla vid'io, qual matutina stella,*
> *spiccando un salto abbandonar la sponda,*
> *e le braccia inarcando, agile e snella,*
> *con la mano e col piè percuoter l'onda.*

Il movimento è sempre colto con efficacia dalla poesia barocca. Qui è fissato con suggestivissima evidenza lo stile (e valga il termine in significato sportivo) della bella nuotatrice. Con modi ugualmente persuasivi è ritratto dal Fontanella e da altri il movimento più complesso della danza, che si snoda in ritmi veloci (ben diversi da quelli brevi e composti colti da Dante: « Come si volge con le piante strette A terra ed intra sé donna che balli E piede innanzi piede a pena mette... »): i ritmi incalzanti delle danze barocche di origine americano-spagnola (la ciaccona e la sarabanda) inseguiti con sorprendente abilità dal poeta, quasi in gara con la danzatrice. E fa pure la sua comparsa in qualche canzoniere la figura dell'acrobata, che riesce viva soprattutto nel sonetto *A bella donna che fa molti giuochi su la corda* di Lorenzo Casaburi, che, se vuol sviluppare nell'intenzione dell'autore il tema della meraviglia plaudente degli spettatori, nell'effettiva realizzazione celebra il sentimento dell'aerea e leggiadra agilità e della mobilità vertiginosa che sovrappone le immagini e confonde la vista:

> Cade e sorge in un punto, onde deriso
> Vien l'occhio altrui, mentre gli dona e fura
> del suo vago sembiante il paradiso.

Infine lo stesso gusto del movimento interviene a dar vita ai diversi sonetti sul gioco del pallone, a quello del Maia tipicamente, *Bella donna per bel giovane che giuoca alla palla*, in cui la strofa dedicata al gioco costituisce l'unico tratto veramente vivo del sonetto:

> Battea con picciol globo i sassi, e quello
> scacciava al salto, e s'a lui fea ritorno,
> correa, lo dibattea, lo fea d'intorno
> girar, volar, quasi fugato augello.

Una scena di sportiva vivacità di movimento agile e intricato, che assorbe tutto l'interesse del lettore, che dimentica per essa l'intenzione erotica e simbolico-arguta del poeta.

Nel sonetto citato la donna appare non più nella situazione di contemplata, di termine cioè di un sentimento patito dall'uomo, ma, eccezionalmente, come innamorata vagheggiatrice dell'uomo, il quale a sua volta viene predicato in una particolare condizione, in questo caso, per l'appunto, il gioco del pallone. Si tratta evidentemente di uno schema non nuovo, se si pensa ai modelli che potevano offrire le non rare poetesse del cinquecento, e di uno schema sollecitato dalla stessa poetica della varietà, che rendeva in certo modo inevitabile questo mutamento della donna che da vagheggiata diventa vagheggiatrice. Nell'economia complessiva di questi canzonieri però l'attenzione figurativa rivolta all'uomo riesce piuttosto scarsa. Una rara e singolare eccezione è rappresentata dal sonetto del Sempronio *Rosa in bocca di bellissimo cavaliere*, che del resto fondamentalmente si raccoglie sull'immagine dei giardini d'Europa coltivati con lussuosa ed esotica raffinatezza, e nel gioco di falsa prospettiva sulle parole (« meraviglia » usata una volta in un senso e un'altra in un altro, e « narciso »

usato una volta sola in modo però da raccogliere in sé i due signi-
ficati di « fiore » e di « bel giovane »), e soltanto nell'ultima terzina si rivolge alla bocca del giovane con un tremito di sensuale
emozione:

> *Con   peregrino   innesto   ecco   odorosa,*
> *sol   del   sangue   d'Amor   fatta   vermiglia,*
> *in   bocca   ad   un   Narciso   arde   una   rosa.*

Ma nella maggior parte dei casi l'uomo resta l'innamorato, il
soggetto della passione amorosa. Quel che muta, semmai, è il
soggetto del quadro poetico. Sicché alla donna che si accampa
come protagonista della figurazione lirica potrà sostituirsi l'uomo.
In questo caso innamorato e poeta si identificano per lo più, e la
lirica si imposta come azione e passione dell'innamorato poeta,
che compare in veste o di contemplatore della donna, o di enunciatore di un sentimento e di una condizione d'amore, o di donatore infine di un oggetto di valore simbolico o di significato galante. L'azione contemplativa, di per sé abbastanza spoglia di
originalità, viene sottoposta ad un trattamento particolare, e pie-
gata a novità, mediante la narrazione dei modi della osservazione
presa in senso fisico e puntando su determinati fattori ottici (di
luce e di distanza). Il Morando scriverà perciò un sonetto intitolato *Amante vagheggiator con gli occhiali,* in cui la solita situazione, ormai logora, dell'amante vagheggiatore della donna bellissima e fiera viene ad essere complicata e rinnovata dall'in-
troduzione di un oggetto sconosciuto alla tradizione lirica, gli
occhiali, gli « sferici cristalli »: al poeta manca la vista e per
vagheggiare la sua donna è costretto all'uso degli occhiali; la
vista gli è mancata per aver rivolto lo sguardo al troppo vivo
splendore della donna (« nacque da la tua copia il mio difetto »);
il pianto, prodotto dalla « fierezza della donna », scaturito dal
cuore si cristallizza negli occhiali; eppur questo non giova perché
gli manca la vita e la luce (« Se miro, abbaglio, e se non miro, i'
moro »). E siamo di nuovo in un campo di reazioni petrarchesche,
non solo per la situazione iniziale ma per il sottilizzare sulla
situazione d'amore, e soprattutto per il motivo del pianto dovuto
alla « fierezza » della donna: dove per altro, e proprio su quest'ultimo motivo si innesta la trovata, di una clamorosa novità,

degli occhiali (un oggetto che interviene anche come attributo nella figurazione della bella donna, e sempre su un terreno fertilizzato dal petrarchismo — la potenza delle « luci » della donna — secondo la trovata di Giuseppe Artale:

> *Non per temprar l'altrui crescente ardore*
> *sugli occhi usa costei nevi addensate,*
> *ma per ferir da più lontano un core*
> *rinforza col cristal le luci amate...*

e i versi proseguono con più decisa attenzione alle proprietà ottiche delle lenti, con il ricordo anzi di Archimede e dei suoi specchi ustori, con un definitivo piacere per la strana materia introdotta). Tommaso Gaudiosi ricorrerà invece all'ombra che il poeta di lontano proietta col suo corpo sul corpo della donna: e ne ritrarrà una situazione di sparente grazia, di strana e malinconica suggestione, nel contrasto fra corpo e ombra del corpo, fra corpo che rimane lontano e insaziato e ombra che tocca e gode (ed è toccamento e godimento d'ombra), nell'eco vaga che rimane di un senso di vanità e di perplessità, di riduzione del reale ad ombra del reale, di posizione dell'ombra come di unica realtà.

Anche più generica e comune si offriva la formula del poeta innamorato enunciatore di un sentimento o di una condizione d'amore da lui patita. Questo schema espressivo, esaurito dal largo impiego a cui era stato sottoposto dal manierismo petrarchista, poteva semmai soltanto provocare un gioco più serrato, un tempo più mosso, un'aura più meravigliata, come avviene nei sonetti di Scipione Caetano, di Francesco Balducci, di Francesco Della Valle, che rimangono i più sensibili, fra i poeti barocchi, all'influsso del Petrarca. Ma in questo caso, in una fantasia più audace, lo schema si poteva rinnovare attraverso il capovolgimento della situazione patetica tradizionale; ed è quel che accade, con vitalissimo esito, nel sonetto *Scambievolezza di amori* del Maia, che si impianta sulla consapevole sostituzione all'immobile figurino della donna « rigida e ribella », presente in tutti i canzonieri di discendenza petrarchesca, di un opposto modello, quello della donna consenziente, produttivo della situazione nuova della reci-

procità d'amore in cambio di quella stanchissima dell'amore o
ignorato o disprezzato:

> *La ninfa sua d'orgoglio amica e d'ira*
> *altri pur chiami e rigida e ribella:*
> *s'io miro la mia ninfa, ella mi mira;*
> *s'io d'amor parlo, essa d'amor favella...*

Un sonetto dove ogni verso enuncia una corrispondenza d'amore,
fino all'ultimo in cui culmina il sorriso che scorre per tutti i versi:

> *E s'a lei do tre baci, ella a me sei.*

Così, accanto alla situazione della corrispondenza d'amore, farà
la sua comparsa quella della contemporaneità d'amore per due
donne e perfino per tre donne, secondo immaginerà uno di questi
poeti, Biagio Cusano, e ancora quella dell'incertezza d'amore fra
la bionda e la bruna, fra la serva e la padrona o addirittura fra
la bella bocca e il buon vino. Ma in luogo della variazione della
situazione patetica base si verifica qualche volta la sostituzione di
quel tono di sentimento e di linguaggio stilizzato e composto
proprio dei modi petrarcheschi con toni di assai diversa e più
aspra tempera, come farà l'Artale, in un suo sonetto lampeggiante
delle imprecazioni del geloso innamorato poeta contro il rivale,
agitato da « fremiti atroci », da incalzanti prospettive, da serrate
e corrucciate sintesi:

> *Sia la notte che strinse i vostri nodi*
> *eterna notte, e lungamente amara*
> *le vostre luci in ferreo sonno annodi.*
> *   E dritto è ben che d'ogni lume avara*
> *ella, ch'agevolò le vostre frodi,*
> *converta il letto, or profanato, in bara.*

Dove non si può negare che, accanto a certi modi magari di discendenza ancora petrarchesca, del Petrarca pietroso, agisca un
senso nuovo, più funebre e maledetto. L'enunciazione del senti-

mento d'amore da parte del protagonista poeta innamorato tende inoltre, in qualche momento, a configurarsi nello schema dell'invito (l'invito alla vendemmia, in un giardino, in un boschetto, alla montagna, ecc.); senonché in questi casi prende il sopravvento il piacere evocativo della natura entro cui è collocato l'invito: in tal modo il Fontanella diffonderà in un suo sonetto un senso di vendemmia pingue, di sensuale tripudio di grappoli e pampini, che tuttavia allude e prepara alla finale metafora della vendemmia d'amore; e il Bruni nel suo *Invito boschereccio* concentrerà la sua attenzione sul quadro del boschetto, sentito con briosa vivezza e festa di colori, e confinerà il motivo d'amore nell'ultima terzina.

Profondamente consono al gusto barocco sarà infine lo schema del poeta innamorato donatore di un oggetto di valore simbolico o di significato galante. Poiché, se non mancavano esempi di questo genere nel Petrarca (*A piè de' colli ove la bella vesta* e *Quando 'l pianeta che distingue l'ore*), la civiltà barocca sottoporrà questi spunti ad una vasta rielaborazione, spremendone le più diverse possibilità di contenuto e di struttura. Comparirà così il dono di un pappagallo, in un sonetto del Fontanella, goduto nell'aspetto pomposo ed esotico del verde mantello e del purpureo becco, sfruttato nell'arguta deduzione dell'ammutolire di stupore dell'uccello parlante davanti alla bellezza della donna. Mentre in un sonetto del Muscettola si troverà il dono della *Gerusalemme liberata* del Tasso, sul cui argomento si istituisce la serie delle somiglianze con la condizione del poeta, troncate sul finale (secondo una costruzione di largo impiego presso questi poeti) da un impreveduto contrasto: « sì farà fede Liberata città di core avvinto ». Sarà altre volte il dono di un panierino di fragole e rose intrecciato di azzurre miosotidi, come in un sonetto di Tiberio Sbarra: e qui ogni cosa assumerà un valore simbolico della bellezza della donna. Sono questi, in particolare, sonetti del tipo notato dal Tesauro: « Di qui nascono ancora i brievi motti che accompagnando fiori, frutti, gemme e qualunque altra cosa onde si regalino intra loro gli amici, compongono un simbolo, una impresa, un emblema parlante e concettoso ». Altri molti se ne potrebbero ricordare, a cominciare dal sonetto *Rose impallidite* del Preti, tramato su una squisita sensibilità, che si dipana su un'onda lieve, musicale, sostanziata di aspetti sparenti, di decadenza e di morte:

> Ite in dono a colei, pallide rose,
> a cui l'alma donai senza mercede;
> e poi che 'l mio penar non cura o crede,
> siate del mio morir nunzie amorose.

Un senso di fresca e vaga natura, di campagna fiorita e rugiadosa, è invece nel sonetto del Salomoni, che accompagna il dono di una rosa, la quale diventa pretesto di un complimento e di un allusivo invito d'amore. Il dono della rosa indicatrice di una sentenza, e in genere quello dei fiori, è relativamente frequente. Più raro invece sarà il dono di frutti, come il dono di mele che si trova in un sonetto del Tortoletti. Ma non è solo l'uomo che invia doni alla donna amata. Anche la donna figura come donatrice di cose simbolicamente interpretate. Si veda il madrigale del D'Aquino, in cui il dono di un garofano da parte di una bella donna fa concludere al poeta:

> Mi doni il fior per denegarmi il frutto.

Oppure il sonetto di Paolo Zazzaroni:

> Una rosa ed un giglio in un legati
> costei mi dona...

due fiori che diventano subito « d'amor geroglifici beati » e ai quali il poeta si rivolge:

> Ben v'odoro e v'adoro or che scolpita
> la mia candida fede in voi si vede
> e la beltà che bramo anco s'addita.

Altre volte è il dono di un anello che provoca nel poeta tutta una trama di ipotetici simboli: « Qual cifra è questa alla mia mente ignota? » Ma con estrema evidenza di significato il dono sarà talora presente in una luce disperata di amore, come nel sonetto del Muscettola che ha per titolo: *Partendo dalla sua donna fu da quella donato un picciol teschio di morte*:

> *E pur amo, e pur ardo, e pur vegg'io*
> *ch'anco i doni d'amor non son che morte.*

Il gusto dei simboli spingerà lo stesso poeta e gli altri a proporre e a cogliere, anche al di fuori dello schema del sonetto d'accompagnamento di doni, motivi cifrati in ogni aspetto e circostanza della vita. Il vivaio più fecondo di tutta questa simbologia sarà costituito dai colori e dai fiori: e in questo il barocco non farà altro che sviluppare un tema del costume già operante nella civiltà rinascimentale (come prova una larga messe di documenti in prosa e in versi culminante negli *Emblemata* di Andrea Alciato). Così un particolare della toeletta femminile, un nastro verde che lega la bionda massa dei capelli, susciterà una dubbiosa interrogazione, diventerà un enigma da decifrare. Così in un sonetto di Pietro Casaburi la presenza della donna nel giardino determinerà tutta una simbologia, tutta una serie di rapporti emblematici tra i fiori e gli elementi della bellezza femminile:

> *Negli emblemi d'april cifre eloquenti*
> *delle bellezze tue qui leggi, o Dori:*
> *del tuo crine ha la calta, ebbra d'odori,*
> *miniate nel sen l'ambre lucenti...*

e così via, fra ligustro e seno, tulipano e labbra, ircos ed occhi, giglio e cuore di ghiaccio, croco e amore del poeta. Così ancora, in un sonetto del Sempronio, la neve caduta in aprile si porrà come simbolo della fragilità della bellezza, della sua apparizione breve e del suo rapido dileguare:

> *E qual beltà più vile, età più breve,*
> *se, mentre nasce april, s'indura il gelo,*
> *e mentre spunta il fior, fiocca la neve?*

3. Marino e Marinisti, II.

E in un sonetto di Federico Meninni, *Mirando la sua ninfa, in tempo di verno, una vite*, la vite diventerà simbolo del cuore ferito del poeta:

> *Questa vite, ch'or miri a l'olmo a canto,*
> *può, Nice, a te simboleggiar mio core:*
> *mentre è ferito e' si discioglie in pianto.*

Si avanza in questo componimento il motivo delle stagioni, al quale sempre si rivolge con particolare simpatia il gusto dei barocchi. Le stagioni costituiscono un termine figurativo non infrequente nella rappresentazione della donna e dell'amore. La correlazione fra la donna e le stagioni ritorna in vari componimenti. L'antico *cliché* poetico del quadro primaverile evocante una nostalgia d'amore o determinante comunque la cornice della donna e dell'amore, viene sottoposto, al solito, ad una variazione: ed accanto alla primavera, la stagione poetica tradizionale, compaiono le altre stagioni, l'estate l'autunno e l'inverno, colte sovente nelle loro caratteristiche di ardore e di siccità, di colma e colorita vendemmia, di neve e di gelo. L'attrazione fantastica verso questo motivo, in realtà, si fa sentire con tale soverchiante prepotenza da ridurre talvolta l'interesse simbolico a semplice pretesto dell'esercizio figurativo delle stagioni (che finirà anzi, a un certo punto, con l'accamparsi in piena autonomia, come determinante unico del componimento). Si veda la canzone di Ermes Stampa in cui le quattro stagioni sono passate in rassegna per concludere che la più gradita è la stagione invernale perché in essa la donna si mostra al poeta: dove il fascino della canzone non è certo nella conclusione simbolica, che pone la donna come sintesi delle stagioni, ma proprio nei quadri delle stagioni, in quel gusto schietto delle opere e dei giorni dell'uomo, in quel sentimento di goduta realtà, in quella prospettiva ariosa di paese. Con questo non si vuole negare che anche il tema sentimentale, in funzione del quale dovrebbe essere costruito il quadro di stagione, assuma in qualche caso una pungente intensità, come nel sonetto del Morando *Il primo giorno di maggio*, che, in un clima diffuso di lieta giornata, di atmosfera giovane e luminosa, colloca un verso risentito:

> *Arido è sol del mio sperar lo stelo*

un verso che fa paesaggio e si carica di un alto valore emblematico, incidendo un profilo fisico ed aprendo una prospettiva d'anima, nel contrasto che segna, nel suo contenuto di aridità, con il quadro che precede, verde di fresco fogliame (ma un altro bel verso di un altro sonetto simbolico del Morando *Ardore estivo e amoroso* insiste tutto e solo sulla realtà fisica dell'arsura estiva: « Fatto è d'estinto fior bara ogni stelo »: come tutto il componimento, che riduce al minimo l'indicazione del sentimento d'amore).

Del resto non è solo per le immagini delle stagioni che, nei componimenti di struttura simbolica, la parte figurativa soverchia spesso sull'enunciato meditativo o sentimentale. Ognuno dei molteplici aspetti della realtà può non solo trovare diritto d'ingresso nella lirica barocca, ma avere anche mezzo per usurparvi lo spazio maggiore e la più prolungata attenzione. Esiste invero una condizione espressiva tipica, in cui il tema tanto insistente dell'amore preferisce introdursi in maniera indiretta, attraverso la mediazione di scene di vita e oggetti svariati, i quali, rovesciando i termini della loro funzionalità, finiscono con l'invadere l'intero orizzonte contemplativo, per ritrarsene solo negli ultimissimi versi, quando, per fulminea via comparativa, subentra finalmente il tema amoroso. Estremamente indicativo rimane un sonetto di Antonino Galeani, in cui ben tredici versi sono dedicati alla rappresentazione della rana fra i giunchi, allettata dalla luce e divenuta in tal modo preda di morte, mentre solo all'ultimo verso sarà affidata la funzione di ricondurre quella descrizione ad un motivo amoroso:

> *Né cura o vede che quel raggio acceso*
> *è fiaccola parata alla sua morte...*
> *tal de' tuoi lumi al lume anch'io fui preso.*

È questa la struttura, ben nota, del famoso sonetto petrarchesco *Movesi il vecchierel canuto e bianco*. Ma se in Petrarca si trova l'impianto di questo tipo di sonetto, in cui lo spazio espressivo è quasi interamente occupato da una scena di valore in certo modo autonomo, dato il prolungato compiacimento dello sguardo su di essa raccolto e solo sul finale all'improvviso distolto per illustrare una situazione d'amore, estranea nel modo più assoluto

al Petrarca è la qualità delle immagini che occupano quello spazio,
la sostanza costitutiva di quella scena. Non sarebbe evidentemente
concepibile in un petrarchista l'assunzione di un'immagine simile
a quella del sonetto dell'Achillini *Amante paragona il suo stato
amoroso al filatoio*, dove appunto lo sguardo lirico si posa sul
filatoio, e di esso sembra godere:

> *Qui nel torcer del corso il fiume irato*
> *urta mole filante e in cerchio tira...*

Un godimento a cui contribuisce, accanto all'attrattiva di questa nuova e sorprendente realtà, il sentimento dell'intrepido piacere del difficile, il desiderio di cimentarsi nella figurazione verbale di oggetti complicati e ribelli ad una traduzione in poesia.
Poco importa se l'esteriore movente di tutto questo debba ricon-
dursi ancora sempre alla legge della poetica della novità e della
meraviglia. Quel che conta è che quella poetica si sia fatta incon-
sapevole mediatrice del sorgere di un nuovo ideale figurativo e
dell'apparire di una nuova sensibilità linguistica. Insomma con
la lirica barocca è ormai lontano l'ideale bembesco (il cui declino
lamentava lo Stigliani in una celebre lettera), l'ideale che aveva
fatto considerare con estremo sospetto l'esperienza poetica aperta
e mobilissima di Dante (« ... quanto sarebbe stato più lodevole
ch'egli di meno alta e di meno ampia materia posto si fosse a
scrivere, e quella sempre nel suo mediocre stato avesse, scrivendo,
contenuta, che non è stato, così larga e così magnifica pigliandola,
lasciarsi cadere molto spesso a scrivere le bassissime e le vilissime
cose [...] Conciò sia cosa che affine di poter di qualunque cosa
scrivere, che ad animo gli veniva, quantunque poco acconcia
e malagevole a caper nel verso, egli molto spesso ora le latine voci,
ora le straniere, che non sono state dalla Toscana ricevute, ora
le vecchie del tutto e tralasciate, ora le non usate e rozze, ora le
immonde e brutte, ora le durissime usando, e allo 'ncontro le
pure e gentili alcuna volta mutando e guastando, e talora, senza
alcuna scielta o regola, da sé formandone e fingendone, ha in
maniera operato, che si può la sua Comedia giustamente rasso-
migliare ad un bello e spazioso campo di grano, che sia tutto
d'avene e di logli e d'erbe sterili e dannose mescolato, o ad al-

cuna non potata vite al suo tempo, la quale si vede essere poscia
la state sì di foglie e di pampini e di viticci ripiena, che se ne
offendono le belle uve ». Di qui nasce appunto quella vaga suggestione dantesca che si riporta leggendo questa poesia. Essa deriva infatti non da una lettura di Dante, che rimane fondamentalmente estranea a questi poeti (i documenti che in proposito si
possono ricavare, dal Marino allo Stigliani al Muscettola ad altri,
non ci autorizzano a modificare le conclusioni dello studioso che
ha percorso il seicento indagando la fortuna di Dante) o semmai
si fa indirettamente operante attraverso la lettura eseguita dal
Tasso (dal Tasso ultimo, del *Mondo creato* e della *Conquistata*),
ma soltanto da una, direi, necessità stilistica e tonale, in quanto
prendendo Dante come l'esponente di una maniera aspra e colorita, petrosa e chiaroscurale (di « plurilinguismo » e di « poliglot-
tia degli stili » discorre Contini) e Petrarca come il rappresentante
dell'opposta maniera, soave e spenta, levigata e attutita (di « unità
di tono e di lessico » e di illuminazione « trascendentale » di linguaggio parla di nuovo Contini), è inevitabile che ogni ricerca
che si scosti da quella di armoniosissima uniformità del Petrarca
debba accostarsi in qualche modo alla forma dantesca. Ora, ritornando ai sonetti in questione, dobbiamo osservare che proprio
in quelle immagini, che assumono scorci di realtà su cui indugia
compiaciuto lo sguardo del poeta, consiste il loro più vivo interesse. In essi infatti il poeta barocco, mosso dal solito proposito di
novità e di sorpresa, varia la materia sterilizzata del Petrarca,
ed estende il suo sguardo sui più diversi e coloriti aspetti del
mondo. Per effetto del programma poetico della meraviglia, lo
scrittore barocco fruga la realtà, dilata il suo campo visivo, ed
accoglie nel suo universo poetico motivi e figure, forme e sostanze,
prima rimasti ignorati ed estranei all'esperienza lirica. Il mondo
convenzionale della lirica petrarchesca, fatto di pochi temi sele-
zionati con cura, filtrati da un gusto schifiltosissimo, fissato in
un linguaggio sperimentato da tutta una tradizione, crolla, o per
lo meno si dilata e si modifica, e sorge un mondo nuovo, e fa
le sue prove un nuovo linguaggio, una realtà e una lingua che
sembrano preparare certe esperienze della poesia illuministica e
romantica. E sotto questo aspetto, forse, la poesia barocca non
pare troppo lontana dalla condizione dei nuovi esploratori del

pensiero e della natura, della prosa del seicento, piena del gusto
della tecnica delle varie arti, dell'analisi delle diverse forme della
vita.

* * *

Questa disposizione ha modo di manifestarsi anche nelle altre
grandi categorie della lirica barocca, quella encomiastica e quella
religiosa. La poesia encomiastica occupa un vasto spazio in questi
canzonieri, determinandone (inevitabile è l'appunto) una delle
zone più fastidiose. E sì che anche l'elogio può essere talora un
vettore costitutivo di un discorso poetico o letterario lievitante di
una personale esperienza. Si pensi all'elogio di Dante, sobrio e
severo come l'approvazione del maestro e del giudice, impossibile
a confondersi con quello di Petrarca, che è la lode decorosissima e
commossa del letterato consacratore di gloria che parla per un
mondo di cultura che si estende all'Europa e giunge alla posterità; e si pensi poi all'elogio del Tasso, che è l'elogio del
cortigiano sinceramente rapito dalla liturgia della corte, come
luogo di vita bella e magnifica, dove si illumina e sorride una
forma lusinghiera, un sogno breve destinato a sfiorire, a cui
tornerà inappagata e nostalgica la sua memoria; o infine all'elogio
del Marino, che essenzialmente sente e scrive *sub specie laudis*,
con l'animo dell'ordinatore e della guida di gallerie e di musei,
del compiaciuto raccoglitore di oggetti rari e lussuosi, di go-
dute e raffinate presenze di vita. Nei poeti barocchi l'elogio,
che si esprime generalmente col gusto di un'ornamentazione fastosa e complicata, tra un frenetico addobbo e un minuzioso ceri-
moniale, diventa pure in qualche caso pretesto per la celebrazione
lirica di aspetti e forme della realtà, che finiscono per vivere per
se stessi, talvolta in piena autonomia. Si prenda ad esempio il
sonetto dell'Achillini reso celebre dalla citazione nei *Promessi
Sposi* (Manzoni coglierà altre suggestioni dall'Achillini, dalle sue
lettere soprattutto) *Sudate o fochi a preparar metalli*. Il proposito
pratico iniziale è nella lode di Luigi XIII, mentre il proposito
effettivo, di poetica, che subentra, è nell'arguto adattamento del
« *veni vidi vici* » cesariano all'impresa del re di Francia, ma il
risultato suggestivo, di lirica rappresentazione, è solo nella realtà
(più evidente) metallica e infuocata, sonante e incandescente, della

fucina, e nella realtà (più impalpabile) dell'azione veloce e grande, lampeggiante e strepitosa, su cui ha agito fertilmente quella scoperta arguta fatta di slancio e di forza: così una virtù di stile innegabile domina l'intero sonetto, che si risolve in un alludere rapido, in un susseguirsi di scorci arditi, in un'animazione fervida, in un movimento incalzante, tanto che la sostanza iperbolica di cui esso è tramato perde la sua vuota e pesante sonorità, e si tempera nelle immagini di moto, in quella fantasia di vivace prestezza. Si prenda ancora dello stesso Achillini il sonetto su gli orti Vaticani, dove, nonostante la conclusione metaforica allusiva ai fasti della Chiesa e di Urbano VIII, l'autore ha modo di indugiare nella visione dello splendido parco dagli alberi ritagliati in forma di statue e di navi, di compiacersi di questo luogo fantastico caro al costume e alla letteratura del tempo, di godere di questa natura lavorata, per la quale le piante non sono più soltanto piante, allusiva di quella instabilità delle forme che è essenziale all'intuizione barocca. Del resto anche un altro tema carissimo alla fantasia barocca, quello delle fontane, sorgerà generalmente condizionato da una occasione encomiastica. Il Preti nel sonetto sulla *Fontana di Paolo V nella piazza di San Pietro in Roma* se obbedisce ad un'intenzione celebrativa e sembra ripiegare nel finale su un proposito di meraviglia tutto esteriore, in effetti celebra una più sorprendente realtà e patisce una più intima meraviglia, quella dell'acqua spumeggiante, della liquida massa ondeggiante nel cielo, della nebbia d'argento diffusa intorno. Mentre il Barberini e il Maia, svincolati ormai da ogni proposito encomiastico, e indifferenti alla stessa architettura della fontana che tanta parte aveva avuto nella famosa fontana d'Apollo dell'*Adone*, si abbandoneranno alla pura figurazione dell'acqua, all'emozione della sua limpidezza e della sua frescura, del suo suono e del suo cadere e rifrangersi e ribollire e zampillare, presi soltanto dalla fenomenologia del mobile elemento, dalla sua irrequieta e instabile vita: acque teatrali, insomma, e tutte risolte nella apprensione sensoriale dello spettatore, quelle barocche; tutto l'opposto delle acque romantiche pateticamente immobili e sognanti negli stagni e nei laghi dei poeti dell'ottocento.

Il barocco del resto raccoglie la sua attenzione sulla varietà delle cose, sulla visione seriale di esse, sui singoli elementi della

natura, più che sul quadro disteso e complesso di un intero paesaggio. Proprio per questo, insieme all'acqua, sarà rappresentata
con vivezza l'aria. Ed è Marcello Macedonio che in una cornice
artificiosa, in cui si immagina una contesa dialogata fra acque e
aure, si compiacerà di ritrarre la sostanza instabile e sfuggente,
l'aspetto vago dell'acqua e dell'aria, l'ilare ritmo di questi due
inquieti elementi, simbolici in certo modo dell'inquieto gusto
barocco. Mentre il Fontanella tenterà di fissare il senso lieve e
fuggevole, volubile e inafferrabile, del vento: una presenza, anche
questa, come tutte le cose mutevoli, capace di svegliare ed ecci-
tare e sostenere la fantasia di questi poeti. A particolari realtà
di natura (come il diamante, la perla, il corallo, l'oro, l'argento,
il muschio, e così via) dedica un'intera collana di sonetti lo stesso
Fontanella. In essi queste realtà sono contemplate nella loro sostanza rara e preziosa, nella loro parvenza mirabile, nella loro
vita misteriosa o fastosa. Gli esiti che se ne ottengono, quasi sempre notevoli per la capacità di suggerire l'emozione della qualità
delle cose, trovano la più felice possibilità di documentazione
nei due sonetti, pervasi da una squisita raffinatezza, *La perla* e
Al muschio, il primo trepido del magico candore e dell'incantevole luminosità, tra riflessi di mare e di cielo, della perla:

> *Tu allumi di candor l'onda marina,*
> *uscendo incontra al sol bianca e ridente...*

e il secondo carico di virtù evocativa dell'impalpabile vita del profumo, del suo inebriante influsso sui sensi, e tutto disposto a suscitare un ambiente di costumi molli e eleganti, uno scorcio di quel
mondo di lusso e di lussuria che aveva vagheggiato, ma con meno
sottile sensibilità, la musa del Marino:

> *Pallida per dolcezza imbianca il volto*
> *bella donna leggiadra, e al tuo vigore*
> *soavemente ogni vigor l'è tolto...*

Nel Fontanella si trova, con un'ampiezza che non è facile riscon-
trare in altri, il più vasto repertorio della tematica barocca rela-
tiva alle cose di natura, agli animali, ai fiori, ai frutti: dalle pre-

senze più comuni e tipiche (della fenice, del pavone, della lucciola, della farfalla, del girasole, della rosa, della passiflora, del
melograno) alle più rare (della luna, della margherita, dell'incenso, del cipresso, dell'ermellino, ecc.). Su ognuno di questi particolari dati di natura, accostati per la capacità, di cui sono ca-
richi, di destare un'emozione di meraviglia (di movimento o di
mistero, di lusso o di rarità) il poeta opera un processo figurativo
o di vivida apprensione e accentuazione delle note che cadono
sotto l'esperienza dei sensi, oppure di trasfigurazione stilistica
e di eccitazione fantastica, risolte nei modi della metafora o del
simbolo o dell'argutezza, senza esclusione naturalmente della possibilità di una fusione fra questi diversi procedimenti. Anche
in altri poeti, e per più comuni realtà, si attua questo fondamen-
tale processo figurativo. Così in un sonetto del Massini si ha la
rappresentazione, sullo schermo dei sensi, del vino spumeggiante,
mediante la registrazione del suo effetto sugli occhi e sul naso e
sul palato:

Questo di puro vin spumante vaso,
che scintillando esala a mille a mille
vive saltanti e spiritose stille
onde gli occhi mi punga e ingemmi il naso...

Mentre nel sonetto del Maia *Loda la verdea di Fiorenza*, agli
spunti figurativi del biondo e profumato e saporoso vino, subentra il gioco arguto sul nome di quel vino. E qui l'elogio, secondo
propone il titolo in maniera assai esplicita, non è più rivolto,
nella stessa consapevole intenzione dell'autore, ad una persona,
ma ad una cosa che raccoglie l'interesse totale del poeta. Tale
assoluta concentrazione su di un oggetto, era evidentemente pre-
clusa, per insormontabili ragioni di economia interna, alla lirica
amorosa e a quella moralistico-religiosa, pur sempre costrette, anche nel caso in cui cedessero pressoché l'intero spazio espressivo
alla figurazione di dati della realtà naturale, a riservare un minimo di attenzione al contenuto amoroso e morale. (Tuttavia,
come abbiamo visto, l'ampio margine — che s'estende talvolta
quasi all'intera pagina — concesso alla poesia delle cose, in quei
componimenti rivolti a diversa significazione, più di una volta

permette il formarsi di alcune fresche e saporite nature morte;
e varrà qui la pena di ricordare un sonetto amoroso dell'Abbelli,
traboccante della presenza colorita e corposa, viva di luce e peso
e umore e spessore, dei grappoli biondi e pesanti, e dei verdi e
folti pampini; e il sonetto moralistico del Sempronio *Acqua annevata di cedri e di visciole*, giocondo del gusto sensuale, e lussuoso, di questa realtà:

> *Vermiglietti rubin spolpa e disossa,*
> *e ricchi cedri d'or spreme e sminuzza,*
> *e di quel buon liquor l'arte ne spruzza*
> *in ampi vetri onda agitata e scossa...*)

In un sonetto di ringraziamento *Per un regalo di fraghe* del Dotti,
nel tessuto del prevalente rabesco ingegnoso, vive la squillante
nota di colore dei purpurei frutti, appresa con gusto metaforico
e visivo:

> *Su la faccia d'april purpurei nèi,*
> *coetanei dei fior, frutti de l'erba...*

Tutta una leggiadra fantasia metaforica, una sinfonia di bianco,
in cui si susseguono immagini di candide realtà, alba, latte, neve,
argento, perla, colomba, e uno stupore di preziosa materia e di
trasparenti riflessi, scaturisce dalla celebrazione *Alla rosa bianca*
di Antonio Basso. Al contrario un interesse esclusivamente simbolico informa l'elogio della passiflora contenuto in un sonetto
di Lorenzo Casaburi, che svolge l'argomentazione arguta della superiorità emblematica della granadiglia, « sacrario vegetante », rispetto agli altri fiori di contenuto simbolico, i fiori delle metamorfosi, e rispetto agli stessi frutti, per il frutto spirituale che
dalla meditazione se ne ricava. Agli stessi richiami di ordine sensoriale o metaforico o simbolico obbedisce anche la figurazione
degli animali. Il cavallo presente nelle quartine di un sonetto del
Preti (le terzine racchiudono un delizioso cammeo lavorato con
eleganza squisita: « Sovra un colle di neve un fior parea Colei... »;
e da tutto il sonetto spira un'atmosfera di seduzione e di lusso)
è fissato dal piacere visivo del colore del niveo mantello, della
linea nervosa dell'agile corpo: ed una gran cavalcata equestre,

che sembra uscire dai poemi del quattro e del cinquecento e precorrere certi movimenti di sensibilità romantica (da Alfieri a Manzoni), attraversa i canzonieri barocchi fino al più tardivo, e per questo lato più caratteristico, di Giuseppe D'Alessandro. Invece su di un'altra emozione lussuosa, quella che emana dalla figura del pavone (nei sonetti dedicati dai vari poeti a questo animale barocco: barocco per la sua architettura pomposa e fantastica, per le sue linee e i suoi colori quasi irreali e favolosi, come di vivente metafora, per la difficoltà figurativa che proponeva al poeta che si accingesse a ritrarlo) agisce il gusto di una stupefacente vegetazione metaforica ricondotta a un suggerimento simbolico. Anche per la lucciola, un'altra immagine accolta con particolare amicizia di fantasia dal barocco, interviene un procedimento simile, di sentenza simbolica stabilita a conclusione di una moltiplicazione metaforica (ma questa di tipo più rapido e numeroso, a brevissime e frequentissime immagini: quasi a coglierne il ritmico battito luminoso del volo). Come le lucciole, così le api, le farfalle, le formiche sono avvertite con pungente sensibilità dal gusto barocco, per quel senso gremito e misterioso, mobile e sparente, per quei richiami metaforici e simbolici propri del loro tema. Su di un piano diverso, invece, di vagheggiamento un po' intenerito e ridente, e di disegno a morbide sfumature e a linee lievi e aggraziate, si trasferisce qualche altra figurazione, come quella dedicata, dal Massini, al lucherino che si specchia:

> Già vederti mi par converso in fiore
> foglie farsi le penne, e 'l canto odore...

e, dal Michiele, al colombo che scambia per una colomba la propria immagine riflessa in un fonte e la bacia; o come quella contenuta nel sonetto del Sempronio *In morte d'un grillo*, che è una cosa gentile, un pezzo da *Antologia Greca* veramente:

> Qui giace un grillo, o passeggiero, un grillo
> che de la fiammeggiante e bionda estate
> le notturne temprando ore infocate,
> infuse agli occhi miei sonno tranquillo...

che dice l'elogio del morto grillo nella cornice di una notte estiva.

Le stagioni, abbiamo detto, costituiscono un punto di vivace attrazione dell'interesse del poeta barocco. Se il canto dell'amore determina l'occasione di molti quadri di stagione (e varrà la pena di ricordare ancora il sonetto *Autunno* di Pietro Michiele, in cui si trova l'intuizione dell'autunno tipica del barocco, come di una stagione colma, fastosa e festosa, in un tripudio di forme e di colori, di frutti polposi e saporiti, assai diversa dall'intuizione dell'autunno dell'età romantica che insisterà sulla malinconia delle foglie che cadono e sulla magia dei colori di porpora e d'oro del paesaggio), cotesti quadri di stagione trovano altresì, entro lo schema encomiastico, una possibilità di libera e talvolta pienamente autonoma rappresentazione. È il caso dell'Achillini che celebra la *Nascita del dì d'aprile* in un intero sonetto, condotto con intellettualistica ricerca di punti prospettici sorprendenti, ma anche con evocazione di ilari immagini di fresca e fiorita natura. A sua volta il Battista nel sonetto *Il verno* si abbandonerà alla composizione del quadro desolato della natura invernale, libero ormai da ogni richiamo di carattere funzionale. E di nuovo l'inevitabile tema del ritorno della primavera, che aveva costituito la tradizionale cornice propizia al canto d'amore, toccherà Francesco Durante spostandolo per altro verso un quadro di diversa stagione, cioè l'inverno, resistente ancora quando già è nato aprile. La visione delle stagioni in questi poeti sembra svolgersi, nella realizzazione lirica (a parte restando dunque le ricerche simboliche e i giochi arguti), sotto lo stimolo di un duplice eccitamento, sensuale realistico e metaforico fiabesco. Vivono delle stagioni le note, captate con desti e avidi sensi, delle garrule acque e delle aure canore della primavera, dei suoi odorati giardini e boschi profumati, coloriti di fiori e verdi di erbe e fronde (si osservino i « purpurei giacinti », le « azzurre violette sparse di nere stille », le « infiammate rose », il « bruno verde de le folte erbette » del *Ritratto della Primavera* di Marcello Macedonio); e i segni delle messi d'oro e delle erbe riarse e della terra bruciata dell'estate (ricordo solo questi versi affocati del Lubrano:

> *De l'aria incendiata arsi orizzonti*
> *sbuffano in faccia a l'albe aridi fumi.*

> *Bollono l'ombre stesse in valli, in monti;*
> *ogni campo par eremo di dumi;*
> *urne di polve son l'urne de' fonti...*);

e le qualità assaporate dei pampini folti, e dei pesanti grappoli, e dei frutti coloriti polposi e dolci dell'autunno (e ne sarà felice interprete il Fontanella:

> *Qui porporeggia il melo,*
> *là giallo impallidisce il cedro antico,*
> *e con lacero sen lagrima il fico;*
> *di rubini la vite orna il suo stelo,*
> *e di porpora e d'or pendendo altero*
> *miniata ha la scorza il pomo e 'l pero...*)

e le tracce taglienti e dolenti dei rami spogli e dei pigri geli dell'inverno (come nel citato sonetto del Battista:

> *Son decrepiti i rami, e quella fronda*
> *che diè nido agli augei letto è d'armenti...*)

Ma i motivi delle stagioni, oltre questa vita carica di emozioni relative all'esperienza dei sensi, lievitano altre volte, per virtù della trasfigurazione metaforica, in forme fantasiose che sfumano in vaghi toni di fiaba. Ecco quindi il prato primaverile di Ermes Stampa:

> *Facciasi in lui la violetta bruna*
> *de la pace de l'aria iri odorosa,*
> *e da la siepe sua spunti la rosa,*
> *quasi di verde ciel purpurea luna.*

E si veda questo cielo estivo di Bernardo Morando:

> *Su la cetra del ciel poeta il sole*
> *muove già de' suoi raggi il plettro ardente,*
> *e de le sfere al suon con piè lucente*
> *guidan stelle brillanti alte carole...*

Che è del più aperto e audace gusto metaforico barocco. Ed è
questo, ancora, un esito positivo della tanto malfamata poetica
della meraviglia. Questa poetica, in effetti, con la tendenza ad
accostare attraverso la metafora realtà remote e a scambiarne gli
attributi, portava in alcuni momenti ad una stupefatta trasfigurazione della natura, in cui dallo stupore voluto, programmatico,
si passava ad uno stupore lirico, e dalle figure consuete alle figure
irreali e meravigliose della fiaba. Così il Macedonio porrà in bocca
ad un pastore una vaghissima invocazione all'alba, nella quale
l'alba assume un volto pastorale ed una funzione pastorale, e le
stelle diventano pecorelle, il cielo prato, la via lattea ruscello:

> *... la greggia de le stelle,*
> *lucide pecorelle,*
> *a cui son ricca lana i folti raggi,*
> *tutta notte han pasciuto*
> *per li sereni campi*
> *che germogliano lampi,*
> *ed assai ruminato han per le valli*
> *dei concavi cristalli,*
> *in fonti di rugiada*
> *ed in laghi di manna*
> *sommergendo la sete,*
> *e ne la via di latte,*
> *quasi in fresco ruscello,*
> *lavando a gara il fiammeggiante vello...*

E il Fontanella nel sonetto *Ad un ruscello*:

> *Sono i suoi mormorii trilli canori,*
> *al cui suono gentil canta ogni augello,*
> *a la cui melodia danzano i fiori...*

E il Meninni:

> *Nato era aprile, e ricamava il prato*
> *d'accese rose e pallide viole,*
> *pompa de l'odorifero senato,*
> *la furiera del dì, balia del sole...*

In questa traduzione, per eccesso metaforico, in termini fantasiosi sfumati di fiaba, e nella apprensione vivace, colma di realtà, calata nei sensi, consiste il modo di avvertire e rappresentare la natura proprio dell'età barocca. Perciò anche quel gusto di natura idillica fatto di una vaga aspirazione di rifugio tra il verde di una campagna amica lungi dalle cure della vita della corte e della città, quel gusto che provenendo dall'umanesimo, dopo le alte esperienze tassiane della pastorale di Aminta e di Erminia, persiste e si dilata anzi durante il seicento invadendone i canzonieri, trova l'unica possibilità di redenzione dalle forme sbiadite e convenzionali che l'aduggiano, proprio in quelle immissioni di polposa realtà e in quelle evasioni fantasiose che rappresentano due estremi, due vettori opposti e pur concordi, del movimento espressivo barocco.

Questi due poli estremi di attrazione del processo figurativo barocco sembrerebbero, superficialmente considerati, istituire un punto di contatto con il gusto romantico, il quale tenderà anch'esso ad una riproduzione precisa e storica della realtà e nello stesso tempo ad un abbandono straripante nel mondo del sogno e della fantasia. Senonché questi risultati, in apparenza simili, nascono da poetiche molto diverse. Ed infatti il romanticismo muoverà dal principio della libertà e della sincerità creatrice, mentre il barocco obbedisce alla poetica della novità e della meraviglia. Due poetiche che spostavano comunque la visione da quegli schemi astratti, da quegli stilemi controllati, da quegli ideali regolati tipici della poetica classicistica, e che proprio per questo determinavano alcune coincidenze di risultati, anche se poi esse sostanzialmente subivano richiami diversi e si giovavano di una diversa tecnica, e finivano con lo sviluppare toni e sfumature ben distinti e raggiungere esiti di un'assai differente portata. Basterebbe pensare all'elemento mitologico, bandito dal romanticismo e largamente sfruttato, invece, con intenzioni decorative e metaforiche (e con una preferenza tutta particolare per i miti delle metamorfosi) dal barocco. O all'elemento retorico virtuosamente elaborato, di vasto impiego nel barocco ed estraneo al gusto romantico. Il romanticismo scopre il mondo del sentimento, e sul sentimento raccoglie la sua attenzione, e di esso imbeve la sua visione del mondo e la sua poesia; il barocco invece intuisce l'in-

stabilità figurativa delle cose, il relativismo prospettico, il meta-
forismo universale, e su questa nozione metaforica del reale
svolge la sua poesia, una poesia che, da un lato, si aggrappa alle
qualità sensorie, e dall'altro sfuma in una fantasiosa irrealtà. Per
questa genesi aliena dall'intimità patetica, e svolta al contrario
su un intervento di intelligenza, la natura barocca obbedisce ad
una visione analitica e frammentaria piuttosto che sintetica ed
unitaria. Sicché, in luogo del paesaggio vero e proprio, si offrono
in questa esperienza lirica suggerimenti vaghi e in certo modo
involontari di paesaggio, e soprattutto sequenze di realtà naturali,
ed elenchi di qualità o di aspetti di un'unica realtà di natura.
Il Preti celebrerà dunque, nello schema del contrasto fra città
e campagna, la bella natura con modi di questo genere:

> *Verdi poggi, ombre folte, ermi laureti,*
>
> . . . .
>
> *antri e silenzi solitari e queti,*
> *valli romite e boschi orridi e belli,*
> *tremule fronde, teneri arbuscelli,*
> *siepi rosate, pallidi oliveti...*

Così il Fontanella nell'ode *Alla luna* canta, attraverso una ricca
animazione metaforica e alcune vive sensazioni di colore, l'astro
notturno, predicandone via via le manifestazioni, dagli splendori
sereni alle misteriose influenze, dalle fresche rugiade ai rapporti
arcani, suscitando pure alcuni rari spunti paesistici, però senza
quell'immissione di accentuata vita patetica che sarà propria del
mondo romantico:

> *Candidissima stella*
> *che 'l silenzio tranquillo apri nel mondo,*
> *e pacifica e bella*
> *rendi il fosco de l'ombre almo e giocondo,*
> *e de l'umido sonno umida sposa,*
> *abbracciando la notte, esci pomposa...*
>
> . . . .
>
> *Or con languido lume*
> *fra le nubi sepolta umida manchi,*

> *or con candide piume*
> *le selve inalbi e le campagne imbianchi...*

(Una carica patetica notevole sembra tuttavia sostenere il sonetto del Fontanella *Alla notte*, soprattutto per l'eco che lasciano le due terzine, l'ultima in modo speciale:

> *Tacita dunque a noi parlar ti piace,*
> *e mentre altri racqueti, altri addormenti,*
> *mostri da l'ombre tue dir pace pace.*

Senonché questo finale è più la conclusione concettosa di un'interpretazione svolta in senso metaforico, che l'abbandonata espressione di uno stato d'animo). Allo stesso modo il quadro paesistico che si apre in un sonetto dell'Achillini, *Altezza esaggerata del Monte Apennino*:

> *Ecco il padre de' boschi alto Apennino,*
> *che il verdeggiar de la sua bella fronde*
> *nel ceruleo del ciel quasi confonde,*
> *cotanto erge a le stelle il crin vicino...*

pur offrendosi come una visione autonoma di natura e pur concedendo sufficiente spazio al formarsi di un effetto pittorico raro (lo sfumare della verdeggiante massa selvosa nell'azzurro del cielo), si pone essenzialmente, entro lo schema dell'elogio (vale a dire dell'esaltazione del monte che si perde tra le nubi), come uno sforzo per dar rilievo all'altezza dell'Appennino attraverso un movimento di fantasia in cui ha modo di esprimersi il gusto mitico-favoloso ed iperbolico-meraviglioso del barocco. Così ancora si profilano, entro i confini di questa esperienza lirica, taluni scorci di vita rustica che, se, per il sapore di realtà che li informa (qua e là spinto, per eccesso di colore, fino a tonalità gaie e spigliate da strapaese) superano la esangue e convenzionale delineazione del genere pastorale fiorito nelle corti e dell'atmosfera delle corti tutto imbevuto, rimangono tuttavia lontani dal clima patetico romantico, da quell'aria, da quella luce, da quel senso intimo e dilatato insieme in cosmiche lontananze, che avvolge certi qua-

dri di vita villereccia del Leopardi. E basterà vedere (per lasciare
gli esempi brillanti offerti da Antonino Galeani o da Tiberio
Sbarra) la *Veglia rustica* di Filippo Massini:

> *Poi che cenato avrai vien con le suore*
> *tue pargolette e con tua madre, Orsella,*
> *là 've mia madre e schiera amica e bella,*
> *fugge, al foco filando, ozio ed algore...*

Accanto a questi quadri di riposata e gioiosa visione del reale
è concesso trovare fra le pagine dei canzonieri barocchi tutta una
serie di immagini di dolente e sconvolta natura: dalle estive arsure alle inondazioni, alle tempeste, alle eruzioni, ai terremoti,
fino a quel paesaggio della solfatara di Pozzuoli, di un sonetto del
Manso, trattato con tavolozza livida e triste:

> *Nuda erma valle, ai cui taciti orrori*
> *accrescon tema ombre solinghe oscure;*
> *sulfuree rupi, acque bollenti impure,*
> *sanguigni fumi e tenebrosi ardori...*

Sono modulazioni di discendenza tassiana ancora, ma accolte con
piena coerenza alla temperie umano-stilistica barocca, non soltanto
per quell'obbedienza che rivelano ad alcune leggi fondamentali
della poetica del seicento, quella della varietà e novità attuata sul
piano del confronto con le più consuete presenze di natura pacata
e serena, e quella dell'inesauribile percorso nell'ambito delle possibili scelte della materia lirica, ma soprattutto per quella sensibilità lievitante, di estrema tensione e di squilibrio e di inquietudine, che accolgono in sé. Non sono però unicamente gli aspetti
più tormentati della natura, sì anche quelli squallidi e crudeli
della umana miseria e sofferenza, che attraggono la fantasia di
questi secentisti. Ne è documento significativo il sonetto del Maia
sull'ospedale degli Incurabili di Napoli, culminante nell'enumera-
zione caotica della prima terzina, che vuol rendere attraverso
l'espediente tecnico della ripetizione verbale, di largo impiego
nella stilistica barocca, l'impressione della quantità di mali e della

varietà di dolori, e insieme del formicolante groviglio di membra inferme:

> Questi è in preda al martir, quegli al furore,
> un suda, un gela, un stride, un grida, un freme,
> un piange, un langue, un spasma, un cade, un more...

Un quadro che fa pensare a certe preferenze che si riscontrano nella pittura del seicento per i lati deformi tristi e ammalati della vita: si pensi, per indicare artisti di assai diversa portata, a un Caravaggio a un Velasquez a un Le Nain. Di questa sostanza fantastica, e proprio nella cornice encomiastica, si nutrono alcuni interessanti sonetti, come quelli del Dotti *Al Signor Giacopo Grandis* sulla lezione di anatomia e *Per un aborto conservato in un'ampolla d'acque artificiali*, che interessano non tanto per il partito, di gioco metaforico e antitetico, che si propone di ricavarne l'autore, quanto per quei soggetti, per i riflessi desolati e funebri che ne scaturiscono, per la prova, di conseguenza, svolta dalla lingua poetica su questi dati del reale, i quali lentamente si impongono alla consuetudine poetica, squarciando la composta e armoniosa e idealizzata visione della vita propria della lirica rinascimentale (e in queste esperienze sono i veri incunaboli di certa poesia pariniana):

> Grandi, tu leggi e i tumoli scoperti
> di funesto Liceo t'apron le porte,
> dove i feretri in catedre converti,
> ed hai l'ulive infra i cipressi attorte...

Questi aspetti squallidi e funesti intervengono pure nella considerazione delle vicende storiche. Non solo le forze incontrollabili e ruinose della natura, ma anche quelle sconvolgitrici della storia interessano alcuni di questi poeti. C'è ad esempio tutto un gruppo di napoletani, da Antonio De Rossi a Vincenzo Zito ad Antonio Muscettola a Giuseppe Battista, a Giacomo Lubrano soprattutto, che faranno oggetto di vari loro componimenti la rivoluzione di Masaniello del 1647, proponendola spesso in termini barocchi, con strutturazioni artificiose e fantasiosi addobbi, ma pur ricavandone

squarci vigorosi di tragica desolazione (« Lungi da' busti lor te-
schi infelici Fer diadema funesto a' tetti infami ») e suscitandone
echi di sofferta umanità, di orrore per la violenza e la strage, di
rimpianto per la vita placida e serena. E a sua volta Ciro di Pers
nella lamentazione *Italia calamitosa* traccerà un vastissimo affresco
in cui sono rappresentati con un disegno tagliente e con terree e
plumbee tinte i mali d'Italia, la carestia, la guerra e la peste e le
vicende politiche relative alla successione di Mantova, insomma
tutta una materia che evoca ad ogni passo il nome di Manzoni
(e se ne veda almeno questo esempio:

> *Per le vie già frequenti e per le piazze*
> *già strepitose alto silenzio intorno*
> *e strana solitudine s'ammira,*
> *se non se in quanto ad or ad or si scorge*
> *senza pompa funèbre*
> *portarsi in lunghe schiere*
> *a sepellir gli estinti.*
> *Sceglie le tombe il caso, onde ciascuno*
> *fra ceneri straniere*
> *nel sepolcro non suo confuso giace;*
> *ma gran parte insepolta*
> *ingombra i campi intorno...*)

Una rappresentazione su cui passa il soffio vigoroso di un sentimento morale offeso, di una virile malinconia.

Perché non si deve già pensare che questa poesia sia così spoglia di umani affetti come si è per tanto tempo proclamato e creduto. Senza dubbio l'esperienza barocca si svolge prevalentemente
al di fuori di un'esperienza di comuni affetti. In essa è fortissimo
l'intervento intellettuale, l'azione degli schemi e dei modi di una
determinata poetica: sicché si sarebbe tentati di definirla come
poesia di poetica e di distinguerla dalla poesia di realtà patetica
(che, del resto, è poi in certo senso la condizione di tutta la poesia
precedente l'età romantica, quando sorgerà la poesia del sentimento). Ma questo non esclude naturalmente l'intervento di una
determinata sensibilità, e la presenza episodica di una cordiale
umanità. Affiorano perciò qua e là alcuni spunti delicati di poesia

dell'infanzia (come per esempio nel sonetto di Ciro di Pers dedicato ad una nipotina vissuta pochi giorni:

> *Navicella gentil fu la tua cuna,*
> *che ti sbarcò del paradiso al porto*);

e diverse note intenerite di poesia della famiglia, di affetto per la madre scomparsa (come in Maffeo Barberini) o di rimpianto per la morta sposa (come in Pace Pasini); e taluni accenti schietti di passione per lo studio e le lettere (suggestivissimi alcuni sonetti: del Battista, che esalta la fede nell'immortalità conseguita con gli scritti, la convinzione della superiorità dello studio su ogni altra occupazione, l'amore per i suoi libri: « Quand'io vivo tra voi, godo il mio cielo... »; del Gaudiosi, che dice l'ansia della ricerca mentale, della conquista della cultura, e la malinconia della fine che sopraggiunge a troncare e rendere vana quella ricerca e quella conquista; del Dotti, che rivolgendosi *A Sermione* celebra il fascino per il mito poetico suscitato da Catullo, per la forza creativa del canto del poeta:

> *Quel cigno fu di nominarti vago,*
> *e col nomarti sol fu sì facondo,*
> *che fece del tuo nulla un'ampia imago...*).

Affettuosamente intonato è anche il canto della città natale, che dà luogo all'effusione patetica, magari disciplinata in una struttura di artificiosa tecnica, come nel sonetto del Maia:

> *O se dopo i miei error vari e diversi,*
> *Marin, qual diede a te, darammi Dio*
> *ch'ivi il mio dì si chiuda ove s'aprio...*

(e all'opposto la volontà di dimenticare la patria, scandita con forte malinconia in un sonetto del Dotti:

> *Verso la patria un non so che d'interno*
> *costante amor so che ne l'alme alligna;*

ma la terra natia, quand'è maligna,
paga un perpetuo amor con odio eterno.

. . . .

Questa è la sorte alfin d'uom vagabondo:
ignoto, ancora in patria è forastiero;
famoso, è cittadino in tutto il mondo).

Oppure si adagia in una visione nostalgica, come nel sonetto del Palma:

O felici di Dauno alme contrade
ove ha sede il riposo, o campi lieti,
o folti boschi solitari e queti,
che l'ondoso Adrian circonda e rade...

o nella veduta panoramica e nella caratterizzazione della città, come in Francesco Della Valle:

Nobil città, ch'al chiaro Crati in sponda
siedi e superba all'aure ergi le mura...

Questa celebrazione delle città costituisce un motivo assai diffuso della lirica encomiastica barocca, ed esso impegna soprattutto tre città, che possono considerarsi in certo modo come le tre capitali del barocco italiano, Venezia, Roma e Napoli. Ma Venezia nel seicento è presente alla fantasia dei poeti come motivo di celebrazione politica, per la sapienza del suo governo e la potenza del suo dominio; essa non vive ancora per quello che diventerà poi, in epoca romantica, il suo mito paesistico, il suo favoloso incanto d'acque rispecchianti architetture di marmo e oro, e nemmeno vive per quella strana e mirabile fondazione sulle acque che pur sarebbe stata in pieno suscettibile di diventare la sua autentica eloquente cifra barocca: questo motivo ultimo molto episodicamente lo coglierà una pagina di prosa del *Paragone degli Ingegni antichi e moderni* del Tassoni e non lo trascurerà un verso fugace di un sonetto del Maia, che si svolge indugiando sull'immagine delle belle donne di Venezia, quasi trasfigurate in elemento paesistico, in una impressionistica visione di acque e cielo e belle membra e trecce bionde. Roma a sua volta oscillerà nell'interpretazione dei barocchi fra il tema politico-religioso-cattolico della dignità ad essa derivante dalla sede papale e il tema paesistico storico-morale delle rovine, del crollare di ogni potenza e di ogni umana grandezza, in cui di nuovo opera la suggestiva memoria del Tasso. Soltanto Napoli sembra prender posto, in questa lirica, soffusa ormai della luce del suo incantevole cielo, della fama (che già i viaggiatori del seicento le riconosceranno) della sua stupenda natura e della sua eterna primavera, secondo l'intuizione esemplare dello Zito:

> *O contrade bellissime ed amene,*
> *ove soglion scherzar Pomona e Flora,*
> *ove l'aria dolcissima innamora*
> *chi delizie sì care a goder viene...*

La vitalità di gran parte di questi sonetti deriva dalla materia affettiva di cui sono sostanziati. In essi l'azione della poetica della meraviglia o dell'argutezza, se anche agisce, viene assorbita da questo clima di abbandonata umanità e non solo non disturba ma talora giova alla resa espressiva, come, nell'ultimo sonetto citato, la chiusa raccolta leggiadramente sull'immagine del primo uomo esule dal paradiso terrestre, il quale, ove il fato gli avesse concesso di giungere nella beata terra napoletana:

> *Ciò che perduto avea trovando appieno*
> *ogni suo pianto avria cangiato in riso.*

Del resto non sono troppo rari i casi, e già ne abbiamo fatta segnalazione, di un intervento positivo della poetica della sorpresa, con la sua capacità di fantasia metaforica e di intelligenza concettistica. E sarà ormai chiaro che essa, lungi dal costituire, come tante volte si è ripetuto sulla base di una documentazione spesso effettiva ma troppo insufficientemente estesa, un grave ostacolo per la realizzazione lirica, se ne fa al contrario un energico strumento. È una nuova sensibilità ottica che potenzialmente si afferma attraverso questa poetica, una facoltà di intuire profili e forme di vita destinati a rimanere altrimenti inespressi: quasi una potenza conoscitiva di più ampio e penetrante raggio, e una

moltiplicata virtù evocatrice, e una lingua nuova, più ricca e arti-
colata, venissero in soccorso al poeta. Si veda per esempio il sonetto dello Zito *Alla galea*, in cui la traduzione metaforica permette al poeta di cogliere originalmente il profilo della nave ve-
leggiante:

> *Fórmanti crin le tremole bandiere;*
> *ti sono i gonfi lin spoglie nevose*
> *ed occhi l'ardentissime lumiere...*

o i versi dello Stigliani *Bidello di studio che chiede la mancia*
che si illuminano, nel fantasioso gioco arguto, di un'ilare vita:

> *Sono il vostro bidel, che m'appresento*
> *per la colletta a voi, larghi scolari.*
> *Non appiattate sotto il manto il mento,*
> *non vi mostrate dell'avere avari.*
> *Questo ch'ho in mano è un bacil d'argento;*
> *però convien che d'or siano i danari.*
> *Su, dunque, se larghezza in voi s'aduna,*
> *gettate alcuna stella in questa luna*

o l'ode *La fata morgana nel Faro siciliano* di Giacomo Lubrano,
che scatena una vera orgia metaforica, e si libra in un'aura stupita di miracolo e di allucinazione:

> *Maestro di più moti*
> *il pennel di natura in varie tinte*
> *abbozza lontananze*
> *di provincie indistinte,*
> *colorisce tremuoti*
> *onde l'egizie Tebe escono in danze.*
> *Non è di Roma antica il Circo insano*
> *quel selciato di nembi aereo piano?*

Esempi, tutti, delle risorse intime che erano contenute nella poetica del barocco, del lievito fantastico, trasfiguratore, insito nella
poetica della meraviglia, degli esiti di fiaba o di allucinazione, di
spettralità o di inquietudine, di festevolezza o di scherzoso colore, che potevano esserle concessi quando quella poetica si fosse

potuta sviluppare nel fertile terreno della fantasia di un autentico poeta: poiché non nella poetica (negativa — secondo alcuni pretenderebbero — per definizione) va cercata la reale carenza di questa civiltà letteraria, ma proprio soltanto nell'assenza (in Italia) di un verace poeta.

* * *

In fondo la stessa lirica religiosa avrebbe potuto trovare in una grande fantasia, orientata nel senso della poetica dello stupore, stimolo e nutrimento per compiute creazioni. Disgraziatamente, invece, gli innumerevoli sonetti e canzoni e madrigali di ispirazione religiosa ci introducono in una delle zone più squallide della letteratura barocca. Nulla abbiamo in Italia che possa reggere al confronto con i documenti della lirica religiosa tedesca di un Gerhardt di uno Spee di un Silesio, o di quella inglese di un Crashaw e di un Donne, o, per un periodo un po' anteriore, della spagnola di un Fray Luis de León e di un Juan de la Cruz. Si tratta di un vasto territorio su cui non risplende nessun raggio di poesia, e che può tutt'al più offrire un abbondante materiale utile per la ricostruzione delle costanti essenziali del gusto religioso barocco. In questa lirica troviamo un equivalente dei temi e dei motivi della iconografia e della predicazione contemporanea: molte natività, molte crocifissioni, episodi vari della vita di Gesù; esaltazioni della Madonna; figurazioni e panegirici di santi; intellettualistiche enunciazioni teologiche, o solenni esortazioni morali. Il modello letterario di questi componimenti rimane sempre il Tasso della lirica sacra. Ma il loro tono riesce generalmente diverso, assai più luccicante ed enfatico. Il gusto religioso del seicento insiste, più che sui motivi raccolti e interiori, su quelli esterni, celebrativi e drammatici. Non la preghiera domina in questa poesia, ma la predica. Non il sospiro dell'anima, ma il grido dell'apostolo o del martire. Non il paesaggio intimo della vita spirituale, ma la scenografia fastosa del tempio. Non le vicende interiori della lotta fra il bene e il male, gli itinerari della dura ed esaltante ascesi, della trascendentale avventura mistica, ma la cronaca esterna delle vite dei santi e dei martiri, la oleografica serie dei quadri della vita di Gesù, dalla natività alla crocifissione. E la lotta contro il nemico infernale non è tanto la lotta com-

battuta dall'asceta nella solitudine della sua cella e nell'intimità
del suo spirito, quanto piuttosto quella che si configura come
esterna battaglia, di colorito politico e sociale, condotta contro
eretici e peccatori dalla Chiesa (intuita fondamentalmente come
gerarchia e non quale corpo mistico) forte di una fedele e agguer-
rita milizia (quella dei gesuiti e dei cappuccini) dedicata al suo
servizio, accampata nel tempio, nella chiesa edificata di pietra
e di marmi. Ed è così vivo il senso della gerarchia e dell'autorità
che vengono generalmente classificati fra i « sacri » i componimenti rivolti a complimentare papi e cardinali, frati e predicatori.
Ebbene, tutta questa materia, disposta secondo gli schemi di sensibilità indicati, forma un'interminabile galleria di quadri sordi
e stonati di colore, dove le rare pennellate indovinate e brillanti
sono ricavate dalla più ilare ed adorna, stupita ed ermetica, tavolozza della poetica barocca.

Gli esiti positivi di questa lirica cattolica sembrano infatti
condizionati da questa poetica barocca, da talune possibilità di
coincidenza (o, almeno, di consonanza) fra la tematica del cattolicesimo e certe direzioni del barocco (senza esclusione, nemmeno,
di un risultato in cui il gusto tecnico-letterario sembra impegnare
il poeta più dell'emozione religiosa). È la poetica della meraviglia
che conferisce un ritmo incantato di fiaba e di leggiadra trasfigurazione analogica ad alcuni motivi della storia di Maria (e fra
tutti sarà di lietissime linee quello della Visitazione, toccato dal
Morando e dallo Zito) o della sua invocazione (e riesce di vaghissima luce il sonetto *Alla Vergine nostra Signora* di Giuseppe Battista). Ed è la stessa poetica che suscita il chiaroscuro antitetico e
la pompa ornamentale di certe immagini della Maddalena (un
tema agiografico prediletto dal barocco: toccato dal Paoli, dal
Sempronio, dal Michiele, dal Fontanella, ecc.) sospeso sul contrasto fra l'antica vita di lusso e di lussuria della donna e la vita
attuale di penitenza e di pentimento della santa. Così, ancora,
questa poetica concede il formarsi di quell'aura di stupore intorno
al miracolo, che conferisce qua e là un palpito di verità a qualche
episodio della vita di Gesù, come nel sonetto del Gaudiosi sulle
Nozze di Cana. Ed infine è sempre il linguaggio della sorprendente complicazione concettistica ed ermetica che sembra dare una
misura espressiva adeguata a certi temi teologici di trascendente

oscurità o di difficoltà ineffabile, come nel sonetto del Lubrano *Ego sum qui sum*.

Il Lubrano sulle basi della poetica barocca, che egli sfrutta rischiosamente portandola alle estreme conseguenze, raggiunge alcune delle più vigorose espressioni del sentimento religioso del seicento. Con il Lubrano si tocca veramente il culmine dell'esperienza barocca, il suo punto di massima tensione. Il suo linguaggio, agitato da un turbinoso senso analogico e attonito di magici stupori, è la coerente espressione della sua visione del mondo. In nessun poeta come in lui è vivo il sentimento della instabilità del reale, della mutabilità delle forme, delle forze che minacciano e scompaginano le più sicure consistenze, dell'illusione che avvolge la vita. L'ode citata sulla fata morgana e il sonetto sui *Cedri fantastici variamente figurati negli orti reggitani* ne sono significativi esempi. In questo sonetto il senso frenetico che è nella strana materia passa nella parola e nelle immagini, e ne vien fuori uno spettacolo mentale di allucinazione, un quadro come agitato da una pazzia delle cose, che sconvolge e muta le consuete parvenze, un simbolo del relativismo prospettico e dell'universale metamorfismo:

> *Rustiche frenesie, sogni fioriti,*
> *deliri vegetabili odorosi,*
> *capricci de' giardin, Protei frondosi,*
> *e d'ameno furor cedri impazziti...*

Con questa intuizione collabora efficacemente il sentimento religioso: di una religiosità sostanziata non tanto delle trascendenti certezze del dogma quanto piuttosto delle inquietudini terrene dell'uomo, della coscienza della vita che passa, del tempo che distrugge, della morte che incombe, delle tristezze della tomba (ed anche, ma più raramente, delle attese della resurrezione). Si vedano i due sonetti sul *Terremoto orribile accaduto in Napoli nel 1688*, in cui vibra un accento apocalittico di tragica consapevolezza dell'instabile condizione umana:

> *Mortalità che sogni?...*

Di ciechi spirti un'invisibil guerra
ne assedia sempre, e cova un vacuo ignoto
a subitanee mine in ogni terra.
A' troni ancora, a' templi è base il loto:
su le tombe si vive, e spesso atterra
le nostre eternità breve tremoto.

E sempre con lo stesso senso di occulta minaccia, con la stessa angoscia di morte in agguato, e con un oratoriale slancio che sembra farsi poesia (quasi una poesia della predicazione, si sarebbe tentati di dire):

E pur deluso l'uom pensa sicuro
vivere ad anni lunghi in bel soggiorno,
ove si celan tombe entro ogni muro.
Napoli a te: le tue grandezze un giorno
né men la fama saprà dir che furo
presso il Sebeto a piangerne lo scorno.

Di tono diverso, meno oratoriale e più riflessivo, meno angosciato e più stupito, e di diversa struttura è il sonetto *L'occhialino*. Si tratta di una struttura tipica, del resto, di largo impiego in questa civiltà letteraria, e rispondente a quell'esercizio di riflessione a cui il Tesauro richiamava come ad una fonte inesauribile di concetti, quell'esercizio di riflessione che si ha « se tu anderai per te medesimo o con alcun tuo collega reflessivamente applicando tutte le cose che tu vedi a qualche sentimento morale ». La « cosa vista » è qui, appunto, quella enunciata dal titolo, la lente, ed essa dà luogo prima ad una prolungata e compiaciuta osservazione:

Con qual magia di cristallina lente,
picciolo ordigno, iperbole degli occhi,
fa che in punti d'arene un Perù fiocchi,
e pompeggi da grande un schizzo d'ente?

e poi ad una considerazione traboccante di contenuto morale e religioso:

Oh ottica fatale a' nostri danni!
Un istante è la vita, e 'l senso insano
sogna e travede eternità negli anni

determinando in tal modo una composizione bipartita equilibrata su due momenti, uno visivo ed uno riflessivo.

Nei sonetti di questa struttura si inquadrano le immagini più diverse (l'identico processo figurativo si verifica nei sonetti a chiusa amorosa, nei quali peraltro la conclusione è generalmente meno fusa e giustificata e le immagini sembrano usufruire di un interesse più autonomo). Così il Canale fermerà la sua attenzione su un campanile diroccato dal fulmine, l'Adimari sul gioco del pallone, il Gaudiosi sull'organo, il Bruni sulla girandola, il Dotti sul mulino, ecc. Ne risultano, al solito, disegni di cose e squarci di realtà succosi di verità e di vita, in cui la parola si esercita a ritrarre quel che era rimasto estraneo al mondo della poesia, a cogliere le visioni più ricche di movimento e di stupore, a cimentarsi nella difficoltà della resa verbale. E ne scaturiscono insieme enunciati di pensosa risonanza sulla vanità della vita, sulla sua labilità, sulla fuga del tempo, sulla morte che incalza. Valga, in luogo della antologia di queste immagini e di queste meditazioni che sarebbe anche troppo facile mettere insieme, questa semplice conclusione del sonetto *Il molino* del Dotti:

> *Tal noi del tempo il vasto gorgo incalza:*
> *la puerizia in gioventù risolve,*
> *la giovinezza in mezza età trabalza.*
> *Questa in vecchiezza, o mio Camillo, ei volve;*
> *ed ecco del sepolcro allor c'inalza*
> *la pietra in capo, e ci sfarina in polve.*

In questo repertorio di immagini si distinguono, per la frequenza con cui ritornano, quelle che danno origine a molte liriche concentrate sul tema dell'orologio. Moralità ricavate da orologi dei più diversi tipi, a ruote e a sole, ad acqua e a sabbia, orologi che suonano le ore, che sono collocati su specchi o adorni di scritte e di immagini lugubri, compaiono assai spesso nei canzonieri barocchi. Il solo Sempronio ha dedicato a questo tema quasi una trentina di sonetti. Alla radice di questa preferenza tematica agisce da un lato la poetica della sorpresa, sollecita di scegliere una materia nuova e ardua, fertile di possibilità simboliche, e dall'altro il sentimento del tempo, profondamente e diffusamente sofferto da tutta questa età. Tra le testimonianze più significative si pone il sonetto *Orologio da rote* di Ciro di Pers:

> *Mobile ordigno di dentate rote*
> *lacera il giorno e lo divide in ore...*
>
> .   .   .   .
>
> *E con que' colpi onde 'l metal rimbomba,*
> *affretta il corso al secolo fugace,*
> *e perché s'apra, ognor picchia alla tomba*

che scandisce in note metalliche e quasi stridule il sentimento del tempo che precipita alla morte. Sulla morte si arresta, in effetti, lo sguardo di questi poeti, per i quali sembra ignota (o almeno assai episodicamente limitata) ogni apertura di eternità.

La *Weltanschauung* di questi lirici barocchi insiste su una visione della vita fragile e fugace, sulla presenza continua del tempo distruttore e veloce, sull'ossessione lugubre e desolata della morte. Non sono rari i componimenti che hanno per unico soggetto la convinzione sul carattere effimero e contrastante della vita. Essi si svolgono con il più variato intervento di immagini e di strutture tecniche. Fra le strutture preferite si trovano quelle di stile enumerativo, vale a dire composte di una folta elencazione di parole o frasi equivalenti ad una definizione di quel concetto di vita. (Lo stile enumerativo è assai ricercato dal gusto barocco e risponde, nel vario uso cui è sottoposto, a esigenze espressive molto diverse: dall'affanno di un cuore innamorato raccolto in un sentimento che riempie tutta una vita, come nel sonetto del Della Valle *Effetti del suo amore*, al senso della folta natura e del vagheggiamento affettuoso di un paesaggio, come di un saluto e di una carezza a ogni cosa, tipico dell'ode *I piaceri della villa* del Fontanella; al lamentoso rimpianto per la perdita della donna, resa totale e inesorabile dalla morte, nell'ode del Casoni *Fulvia fu la tua vita*; alla litania-scongiuro agli occhi della donna del sonetto del Dotti *Occhi neri*, che offre uno degli esempi più originali di stile enumerativo e di artificiosa costruzione, essendo interamente occupato da una serie di coppie verbali di valore metaforico antitetico, distribuite a due a due per ogni singolo verso, eccetto l'ultimo, che contiene finalmente, nell'urto dell'emistichio di chiu-

sura, l'indicazione, nel suo valore proprio, degli occhi della donna).
I componimenti che propongono il tema della vita effimera ricorrono all'impiego di immagini di fuggevoli realtà, come nel sonetto del Sempronio *Quid est homo?*, in cui le due quartine incominciano con un'identica interrogazione e si stendono in una diffusa risposta, mentre le due terzine, di cui riportiamo l'ultima, riprendono le risposte e ne allineano sei nuove, una per verso, con costruzione anaforica:

> *È fior, che nell'april nasce e languisce;*
> *è balen, che nell'aria arde e trapassa;*
> *è fumo, che nel ciel s'alza e svanisce.*

Un sonetto il cui svolgimento sembra ridursi ad una enunciazione replicata, ad una serie di risposte all'interrogazione posta nel titolo: e questo schema stilistico, forse introdotto sotto la suggestione di certi schemi biblici o comunque religiosi, è volto a suscitare un clima di inesorabilità, di inevitabilità, di fatale certezza in un destino di morte, quasi un'argomentazione stringente, un ideale formidabile movimento concentrico che sembra imprigionare ed annientare l'uomo. La materia figurativa di questi sonetti di stile enumerativo che enunciano una pessimistica interpretazione della vita è rappresentata talvolta da rapporti di immagini contrastanti, come nel sonetto dello stesso poeta *Nulla est sincera voluptas*:

> *Non dona il mondo mai, né mai destina*
> *sincera gioia a noi, piacer perfetto:*
> *coetaneo al dolor nasce il diletto,*
> *e gemella col fior spunta la spina...*

E così via per ogni altro verso, fino alla terzina finale contenente il contrasto fra sonno del fanciullo e culla agitata. Ma per definire la sua dolente convinzione sulla vita, oltre che alla struttura di stile enumerativo, il poeta barocco ricorre naturalmente ai sonetti di stile riflessivo, e non solo di forma bipartita, come quelli più sopra esaminati, ma anche di composizione intrecciata o alternata. Sono, questi, sonetti in cui, proposto un raffronto fra un dato della realtà e (nel nostro caso) la vita umana, se ne svolgono successivamente, in una serie di frasi, le particolari corrispondenze, come nel sonetto *Si rassomiglia all'uva la vita dell'uomo* del Dotti, che comincia:

> *Mira, o mortale. Io t'assomiglio a questa,*
> *che d'una madre verde è figlia bruna.*
> *Nasce al nembo soggetta e a la tempesta;*
> *turbo di pianti a te diluvia in cuna...*

e, con una serie di altre rassomiglianze frapposte, si chiude:

> *Un torchio lei, e te un feretro involve;*
> *lei preme un legno, e la riduce in feccia;*
> *te preme un sasso, e ti riduce in polve.*

I termini del confronto possono infine essere rappresentati, anziché dagli elementi di un solo oggetto, da oggetti diversi e dare luogo ad un risultato non di somiglianza ma di dissomiglianza, come nel sonetto del Meninni *Condizione della vita umana*, in cui il sentimento della labilità della vita, della sua incapacità di resistere al tempo, è reso suggestivamente con il triplice confronto, uno per strofa, fra il poeta e le cose che al tempo resistono, i libri, la casa, il letto, le cose nostre familiari, amate, che saranno ancora quando noi non saremo più, che saranno di altri quando noi, scomparsi, non ne avremo più il possesso:

> *... Quindi rodemi il cor più d'un martoro,*
> *solo in pensar che qui durar ben ponno*
> *cose che non han vita, ed io mi moro.*

Versi dolenti in cui è colta con accordi profondi, con toccante persuasione, la malinconia della vita che passa, il sentimento (che si inserisce nella intuizione centrale del barocco dell'instabilità del reale) che le cose nostre non sono veramente nostre, che sono soltanto un provvisorio possesso di noi, ingoiati irrimediabilmente dal tempo.

Nessuna età, dicevamo, ebbe come il seicento una così acuta e sofferta coscienza del tempo. Il tempo costituisce uno dei motivi di umanità più sentiti, e uno dei motivi di stile più suggestivi, di questo secolo. Esso compare qualche volta personificato nella figura del vecchio alato, munito di falce o di specchio, veloce trasformatore e distruttore, come in un sonetto del Canale, ma più spesso interviene sotto forma di categoria della realtà, di sentimento del passare e mutare di tutte le cose. Il sentimento del tempo nell'età barocca si fonde con il sentimento della vita, della vita presente instabile e fuggevole, della vita che muore e cade nel nulla. Ecco ancora questi versi del Canale sulla vita che « non sì tosto è nata... è in sul fiorir finita » :

> Onde da culla in tomba è in un volata:
> se la vedi apparire, ella è sparita,
> se la vedi presente, ella è passata.

Se l'età medievale avvertì il tempo come una durata di tipo inferiore, quella per cui esistono le cose che sono nella materia e per le vicissitudini della quale l'uomo si scopre mortale, questa durata era tuttavia sentita come quella che conduce all'eternità, a Dio : l'attimo del presente si colmava dunque di futuro, di una divina speranza di infinito. E a sua volta l'età rinascimentale nell'intuire la temporalità come il teatro della immortalità, in cui l'uomo può affermarsi e lasciare memoria di sé, padrone del suo destino e fabbro della sua fortuna e conquistatore della sua gloria, dava un significato al tempo presente, che sembrava così caricarsi di passato e nobilitarsi di memoria storica. Ma l'età barocca, in cui, mentre la immanenza rinascimentale più non soddisfa e appare remota la semplice concezione del mondo medievale, l'uomo si sente dolorosamente solo, avrà del tempo una sensibilità più disperata : per essa il tempo si pone con un carattere di estrema instabilità, come presente senza speranza di futuro e senza conforto di passato, come istante minacciato continuamente dal futuro e sepolto senza rimedio dal passato.

Di qui l'attenzione concentrata sulla morte, sulla morte vista in una prospettiva tragica di distruzione e di sepoltura. La pietra sepolcrale, la putrefazione della tomba, lo scheletro e il teschio, la polvere a cui anche le ossa saranno inevitabilmente ridotte : sono tutte immagini ossessive della fantasia barocca. Tra le stesse raffinatezze mondane si insinua questa tremenda realtà, sicché un

poeta, Baldassarre Pisani, concepirà la situazione del *Giovane che*
mirandosi nello specchio vi trovò appeso un teschio di morte:

> *Con moribondi rai vetro innocente*
> *l'espero presagisce a' tuoi splendori,*
> *or che teschio di morte al ciglio ardente*
> *svela tragedie e manifesta orrori...*

Più naturale sarà il pensiero della morte che insorge durante la
malattia, secondo immagina Ciro di Pers in un celebre sonetto
sul mal della pietra: senonché la morte, ancora una volta, non sarà
solo sentita come una minaccia, la fine della vita (ed è notevole
che sia escluso il senso della morte come fine dei mali della vita,
donatrice di pace e di riposo), ma sarà anche sempre avvertita
nella luttuosa tristezza del sepolcro (e non è certo solo concessione
al movimento metaforico, fra tanta dovizia di possibilità simboliche):

> *So che su queste pietre arruota l'armi*
> *la morte, e che a formar la sepoltura*
> *nelle viscere mie nascono i marmi.*

Del resto, proprio in questo poeta, tutto sembra ricondurre al
pensiero della morte, dall'orologio che proclama « sempre si more »
al proprio letto « notturno sepolcro », al sonno che abitua « al-
l'orror dell'aborrita morte ». Perché « aborrita » è essenzialmente
la morte per l'età barocca, un'età che non ha conosciuto, come
conobbe invece l'età medievale, chi la morte invocasse « sorella »,
o celebrasse « bella » sul bel volto della donna sfiorato dall'ala funerea. La morte è intuita come una nemica, una sorgente di spavento e di tristezza. La voce cupa e tagliente dei predicatori
contemporanei sembra riecheggiare nell'interpretazione di questi
poeti sì da determinarvi effetti di stupenda suggestione oratoria e
di assorta e rabbrividente meditazione. Si veda il sonetto dello
Zito *Ad un teschio di capo umano*:

> *Morto, ai vivi terror; memoria acerba*
> *del fin ch'attendo; orribile sembianza...*
> . . . .

Non con fervido stil folgora o tona
ne' rostri eloquentissimo oratore,
ciò che 'l tuo gran silenzio in me risona...

E si veda l'epitaffio sulla tomba di Taide di Paolo Zazzaroni, in cui la funebre realtà, allusivamente indicata, non detta e pur presente in modo intensissimo, opera con rara efficacia:

Taide qui posta fu, la più perfetta
dispensiera de' gusti al molle amante.
Lettor, s'ardi d'amor, fatti qui inante,
ché stesa in questo letto ella t'aspetta.

In quattro versi sembra condensata tutta una filosofia della vita e della morte, che sfuma in tragica malinconia, in beffarda e crudele tristezza. Alla prospettiva tetra della tomba, nella lirica barocca della morte, s'accompagna anche il quadro fastoso e lugubre dei funerali. Così il Gaudiosi non dimenticherà, nella varia predicazione della donna, la donna che entra in chiesa e che in chiesa dovrà rientrare un giorno « a far pompa di sé, ma funerale ». E il Battista non saprà pensare all'immagine leggiadra dell'ape e, più spontaneamente, al doppiere acceso « sul venir della notte umido e tetro », senza che quella « nelle cere *gli additi* i funerali » e questo gli ricordi il lugubre chiarore delle esequie. E Pace Pasini, in un sonetto dal titolo *L'ambiziosa suntuosità dei funerali essere inutile*, rievocherà quel lusso funebre tipico della religiosità cattolica e barocca, altamente simbolico nella sua teatralità fastosa e tetra del sentimento tragico della morte proprio del tempo, e dirà insieme la desolata vanità di quella pompa di morte, ma tuttavia con un accento che sembra non impegnare alcuna responsabilità di natura trascendente e dogmatica, e svolgersi su di un piano di quasi laica moralità.

Un moralismo risentito affiora in parecchi di questi poeti. Gli esempi più suggestivi si trovano forse nel Dotti, che sembra anzi collocarsi all'inizio della gloriosa tradizione moralistica lombarda. Questo interessante poeta passa dalle più accorate riflessioni sulla fragilità della vita e sul tempo distruttore, dedotte dalle immagini più rischiose e rinnovate (c'è la presenza, di ripugnante desola-

zione, del feto conservato in un'ampolla — e si pensa all'uso che
certi scapigliati, un Emilio Praga, per esempio, faranno di quest'immagine — e c'è la diana gioiosa nella fortezza mentre il
sole invade e indora in un trionfo di luce le cose, e malinconico
il poeta comprende « che ogni giorno È un assalto del tempo a
la *sua* vita ») alle più svagate osservazioni, come quella sul poeta
che dopo lo studio si riposa e manda boccate di fumo e ne segue
divertito il pigro salire nell'aria e i volubili giochi:

> *Ma sollevato in densi globi al cielo,*
> *tesse [...] ne l'aria ombre gioconde...*

sì che in esso vede alluso il compenso da parte del mondo alla
poesia; ai crudeli e inteneriti accenti del sonetto *Ad uomo ricco
senza prole*:

> *Riso d'alte speranze adesca e pasce*
> *gli estrani eredi. E da' tuoi lumi gronda*
> *un pianto disperato in orbe fasce...*

alle taglienti sentenze contro la censura dei libri:

> *Gli scritti fa bramar chi li divieta,*
> *accredita l'autor chi lo castiga*

che sono versi che paiono rendere ormai imminente, al di qua
dell'Arcadia, il formarsi di un'atmosfera illuministica e il vibrare
di un accento pariniano. Lo stesso si potrebbe dire per qualche
altro componimento di questi poeti, per quello del Battista, po-
niamo, intitolato a *Persona oziosa e ben agiata*, aperto su alcuni
intensi scorci (campi, vigne, pascoli) di vita georgica fervida di
umano lavoro (« e mentre nel suo luglio il sol più bolle, Taglia
oceani d'ariste il falciatore ») e di vita casalinga affannosa di este-
nuante fatica, e chiuso sull'effetto antitetico, e sia pure goduto
con compiacimento barocco, fra il lavoro dei servi e l'ozio del
padrone, fra l'alacre produttività e l'egoistico consumo:

> *Versando agli ozi tuoi voler di numi*
> *larga benignità, l'opre di tanti*
> *che travaglian quaggiù tu sol consumi.*

Il Battista tocca anche, in alcuni casi, il tema del lusso (delle donne e degli edifici), ma con toni più esclusivamente barocchi, di ricerca ingegnosa e metaforica. Il Fontanella, invece, entro un'intelaiatura moralistica tracciata con secentesca gravità sui motivi del distacco e del disprezzo (« Giace il mondo fra lussi, e l'uomo insano Rende sudditi a' sensi i propri affetti... A che, dunque, inalzar tetti eminenti, S'ogni fasto mortal rapido piomba? S'altro non resta a ricettar le genti, Ch'un freddo marmo, una funerea tomba? »), insinua la goduta rassegna della vita lussuosa del secolo: i palazzi adorni di marmo, le fontane, i tappeti, i drappi preziosi, gli affreschi, gli ori, i profumi, i vasellami sontuosi, le vivande odorose, i vini prelibati; tutta una profusione di cose raffinate, che, componendosi con quell'accento moralistico, determina un'emozione mista di fascino e di condanna. Una condizione, questa, che si ripeterà nel Parini, nel quale tuttavia l'apparente contrasto fra il descrittore sedotto dalla scintillante vita nobiliare e il moralista offeso dal vuoto di quella vita, si risolverà nell'unità di un ideale morale nuovo, di un concreto umanesimo illuministico, aperto agli agi lieti dell'esistenza e disposto insieme alle sue responsabilità più gravi; mentre nel Fontanella rimane irrisolto il dissidio fra sensuale godimento e consapevolezza del proprio destino di morte o, se si vuole, esso si compone soltanto sull'instabile margine del malinconico e nostalgico vagheggiamento delle cose da parte di chi sa che tutto dovrà lasciare. E questa malinconia di morte è bene del barocco e per nulla affatto pariniana. Ma un'aura pariniana ritorna nel Gaudiosi, nei suoi frequenti pittoreschi scorci di costume: dall'uso del guardinfante a quello del tabacco da naso, al gioco delle carte (e tuttavia più per l'esteriore motivo tematico che per l'accento morale, troppo accigliato e talvolta goffo, così diverso da quello frizzante e sapido dell'autore del *Giorno*). E ritorna soprattutto in Paolo Giordano Orsino, nel sonetto *La città* in particolar modo, dove la diffusa polemica campagna-città ricompare, con esclusiva attenzione alla città, di cui si analizzano con pungente gusto psicologico e satirico le insidie e le rivalità, gli odi e le falsità, le passioni e le maniere tortuose degli uomini in preda alle loro vane ed avide lotte, in un'elencazione che assume il valore suggestivo di un'implacabile requisitoria:

Teco piange il tuo mal chi gusto n'ebbe,
ti promette favor chi vòl vendetta,
arride a te chi 'l pianto tuo vorrebbe...

E, in questa visione dell'ipocrisia, accanto al sapore moralistico, si insinua il senso di quella universale menzogna che un altro poeta, il Meninni, ritrae nel sonetto dal titolo perentorio come un principio universale, *Regna da per tutto la bugia*:

Se d'un nume terren la reggia io guardo,
mille di falsità ritratti io miro;
*   se 'l piè talor entro i musei ritardo,*
iperboli dipinte i lini ammiro;
lusinghiera beltà viso bugiardo
m'addita, allor che a vagheggiar aspiro.
*   Turba di fole entro i Licei dimora*
né di finte apparenze è 'l cielo avaro,
quando a l'iride un arco il sol colora...

Versi che ridicono ancora una volta il senso del relativismo prospettico, della instabile parvenza delle cose, dell'ingannevole prospettiva in cui tutto il reale si manifesta, quella condizione insomma di « maschera » e di « dissimulazione onesta », di « riserva mentale » e di « argutezza ingegnosa », che invade ogni manifestazione di vita dell'età barocca.

Ad una intuizione della realtà e a una condizione di vita quali sono queste cui abbiamo accennato, essenziali alla civiltà barocca, paiono alludere e richiamarsi modi e atteggiamenti della lirica marinista, sì da determinare una direzione espressiva, se non unica ed assoluta, tuttavia abbastanza costante. La stessa poetica della varietà (e l'innumerevole serie predicativa della donna a cui essa dà luogo) può forse raccordarsi a questa intuizione, per quel carattere che, nell'economia totale di questi canzonieri, assume, di mutevole inchiesta di ogni possibile elemento, di inquieta provvisorietà di ogni singolo aspetto. Del resto, proprio per la lirica amorosa, si insinua non raramente una ragione di incertezza, di evanescenza e di illusione, sulla realtà figurata. Saranno i dubbi dell'amante sull'interpretazione di un sembiante, di un

atteggiamento, di un dono della donna; e le sue sottili elucubra-
zioni su una situazione (alla maniera petrarchesca del resto, eppure rinnovata da una coscienza diversa) con complicazioni di
echi di pensieri, e riflessi allusivi e illusivi, in un inseguimento
labirintico di certezze, di punti che si sentono instabili e sfuggenti; e certe ansie improvvisamente affioranti, e certe turbate
insoddisfazioni d'amore; e la stessa ridende perplessità di scelta fra
due o più donne o fra la donna ed altra cosa; e il velarsi reciproco
di illusione e realtà di una figura o di una situazione d'amore
nella prospettiva aperta dal gioco ottico di uno specchio, di un'ombra, di un ritratto, di un palcoscenico; e il sentimento della bellezza che vien meno e tramonta; e, nei riflessi espressivi, talune
ricerche di contrasto e rotture di equilibrio e di chiarezza: come
avviene nei sonetti sotto forma di sequenze di parallelismi improvvisamente interrotte sul finale da una discordanza, e nelle
composizioni affollate di stile enumerativo, e nell'uso mobile di
una parola impiegata ora in senso proprio ora figurato. Così le
confessioni di alcuni poeti sulla finzione del loro amore, che
potrebbero essere interpretate, con mentalità positivistica, come
una prova di insincerità (sia che false si ritengano le stesse confessioni, ipocritamente dovute a motivi di moralismo controri-
formistico, sia che effettivamente si considerino finti gli amori
cantati come veri) o all'opposto, idealisticamente, come un documento di estetica consapevolezza che scinde la verità lirica da
quella pratica e contingente (forse che Virgilio, come proclamerà
il Battista, è mai stato pastore o guerriero pur avendo cantato
« Pale e 'l dio del Trace »?) in realtà rispondono soltanto a questo gusto di indugio sui rapporti e sulle forme di più mal ferma
e inquietante verità. Così ancora il forte intervento metaforico,
soprattutto nella figurazione della natura, che sposta le parvenze
da una realtà ad un'altra, che scambia e confonde fra loro le cose,
collabora a questa visione della instabile realtà, a questo metafo-
rismo universale, o metamorfismo universale (in cui, appunto, i
miti delle metamorfosi, oggetto di particolare preferenza da parte
di questi poeti, determinano anch'essi un processo di linee in movimento). Ma le « forme che volano », secondo sono stati chia-
mati i modi stilistici del barocco in sede di arte figurativa, sono
prima che una realtà estetica una intuizione etica: un fatto

umano, prima che di stile. Il tema ascetico cristiano della vanità delle cose terrene, della caducità della bellezza, della ricchezza, della gloria, assume proporzioni grandiose nell'età barocca e diffonde un velo di malinconia su tutto, coordinandosi al senso tipico di questa età, di inquietudine di spiriti e di oscillazione di forme: le cose della vita, belle e piacevoli, se appaiono talora, in questa lirica, assaporate con avidi sensi, sono anche troppo spesso velate dalla tristezza del destino di morte dell'uomo, che le possiede provvisoriamente, che neppure le possiede per un istante con pieno abbandono, perché, come insisteranno questi poeti, ogni cosa buona ha in sé un lato cattivo, ogni cosa bella ha un lato brutto, perché tale è lo stato dell'uomo che « il ciel sempre unisce Con infausto legame il ben e 'l male »; anzi queste cose stesse, le più desiderabili, quelle che donano amore e fortuna, sembrano mutare e cadere nello stesso desiderio dell'uomo (« Quel ch'ieri si bramava oggi si sprezza... Ch'alfin è un lampo amor, fortuna un vento »); così il sentimento del tempo che passa veloce e muta le forme, avvertito com'è nell'instabilità dell'attimo fuggevole, approfondisce ancora questa visione della vita del barocco, alla quale del resto non pare nemmeno sottrarsi la morte, se uno di questi poeti, Antonio Basso, potrà dedicare un sonetto *All'incenerite ossa d'un umano cadavere* per descrivere « la natural varietà della nostra corruttibil materia, inquieta anche nelle ceneri dell'uomo estinto ».

In questa intuizione umano-stilistica, in cui sembra in gran parte risolversi anche l'intellettualistico gioco e la sensuale apprensione del reale (due modi di reagire di quella intuizione), si può forse indicare la più feconda linea espressiva della lirica barocca. E la più costante, anche: pur nella diversità delle tendenze di regione e di persona, di tempi e di sviluppi. Perché è innegabile, anche se spesso difficile da cogliersi, la diversità di fisionomia, di toni e di accenti, che passa fra questi poeti. Così il piglio iperbolico e dinamico dell'Achillini si differenzia dal tono di morbida e languida eleganza del Preti, e la maniera atroce e tormentata di un Artale da quella di squisita raffinatezza di un Pietro Casaburi (tanto diverso dal più banale fratello Lorenzo). Così i modi dei lombardi, piuttosto fermi e avvivati solo da certo gusto di saporosa realtà, si distinguono dai modi più coloriti e smaglianti dei napoletani, o da quelli più melodici e sensuali dei veneti. E, ancora, la composizione più frenata degli autori del principio del secolo appare ben diversa da quella audace e sconvolta degli autori dell'ultimo seicento. Del resto non vale probabilmente la pena di troppo insistere nel tentativo di segnare queste differenze. Si tratta infatti, per questi poeti, di condurre una ricerca critica d'insieme, poiché di valore complessivo e non individuale si presenta il significato storico della loro ricerca poetica. Il quadro di questi lirici marinisti non ci propone in realtà nessuna grande figura di creatore, nessuna di quelle rare personalità che, mentre ci lasciano il dono della loro opera, imprimono con essa forze e sviluppi nuovi alla storia: esso ci offre invece una schiera di sperimentatori, di inquieti analizzatori, che contano non tanto per quei momenti isolati di poesia che pur realizzano, quanto piuttosto per la loro generale esperienza, per i loro tentativi di rinnovare il gusto poetico. Per opera di questi poeti non si può negare, invero, che sia sorto un ideale nuovo di poesia: nuovo nelle situazioni e nelle emozioni, nelle forme e nelle parole (di queste ultime ecco, per finire, alcuni originali esemplari: *atomo, enimma, cifra, emblemi, epitalami, epicicli, fosforo, genealogie, embrione, epitaffio, iperbole, ottica, chimico, apocrifo, epilogare, inamarirsi, infogliare*, ecc.). Ed è per questa loro opera di rinnovatori (opera spesso nascostamente e misteriosamente attiva nello sfondo della civiltà delle lettere) che essi contano nella storia letteraria, che è storia dello svolgimento del gusto poetico, e in definitiva dunque anche storia della poesia.

NOTE BIOGRAFICHE *

CLAUDIO ACHILLINI. Nacque il 18 settembre 1574 a Bologna. Fu professore di diritto nell'Università di Bologna prima, poi di Ferrara, di Parma e di nuovo di Bologna. Sulla sua professione scherzava in una lettera lo Stigliani che, entrato in polemica con lui, acerrimo difensore del Marino, lo dichiarava ironicamente « dottor Graziano ». Anche l'Achillini, come il Marino, ebbe rapporti con la corte di Francia. Dopo la presa della Rochelle e la liberazione di Casale inviò a Luigi XIII il famoso sonetto *Sudate o fochi a preparar metalli* (ricordato dal Manzoni al cap. XXVIII dei *Promessi Sposi,* dove è pure ricordato, ma senza citarne il capoverso — che è *I tuoi colpi devoti alfin troncaro* — il sonetto di esortazione allo stesso re per la liberazione di Terra Santa, esortazione che suggerisce al Manzoni un'arguta riflessione) e in seguito gli dedicò altre composizioni, fra le quali un'ode per la nascita del Delfino, il futuro Luigi XIV, ode che gli procurò il dono di una catena d'oro e un breve biglietto del Richelieu. Morì a Bologna nel 1640. La prima edizione delle *Rime e prose* apparve a Bologna nel 1632, e a questa seguirono altre di Venezia nel 1633, 1650, 1651,1656, 1662 (quest'ultima accresciuta); e poi di nuovo a Venezia nel 1673, 1677 e nel 1680.

GIROLAMO PRETI. Nacque probabilmente a Bologna nel 1582. Si dedicò allo studio della giurisprudenza, che presto trascurò per la poesia. Passò la sua vita nelle corti, prima, ancora fanciullo, come paggio presso Alfonso II d'Este, poi presso il principe Doria a Genova, quindi presso il cardinale Pio di Savoia e da ultimo presso il

---

* I poeti sono ordinati qui (e nel testo) seguendo principalmente un criterio regionale, e subordinatamente cronologico.

cardinale Francesco Barberini. Al seguito di questo cardinale, in viaggio per mare verso la Spagna, fu sorpreso da febbri e morì a Barcellona nel 1626. Le sue *Poesie* uscirono a Venezia nel 1614, e di nuovo nel 1624 e nel 1656; a Bologna nel 1618, e poi ancora nel 1631 e nel 1644; a Milano nel 1619; a Roma nel 1625; a Macerata nel 1646.

CESARE ABBELLI. Nacque a Bologna, dove visse e pubblicò le sue opere nei primi decenni del seicento. Egli avrebbe cominciato a scrivere in latino, senza tuttavia riuscire a stamparle, le cronache di Bologna. Oltre alle *Rime* pubblicate a Bologna nel 1621, compose un poema sulla natività di Cristo intitolato *Il seno d'Abramo* (Bologna, 1615) e una tragedia intitolata *La Gerusalemme liberata* (Bologna, 1626).

TIBERIO SBARRA. Di Ravenna. Il Ginanni nelle sue *Memorie storico-critiche degli scrittori ravennati* lo dice « celebre astronomo ». Fiorì intorno al 1620. Nella *Raccolta di sonetti d'autori diversi ed eccellenti dell'età nostra* di Giacomo Guaccimanni (Ravenna, 1623) furono stampati ventiquattro suoi sonetti. Altri compaiono in altre raccolte del tempo.

FRANCESCO DURANTE. Di Piacenza. Visse fra il XVI e il XVII secolo. Giureconsulto. Alcune sue poesie si trovano nel Guaccimanni.

ANTONINO GALEANI. Di Piacenza. Fu dottore in teologia. Morì il 28 aprile 1649. Le sue poesie sono stampate in varie raccolte del tempo. L'Aprosio lo dice « poeta celebratissimo ».

LUDOVICO TINGOLI. Nacque a Rimini nel 1602 e qui morì nel 1669. I biografi sottolineano con grandi elogi il suo valore militare, la sua pietà religiosa, la sua dottrina di letterato (fece parte delle più celebri accademie d'Italia, fra le quali gli Umoristi di Roma, gli Incogniti di Venezia, i Gelati di Bologna). Il Crescimbeni ricorda di lui molte opere inedite di traduzione (dei salmi penitenziali, del *De raptu Proserpinae* e dei *Panegirici* di Claudiano, dei *Tristia* di Ovidio e delle pagine da questo poeta dedicate a Medea, di tre libri di Orazio). Le sue poesie furono pubblicate con quelle di un altro riminese, Filippo Marcheselli, in Bologna nel 1673 sotto il titolo di *I cigni del Rubicone*.

FILIPPO MARCHESELLI. Nacque a Rimini il 3 febbraio 1625, da famiglia originaria *ab antico* di Ferrara. Fin dall'età giovanile si dedicò alla poesia, che coltivò tanto nel periodo in cui fu al servizio, come gentiluomo, del cardinale Rinaldo d'Este, quanto in seguito, quando si accasò nella sua città. Qui morì il 21 gennaio 1658. Le sue opere (drammi, oratorî, poemi) restarono inedite; solo le *Rime* apparvero, unite con quelle del Tingoli, nel citato volume *I cigni del Rubicone*.

PIER FRANCESCO PAOLI. Nacque a Pesaro. Visse a Roma come segretario della casa Savelli. Fece parte della accademia degli Umoristi. Nel 1642, come risulta da un sonetto del Michiele, era già morto. La prima edizione delle sue *Rime* è di Ferrara, 1609. Una nuova edizione è di Modena, 1619; e un'altra ancora di *Rime varie* di Roma, 1637.

AGOSTINO AUGUSTINI. Nacque a Pesaro. Abbiamo di questo autore un volume di rime intitolato *Naturalezze poetiche* (senza indicazione di luogo e di anno, ma con dedica datata da Roma); un secondo volume di *Sonetti morali* (Ravenna, 1669); e infine i sonetti *Le belle faccendiere* (Ravenna, 1655).

MARCELLO GIOVANETTI. Nacque ad Ascoli Piceno nel 1598. Visse a Roma, dove esercitò con ottima fama la professione legale. Scrisse alcuni volumi di materie giuridiche. Nel campo letterario, oltre alle *Rime* stampate a Bologna nel 1620 e il volume di *Sonetti canzoni madrigali* stampato a Venezia nel 1622 (le une e l'altro raccolti poi nelle *Poesie* stampate a Roma nel 1626), pubblicò una favola pastorale intitolata *La Cilla*. Morì ancora giovane nel 1631.

GIOVAN LEONE SEMPRONIO. Nacque ad Urbino nel 1603 e morì nel 1646. Oltre a *La Selva poetica* (Bologna, 1633; e, con aggiunta la seconda parte, Bologna, 1648) scrisse un poema, *Il Boemondo* (Bologna, 1651), e una tragedia, *Il conte Ugolino* (Roma, 1724).

GIAMBATTISTA PUCCI. Nacque ad Urbino e ad Urbino morì nel 1649. Fu dottore in legge e fece parte dell'accademia degli Assorditi. Nella *Raccolta* del Guaccimanni sono stampati alcuni suoi sonetti.

GIOVANNI ANDREA ROVETTI. Genovese. Le sue poesie, sotto il titolo di *Mormorio d'Elicona*, apparvero in Roma nel 1625 e poi a Venezia nel 1630. Morì assassinato durante il sonno da un servitore. Raffaele Soprani (*Li scrittori della Liguria*, 1667, p. 140) ricorda di lui molte opere inedite di carattere vario, fra le quali *Le massime del cortigiano*, *Il crivello aritmetico*, *L'imprese amorose*, ecc.

BERNARDO MORANDO. Nacque a Genova nel 1589 e morì nel 1656. Oltre alle *Fantasie poetiche* e alle *Poesie sacre e morali*, stampate a Piacenza nel 1662, compose: *Il ratto di Elena* (dramma eroico musicale rappresentato a Piacenza e ivi stampato nel 1646), *Le vicende del tempo* (rappresentate e stampate a Piacenza nel 1652), *Ercole nell'Erimanto* (poesia drammatica musicale stampata a Piacenza nel 1651), *La Rosalinda* (romanzo stampato a Piacenza nel 1650, e di nuovo nel 1655 a Piacenza e anche a Venezia).

ANTON GIULIO BRIGNOLE SALE. Nacque a Genova nel 1605 e morì nel 1665. Prese parte alla vita pubblica, e fu ambasciatore presso Filippo IV di Spagna. Convertitosi dalla vita mondana della giovinezza entrò nella Compagnia di Gesù. Ci sono rimaste di lui molte opere, fra le quali *Le instabilità dell'ingegno* (Bologna, 1635 e di nuovo nel 1637, e poi ancora, con tagli e mutamenti, a Venezia nel 1641, nel 1652 e nel 1664). In questo libro si raccontano gli svaghi ai quali si danno per otto giorni quattro giovani e quattro donzelle fuggiti da Genova sul colle d'Albaro per evitare la peste: vi sono così descritti i loro giochi e riportate le loro novelle (cinque in tutto) e le loro poesie. Ricorderemo anche *Le lagrime nella morte della signora Emilia Adorna Raggi* (Piacenza, 1634), *Il carnevale* con l'anagramma di Gotilvannio Sallebregnio (Venezia, 1639, 1641, 1663), *Maria Maddalena peccatrice e convertita* (Venezia, 1642, e altre edizioni), *Il Tacito abburattato* (Genova, 1643).

CLAUDIO TRIVULZIO. Milanese di nobilissima famiglia. Visse nel primo seicento. Si diede alle armi e poi agli studi giuridici. Fu a Roma a Pavia a Parma a Torino per studi e uffici vari. L'Argelati, *Bibliotheca Scriptorum mediolanensium*, Milano, 1765, p. 1521, ne ignora l'anno della morte. Pubblicò un volume di *Rime* a Milano nel 1625.

ERMES STAMPA. Appartenne ad una nobile famiglia milanese. Studiò a Roma Perugia e Bologna lettere filosofia e leggi. Fece parte di molte accademie. Morì ancora giovane, all'età di trentadue anni, a Napoli nel 1647 nella difesa di Castel dell'Ovo. Per cura del fratello uscirono postume le sue *Poesie* a Milano nel 1671.

BARTOLOMEO DOTTI. Nacque nel 1649 in Valcamonica, nel Bresciano. Morì nel 1713 a Venezia di morte violenta, pugnalato, vittima di nemici personali, inaspriti dalle sue sferzate satiriche. Per lo stesso motivo aveva subìto il carcere, dal quale nel 1692 era riuscito romanzescamente ad evadere. Rifugiatosi a Venezia, si arruolò e combatté in varie azioni contro i Turchi. Il Dotti è soprattutto noto come autore delle *Satire* (pubblicate postume nel 1790 ad Amsterdam e in nuova edizione a Ginevra [Parigi] nel 1807), ma meriterebbe di essere conosciuto per i sonetti lirici, raccolti nelle *Rime* pubblicate a Venezia nel 1689.

FRANCESCO BRACCIOLINI. Nacque a Pistoia nel 1566. Fu al servizio del cardinale Federico Borromeo a Milano, e poi di Maffeo Barberini (il futuro papa Urbano VIII) a Roma e a Parigi, e infine del cardinale Antonio Barberini a Roma e a Sinigaglia. Morì a Pistoia nel 1645. Il Bracciolini è noto soprattutto per il poema burlesco *Dello scherno degli Dei* pubblicato a Firenze nel 1618. Compose anche altri poemi, *Della Croce racquistata* (pubblicato a Parigi nel 1605 e poi, completo in 35 libri, a Venezia nel 1611), *L'elezione di Urbano Papa VIII, La Roccella espugnata, La Bulgheria convertita*; e diverse tragedie *Evandro, Monserrato, Ero e Leandro*, ecc. Le sue *Poesie liriche toscane* furono pubblicate a Roma nel 1639.

FABIO LEONIDA. Di Santafiora. Fu dottore in leggi. Appartenne all'accademia romana degli Umoristi. GIANO NICIO ERITREO nella sua *Pinacotheca virorum illustrium* ne tesse un alto elogio, anche per le sue qualità di poeta: « *In rhytmis, in quibus aliquot annos, ceteris fere studiis omissis, multum operae ac temporis posuit, cultu, nitore, elegantia non video cui suorum aequalium debeat cedere* ». Il Bracciolini gli dedica un sonetto (*Lode della vecchiezza*). Delle sue poesie italiane, rimaste manoscritte, alcune furono pubblicate nella *Raccolta* del GUACCIMANNI. A Roma fu invece stampata nel 1628 un'altra opera *Gemitus poenitentis in septem odas divisus et ad septem psalmos poenitentiales Davidis in modum paraphrasis accomodatus.*

GHERARDO SARACINI. Cavaliere di S. Stefano nella Metropolitana di Siena, provveditore dello Studio di Pisa. Alcuni suoi sonetti sono stampati nella *Raccolta* del GUACCIMANNI.

MAFFEO BARBERINI. Nacque a Firenze il 5 aprile 1568. Studiò a Roma presso i gesuiti. Si laureò a Pisa in leggi. Fu nunzio in Francia. Poi cardinale e papa (eletto il 6 agosto 1623) con il nome di Urbano VIII. Morì a Roma il 29 luglio 1644. Compose poesie in latino e in italiano.

ALESSANDRO ADIMARI. Nacque a Firenze da nobile famiglia intorno al 1580 e morì nel 1649. Ebbe diversi incarichi nella vita pubblica. Fece parte di diverse accademie: dei Lincei; degli Alterati; degli Incogniti, ecc. Pubblicò molte opere (il Mazzuchelli ne elenca ventuna), e molte altre opere rimasero inedite. I sonetti riportati fanno parte della *Calliope* (Firenze, 1641). Altre raccolte poetiche sono *La Tersicore* (Firenze, 1637), *La Clio* (Firenze, 1639), *La Melpomene* (Firenze, 1640), *L'Urania* (Firenze, 1642), *La Polinnia* (Firenze, 1628).

ANTON MARIA NARDUCCI. Nacque a Perugia. Si dedicò agli studi giuridici e letterari. Le sue poesie apparvero nella *Raccolta* del GUACCIMANNI e in altre raccolte del tempo.

FILIPPO MASSINI. Nacque a Perugia nel 1559. Morì nel 1618. Pubblicò un volume di *Rime* a Pavia nel 1609. Appartenne all'accademia perugina degli Insensati.

FRANCESCO MELOSIO. Nacque nel 1609 a Città della Pieve e qui morì nel 1670 dopo una vita passata tra Firenze Roma e Torino al servizio di principi e cardinali. Egli è soprattutto noto (a parte rimangono i *Discorsi accademici* e i drammi *Orione* e *Sidonio e Dorisbe*) come poeta giocoso. Una prima edizione delle *Poesie e prose* apparve nel 1672 (Cosmopoli). Successive edizioni accresciute si ebbero nel 1673 (Venezia) e nel 1704 (Venezia).

SCIPIONE CAETANO. Di Roma. Era figlio di Cesare e di Vittoria Della Valle. Era nato nel XVI secolo e cessò di vivere, in ancora giovane età, nei primi anni del secolo XVII. Sappiamo infatti che era già morto nel 1612, quando apparvero in Viterbo le sue *Rime* pubblicate da Francesco Fondacci, che ne ebbe il manoscritto da donna Lavinia Caetani zia dell'autore.

PAOLO GIORDANO ORSINO. Nacque nel 1591 e morì nel 1656. Era duca di Bracciano. In questa città pubblicò nel 1648 in lussuosa edizione un volume di *Rime*.

TOMMASO STIGLIANI. Nacque nel 1573 a Matera (di qui l'epiteto di «materiale» che gli affibbiava il Marino). Visse per qualche tempo a Napoli e a Milano. Fu poi alle corti di Carlo Emanuele I a Torino, e a quella di Ranuccio Farnese a Parma. Pubblicò nel 1617 a Piacenza il poema *Il mondo nuovo* (pubblicato l'anno seguente completo a Roma) che, per talune allusioni al Marino, provocò la rottura fra i due poeti, e l'antimarinismo polemico dello Stigliani (che trovò la sua espressione ne *L'occhiale*, un volume di censure contro l'*Adone*, pubblicato a Venezia nel 1627). Morì a Roma nel 1651. Il suo *Canzoniere* fu stampato a Parma nel 1605 e poi a Roma e a Venezia nel 1625 (di questa edizione si conserva nella Biblioteca Nazionale di Napoli una copia manoscritta « aumentata di molte poesie non già pubblicate », preparata per una nuova stampa che poi non ebbe luogo).

MARCELLO MACEDONIO. Nacque a Napoli, da nobile famiglia, negli ultimi decenni del cinquecento. Ebbe una viva passione per Isabella Sanseverino, moglie di Francesco di Costanzo. E per essa prese la via dell'esilio. Morì qualche anno prima del 1620. Nel 1614 a Napoli apparvero, a cura del fratello, *Le nove Muse*. Nello stesso anno a Venezia furono pubblicate le *Ballate ed idilli*. L'anno seguente uscirono, a Venezia, la *Scelta delle poesie* e, a Roma, *I nove cori degli angeli*. Nel 1626 a Roma uscì una nuova edizione di *Le nove Muse* con l'aggiunta d'uno dei *Nove cori degli angeli*.

GIAMBATTISTA MANSO. Nacque a Napoli nel 1561, morì nel 1645. Appartenne a nobile famiglia. Fu amico e protettore di letterati (fra i quali il Tasso e il Marino) e letterato egli stesso. Scrisse la prima biografia del Tasso. Pubblicò a Venezia nel 1635 (nuova ed. 1640) una raccolta di rime intitolata *Poesie nomiche*. Sul Manso scrisse A. Borzelli, *Giovanni Battista Manso Marchese di Villa*, Napoli, 1916, demolendone l'opera di scrittore e di mecenate, che sarebbe frutto di plagio e di vanitosa menzogna da parte del nobile napoletano. Ma si veda anche M. Manfredi, *Giovanni Battista Manso nella vita e nelle opere*, Napoli, 1919, in polemica contro la posizione del Borzelli. E si veda A. Belloni, *Il Seicento*, Milano, 1929, a pp. 27 e 36.

FRANCESCO BALDUCCI. Nacque a Palermo nel 1579, e visse a Napoli prima, poi a Roma al servizio di principi e cardinali. Fu per qualche tempo soldato nell'esercito che Clemente VIII aveva mandato in Ungheria contro i Turchi. Al termine della sua vita prese gli ordini sacri. Morì a Roma nel 1642. Pubblicò *Le Rime* a Roma nel 1630 (altre edizioni apparvero sempre a Roma nel 1645, nel 1646, nel 1647, e a Venezia nel 1655 e nel 1663). Compose anche due oratori, *La Fede* e *Il Trionfo*, e un discorso accademico, *Gli incendi del Vesuvio*.

FRANCESCO DELLA VALLE. Nacque presso Cosenza. Visse a Roma. Fece parte dell'accademia degli Umoristi. Morì ancor giovane. È molto lodato da Giano Nicio Eritreo. Le sue *Rime* furono pubblicate, nella prima parte, a Napoli nel 1617, poi, con aggiunta una seconda parte, a Roma nel 1618, e poi di nuovo, in 2 ed., a Roma nel 1622. Nel 1624 apparvero a Napoli *Le lettere delle dame e degli eroi con le risposte delle medesime lettere dell'istesso autore*, e nello stesso anno, in 2 ed., a Venezia.

GIAN FRANCESCO MAIA MATERDONA. Nacque a Mesagne in provincia di Lecce. Fu sacerdote secolare. Fra le sue opere si ricordano *Le lettere di buone feste* (Roma, 1624, e Venezia, 1644) e *L'utile spavento del peccatore* (Roma, 1629; e Venezia, 1665 e 1671). La sua prima raccolta poetica, le *Rime pescherecce*, apparve a Bologna nel 1628. Seguirono l'anno dopo le *Rime* a Venezia (e di nuovo a Milano nel 1630, a Napoli nel 1632, a Genova nel 1660).

ANTONIO BRUNI. Nacque a Manduria in terra d'Otranto da famiglia oriunda del Piemonte nel 1593. Studiò leggi e filosofia, ma si rivolse ben presto alle lettere. Fu prima alla corte di Urbino, poi al servizio di diversi prelati. Visse negli ultimi tempi a Roma, dove morì nel 1635. Fece parte delle più celebri accademie e fu amico dei più famosi poeti, a partire dal Marino. Compose molte opere, di cui alcune rimasero inedite. Le sue rime furono prima raccolte nella *Selva di Parnaso*, pubblicata a Venezia nel 1615) poi nel volume diviso in tre parti intitolato *Le tre Grazie* (uscito a Venezia nel 1627, e a Roma nel 1630). A Roma nel 1633 apparve una nuova raccolta intitolata *Le Veneri*. A Milano nel 1626 erano uscite le *Epistole eroiche* (successive edizioni si ebbero nel 1627, 1634, 1636, 1644, 1647, 1658).

SCIPIONE ERRICO. Nacque a Messina nel 1592 e morì il 18 settembre 1670. Compose molte opere, fra le quali le *Guerre di Parnaso* (1642), una specie di romanzo sul tipo dei « viaggi » o « ragguagli » o « avvisi » di Parnaso, di moda nel seicento, e le commedie, di tipo aristofanesco, *Le rivolte di Parnaso* (1625) e *Le liti di Pindo* (1634). Le *Rime* uscirono a Messina nel 1619, e le *Poesie liriche* a Venezia nel 1646.

GIAMBATTISTA BASILE. Nacque nel 1575 a Napoli. E morì nel 1632. Visse a Venezia, a Mantova, e in vari luoghi del Mezzogiorno. Ebbe incarichi militari e politici. Egli è noto soprattutto per *Lo Cunto de li cunti* scritto in dialetto napoletano e pubblicato postumo sotto lo pseudonimo anagrammatico di Gian Alesio Abbattutis. In dialetto compose pure nove egloghe intitolate *Le Muse napolitane*. In italiano scrisse il volume di *Madriali et ode* pubblicato a Mantova nel 1613 (la terza parte uscì a Napoli nel 1617). A Napoli nel 1627 uscirono le *Ode*.

BIAGIO CUSANO. Nacque a Vitulano. Fu docente universitario di materie giuridiche. Oltre a vari trattati di queste discipline scrisse diverse opere letterarie e raccolte poetiche: *L'armonia* (Napoli, 1636), *De' caratteri d'eroi* (Napoli, 1661), *Li dolori consolati della Sirena* (Napoli, 1665), *Poesie sagre* (Napoli, 1672).

GIOVANNI PALMA. Nacque a Brindisi. Dal 1630 fu segretario del marchese del Vasto. Fece parte dell'accademia napoletana degli Impazienti. Pubblicò a Napoli nel 1632 un volume di *Rime*.

GIACOMO D'AQUINO. Principe di Crucoli, in provincia di Catanzaro. Pubblicò a Napoli nel 1638 una raccolta di *Rime e prose*.

ANTONIO DE ROSSI. Napoletano. Pubblicò una esigua raccolta di sonetti a Napoli nel 1661, stampò anche *Il Peccator pentito* (Napoli, 1668) e un poema morale *Dell'immagine della vita umana* (Napoli, 1670).

GIROLAMO FONTANELLA. Nacque a Napoli intorno al 1610, e a Napoli morì nell'agosto del 1644. Era probabilmente figlio naturale di Girolamo Fontanella, appartenente a una nobile famiglia di Reggio Emilia. Nel 1633 a Bologna uscirono le *Ode* (2 ed. Napoli, 1638); nel 1640 a Napoli i *Nove cieli*; e, postume, nel 1645 a Napoli le *Elegie*.

ANTONIO BASSO. Nacque a Napoli. Fece parte dell'accademia degli Oziosi. Negli avvenimenti della rivoluzione di Masaniello non rimase estraneo e, nel febbraio del 1648, fu decapitato per cospirazione contro il duca di Guisa (il Mazzuchelli, richiamandosi al Toppi, scrive che il Basso « volendo fare da predicante nelle rivoluzioni seguite in Napoli, morì infelicemente »). Pubblicò a Napoli nel 1645, in bella edizione, un volume di *Poesie*. Scrisse anche un dramma per musica: *Il pomo di Venere* (Napoli, s. n. t.).

GENNARO GROSSO. Napoletano. Pubblicò nel 1650 a Napoli *La Cetra divisa in metro divoto, metro funesto, anagrammi italiani*. Pubblicò anche *L'arpa febea*, Napoli, 1656.

VINCENZO ZITO. Era di Capua. Risulta che era già morto nel 1669, quando apparvero a Napoli le sue *Poesie liriche* per cura del figlio Mario. Nel 1638 aveva pubblicato a Napoli gli *Scherzi lirici*.

ANTONIO MUSCETTOLA. Nacque da nobile famiglia a Napoli nel 1628, e a Napoli morì nel 1679. Trascorse la sua vita lontano dalle cariche pubbliche, tutto dedito alle occupazioni letterarie, spesso nella desiderata solitudine di una sua villa ai piedi del Vesuvio. Fu però in rapporti con molti letterati contemporanei, ed ebbe larga fama. Dopo la sua prima raccolta di poesie apparsa a Napoli nel 1659, uscì a Venezia la prima parte delle *Poesie* nel 1661 e la seconda parte nel 1669 (la terza parte uscì invece postuma a Napoli nel 1691). Del Muscettola apparve anche a Napoli nel 1664 una tragedia, *La Belisa*, e, prima ancora, a Venezia nel 1661 una favola drammatica *La Rosalinda*. È dell'anno precedente la morte un volume di *Epistole famigliari* in versi (Napoli, 1678). Va ricordato infine un volume di *Prose* (Piacenza, 1665).

GIUSEPPE BATTISTA. Nacque a Grottaglie in provincia di Lecce nel 1610, e morì a Napoli il 6 marzo 1675. Le sue *Poesie meliche* apparvero a Venezia nel 1659 (parti prima, seconda e terza) e nel 1664 (parte quarta), e a Bologna nel 1670 (parte quinta). Gli *Epicedi eroici* uscirono a Venezia nel 1667. Di lui si devono anche ricordare gli *Epigrammata* (Venezia, 1653) e, in prosa, le *Giornate accademiche* (Venezia, 1673), le *Lettere* (Bologna, 1678) e la *Poetica* (Venezia, 1676).

GIUSEPPE ARTALE. Nacque a Mazzarino in provincia di Caltanissetta nel 1628, e morì a Napoli nel 1679. Passò la sua vita fra i viaggi e le armi. Fu famoso come spadaccino, tanto da meritarsi il titolo di « cavaliere sanguinario ». Partecipò alla difesa di Candia, assediata dai Turchi, e per il suo valore ebbe il titolo di cavaliere dell'ordine Costantiniano di S. Giorgio. Compose: un romanzo, *Cordimarte* (Venezia, 1660); una tragedia a lieto fine, *Guerra tra vivi e morti* (Napoli, 1679); un dramma musicale, *La Pasife ossia l'impossibile fatto possibile* (Venezia, 1661). Le sue poesie furono raccolte nell'*Enciclopedia poetica* (Napoli, 1679) che comprende tre parti. La parte prima era già apparsa a Perugia nel 1658, e a Venezia nel 1660 e nel 1664. La terza parte (l'*Alloro fruttuoso*) era stata prima pubblicata a Napoli nel 1672.

GIACOMO LUBRANO. Nacque a Napoli nel 1619 e morì nel 1692. Fu gesuita ed oratore sacro. Compose le *Scintille poetiche o poesie sacre e morali*, pubblicate a Napoli nel 1690 con l'anagramma di Paolo Brinacio. Nello stesso anno a Napoli apparve un volume di poesie latine, *Suaviludia musarum ad Sebethi ripam, epigrammatum libri X*.

GIOVANNI CANALE. Nacque a Cava ai primi del seicento. Oltre alle *Poesie*, pubblicate a Napoli nel 1694 (la prima e la seconda parte già pubblicate a Venezia nel 1667), compose un poema, *L'anno festivo ovvero i fasti sacri* (Venezia, 1674), e un romanzo, *L'Ama-tunta* (Venezia, 1681).

FEDERICO MENINNI. Nacque a Gravina nel 1636. Era medico di professione. Pubblicò a Napoli nel 1677 *Il ritratto del sonetto e della canzone*. Le sue *Poesie* apparvero a Napoli nel 1669.

LORENZO CASABURI URRIES. Napoletano. Le sue poesie, raccolte sotto il titolo di *Le quattro stagioni*, apparvero a Napoli nel 1669.

PIETRO CASABURI URRIES. È fratello del precedente. Pubblicò a Napoli nel 1676 una prima raccolta di poesie sotto il titolo di *Le Sirene* distinte in « Concerto primo », « Concerto secondo », « Concerto terzo ». Il quarto concerto apparve invece nel 1685 sempre a Napoli. (Evidentemente il Croce fraintende un cenno di G. GIMMA [*Elogi accademici della Società degli Spensierati*, Napoli, 1703, p. 346: dove è un elenco degli encomi avuti da Baldassarre Pisani] quando scrive, dopo aver nominato *Le Sirene*, che « Pietro pubblicò anche *I concerti poetici* »). L'altra opera pubblicata da P. Casaburi si intitola *Le Saette di Cupido* e apparve a Napoli nello stesso anno 1685.

BALDASSARRE PISANI. Nacque a Napoli nel 1650. Studiò giurisprudenza, e tale disciplina esercitò con successo in Napoli. Coltivò anche gli studi letterari. Nel 1669 pubblicò a Napoli una prima raccolta di *Poesie liriche*, che ristampò in edizione rinnovata e accresciuta nel 1676 a Venezia. Una seconda parte delle *Poesie liriche* apparve a Napoli nel 1685. Compose anche e rappresentò con molto favore tre melodrammi: *L'Arsinda d'Egitto*, il *Disperato innocente* e l'*Adamiro*, pubblicati a Napoli nel 1681. Altre opere manoscritte e varie rappresentazioni sacre date alle stampe gli attribuisce il GIMMA, *Elogi accademici della Società degli Spensierati di Rossano*, Napoli, 1703, pp. 337-351.

TOMMASO GAUDIOSI. Era nativo della Cava in provincia di Salerno. Le sue poesie sono raccolte nel volume distinto in sei parti *L'arpa poetica*, pubblicato a Napoli nel 1671. Compose anche una tragedia, pubblicata a Napoli nel 1640, *La Sofia ovvero l'Innocenza ferita*.

GIOVANNI GIACOMO LAVAGNA. Nacque a Napoli da famiglia genovese discendente dai conti di Lavagna (la madre apparteneva ad una nobile famiglia di Saluzzo). Si addottorò giovanissimo in legge. L'OLDOINI, *Athenaeum ligusticum*, Perugia, 1680, lo dice vivente in Napoli nel 1679. Pubblicò a Napoli nel 1671 la prima parte delle *Poesie*, e a Venezia nel 1676 la seconda parte (insieme alla ristampa della prima parte). Nel 1676 pubblicò a Bologna il *Corriere straordinario spedito da Parnasso al Sig. N. N. dal Sig. Gio. Giacomo Lavagna*. L'OLDOINI testimonia che il Lavagna aveva inoltre pronti per la stampa: la terza parte delle *Poesie*, un volume di *Lettere apologetiche*, due volumi di cose filosofiche, *Philosophia Pyrrhonea* e *Aristotelismus triumphatus*.

ANDREA PERRUCCI. Nacque a Palermo nel 1651. Seguì gli studi letterari e giuridici a Napoli. E a Napoli morì nel 1704. Compose in latino in italiano e anche in dialetto. La sua maggior fama è quella di scrittore di melodrammi. Coltivò con molto successo il teatro religioso. Le sue liriche apparvero a Napoli nel 1695 sotto il titolo di *Idee delle Muse*. In dialetto pubblicò un poema eroico l'*Agnano zeffonato* (Napoli, 1678). Per il teatro stampò un *Convitato di pietra* nel 1670 (e di nuovo nel 1684 e nel 1690) in cui è rimaneggiato il tema diffuso di Don Giovanni. È rimasto a lungo sulle scene popolari di Napoli il dramma sacro *Il vero lume tra le tenebre ossia la nascita del Verbo Umanato*. Fra i melodrammi si ricordano la *Stellidaura* e lo *Schiavo di sua moglie* con musica di Francesco Provenzale.

GIUSEPPE D'ALESSANDRO. Nacque a Peschiolanciano nel 1656 da nobile famiglia. E morì a Napoli nel 1715. Nel 1711 pubblicò a Napoli la *Pietra di paragone de' cavalieri*; nel 1713, pure a Napoli, stampò la *Selva poetica*; e nel 1714 l'*Arpa morale*. Altre poesie e lettere comparvero nelle varie edizioni della *Pietra di paragone* (2 edizione Napoli, 1714; 3 ed. Napoli, 1723).

GIUSEPPE SALOMONI. Nacque intorno al 1570 a Udine. Pubblicò a Udine nel 1615 la prima parte delle sue *Rime*; poi di nuovo la prima parte con una seconda parte a Venezia nel 1626. Una nuova edizione apparve a Bologna nel 1647.

GUIDO CASONI. Nacque in Serravalle nella Marca Trivigiana (Vittorio Veneto) nel 1561. Morì nel 1642. Si dedicò agli studi filosofici e giuridici. Fu nominato cavaliere di San Marco e fu membro dell'accademia degli Incogniti. Scrisse in prosa *La magia d'amore* (Venezia, 1591: a questa seguirono sei edizioni). Le *Ode* (Venezia, 1602: edizione preceduta probabilmente da due edizioni e seguita da dodici altre) avrebbero portato « con meravigliosa fortuna [...] il suo nome per lo cielo italiano » secondo si esprime l'elogio delle *Glorie* *degl'Incogniti*. Molte edizioni ebbe anche *Il Teatro poetico* (1 ed. Trevigi, 1615; e 8 ed. Venezia, 1625: la più completa contenente diciassette componimenti).

PAOLO ZAZZARONI. Nacque a Verona. Studiò leggi, a Padova prima e poi a Parma, con l'Achillini. Fu segretario del maggiore e del minore consiglio della sua città. In Verona pubblicò nel 1641 una raccolta di liriche, intitolata *Giardino di poesie*.

PIETRO MICHIELE. Nobile veneto. Fece parte dell'accademia degli Incogniti. Ebbe varie cariche pubbliche. Le sue rime furono stampate a Venezia, nel 1624 la parte prima e nel 1629 la parte seconda. Queste due parti furono ristampate nel 1642 a Venezia. Pure a Venezia, nel 1648, uscì la terza parte, insieme alle odi e a poesie varie, in una raccolta intitolata *La benda di Cupido*. Scrisse molte altre opere.

PACE PASINI. Nacque a Vicenza il 17 giugno del 1583. Studiò leggi a Padova. Ma finì col dedicarsi interamente alla filosofia (seguita alla scuola del Cremonini) alla matematica e alla letteratura. Per motivi politici visse per due anni in esilio a Zara. Ebbe poi, al suo ritorno, diversi pubblici incarichi. Appartenne all'accademia degli Incogniti. Morì a Padova nel 1644. Oltre a un *Trattato delle metafore*, a diverse novelle amorose e a un romanzo (*Il cavalier perduto*) compose le *Rime*, pubblicate a Vicenza nel 1642 (con stampato insieme — in trenta pagine — il citato *Trattato de' passaggi dall'una metafora all'altra e degl'innesti dell'istesse, nel quale si discorre secondo l'opinione e l'uso de' migliori se senza commetter difetto si possano usare da' poeti e dagli oratori*).

BARTOLOMEO TORTOLETTI. Veronese. Pubblicò un poema epico religioso, la *Giuditta vittoriosa* (Roma, 1628). Compose pure diverse tragedie. Le *Rime* apparvero a Roma nel 1645.

PIETRO PAOLO BISSARI. Nacque a Vicenza da nobile famiglia nel 1585, e morì nel 1663. Partecipò alla vita militare e alla vita politica. Conseguì il dottorato in giurisprudenza. Fu socio dell'accademia degli Incogniti di Venezia e dell'accademia Olimpica di Vicenza. Tra le sue opere si ricordano *Le stille d'Ippocrene* (Venezia, 1648), *Le scorse olimpiche* (Venezia, 1650), *I coturni d'Euterpe* (Venezia, 1648: comprendente fra l'altro un dramma in cinque atti, *La Torilda*, e una favola musicale, *Le Vendette rivali*), *Le Bilancie di*

Marte e *Le leggi d'onore* (che trattano di materia cavalleresca), *L'Ape della sacra Atene* di materia oratoria. Nella storia del teatro si ricordano specialmente i suoi melodrammi: *Bradamante* (1650), *Angelica in India* (1656), *Erinto* (1661), *Fedra innamorata* (1662), questi due ultimi composti per la corte di Baviera.

GIAN FRANCESCO BUSENELLO. Nato a Venezia da antica ed agiata famiglia nel 1598, scolaro prima di Paolo Sarpi e poi dell'università di Padova, avvocato ed oratore famoso, morì nel 1659 a Legnaro nella campagna padovana. Egli è noto soprattutto come cultore di poesia satirico-giocosa in dialetto veneziano. Le rime di questo autore, rimaste in gran parte inedite, furono raccolte da A. LIVINGSTON, *I sonetti morali ed amorosi di G. Fr. Busenello*, Venezia, 1911.

LEONARDO QUIRINI. Nobile veneto. Pubblicò un volumetto di poesie liriche, intitolato *Vezzi d'Erato*, nel 1649 a Venezia.

PAOLO ABRIANI. Era di Vicenza. A Venezia nel 1664 comparve la seconda edizione delle sue *Poesie*. Compose molte altre opere, fra le quali una traduzione delle *Odi* di ORAZIO (Venezia, 1650).

CIRO DI PERS. Nacque da nobile famiglia nel 1599 nel castello di Pers in Friuli. Fece studi di filosofia a Bologna, dove conobbe l'Achillini e il Preti. Amò Taddea di Colloredo, celebrata nel suo canzoniere sotto il nome di Nicea. Ma non avendo potuto coronare questo suo amore con le nozze, lasciò il Friuli e si recò a Malta per entrare nell'ordine dei cavalieri Gerosolimitani. Prese parte, a quanto sembra, ad una sola spedizione contro i Turchi, e, dopo due anni, ritornò in Friuli, dove trascorse, in S. Daniele, il resto della sua vita, allontanandosi solo per due viaggi, uno a Gorizia e un altro a Loreto e Roma. Morì nel 1663. Oltre a minori composizioni di carattere storico, scrisse una tragedia, *L'umiltà esaltata overo Ester regina*, pubblicata nel 1664 a Bassano. Le sue poesie apparvero postume a Firenze nel 1666 e nello stesso anno a Vicenza; poi in successive edizioni: a Bologna nel 1667, 1670, 1672; a Venezia nel 1675, 1677, 1681, 1688; a Napoli nel 1669; a Bologna e Macerata nel 1676; e finalmente, con la scelta più completa, a Venezia nel 1689.

GIAN FRANCESCO LOREDANO. Nacque a Venezia il 28 febbraio 1607 e morì a Peschiera il 13 agosto 1671. Fu senatore della Repubblica Veneta. Fondò nel 1630 in Venezia l'Accademia degli Incogniti. Scrisse versi in italiano e in veneziano. Si ricordano anche di questo abbondante scrittore le *Bizzarrie accademiche* (comprendenti

opere varie, fra cui *I ragguagli di Parnaso*) pubblicate a Venezia
nel 1638 (successive edizioni si ebbero a Venezia nel 1643, nel 1647-48,
nel 1653 e nel 1670; a Bologna nel 1645 e nel 1676); gli *Scherzi geniali*
(Bologna, 1676); i *Sei dubbi amorosi* (Venezia, 1647; 1649; 1656; 1669);
le *Freddure estive* (Venezia, 1664; e 1667); le *Lettere* (Venezia, 1665;
Genova e Bologna, 1669; Venezia, 1708); *L'Iliade giocosa* (Venezia,
1650; 1662; 1686); e i romanzi *La Dianea* (Torino, 1627; Venezia, 1638),
e *L'Adamo* (Venezia, 1640; e 1650).

NOTA BIBLIOGRAFICA

Per i dati relativi alla vita e alle opere di questi poeti soccorrono, e sia pure talvolta in modo assai incerto e lacunoso, oltre a L. Crasso (*Elogi d'uomini letterati*), a G. V. Rossi (*Pinacotheca virorum illustrium*), ad A. Aprosio (*Biblioteca Aprosiana*) e ai noti Crescimbeni, Quadrio, Gimma, Mazzuchelli, le compilazioni e i repertori di storia letteraria relativi a città o regioni o accademie o ordini religiosi, come quelli del Fantuzzi, del Toppi, dello Spiriti, del Minieri Riccio, del Mongitore, ecc. che non è qui il caso di ricordare.

Su alcuni di questi poeti sono state svolte, dalla fine dell'ottocento ad oggi, indagini monografiche. Ricordo:

B. Malatesta, *Claudio Achillini*, Modena, 1884;

L. Pescetti, *Claudio Achillini*, « Atti dell'Accademia Colombaria », Firenze, vol. XLVIII (1936);

E. Zanette, *Umanità e spiritualità dell'Achillini*, « Convivium », n. 4, 1947;

L. Patanè Finocchiaro, *Girolamo Preti*, Milano, 1898;

M. De Marinis, *A. G. Brignole Sale e i suoi tempi*, Genova, 1914;

M. Barbi, *Notizie della vita e delle opere di Francesco Bracciolini*, Firenze, 1897;

A. Massini, *Filippo Massini giureconsulto e poeta*, Perugia, 1939;

D. Gnoli, *Un freddurista del Seicento* [si tratta del Melosio], « Nuova Antologia », 15 aprile 1881;

M. Menghini, *Tommaso Stigliani*, Genova, 1890;

F. Santoro, *Del cavalier Stigliani*, Napoli, 1908;

A. Borzelli, *Giovanni Battista Manso marchese di Villa*, Napoli, 1916;

M. Manfredi, *Gio. Battista Manso nella vita e nelle opere*, Napoli, 1919;

E. Cozzuoli, *Francesco Balducci*, Palermo, 1892;

M. R. Filieri, *Antonio Bruni poeta marinista leccese*, Lecce, 1919;

I. Giampaglia, *Studio critico su Antonio Bruni con particolare riferimento alle « Epistole eroiche »*, Roma, 1926;

B. Croce, *Giambattista Basile e il « Cunto de li cunti »*, in *Saggi sulla letteratura italiana del Seicento*, Bari, 1911;

R. Pedicini, *Un lirico marinista: Biagio Cusano*, in *Saggi e profili letterari*, Roma, 1939;

B. Croce, *Per la biografia di un poeta barocco: G. Fontanella*, « Critica », 1938;

U. Tria, *D. Antonio Muscettola, duca di Spezzano e il p. Angelico Aprosio*, Napoli, 1897;

E. Pedio, *Giuseppe Battista poeta e letterato del 600*, Trani, 1902;

G. Interligi, *Studio su Giuseppe Artale*, Catania, 1921;

A. Pagano, *Uno dei tanti lirici del Seicento* [si tratta del Lavagna], in *Saggi e profili di storia letteraria*, Nicotera, 1932;

B. Croce, *Baldassarre Pisani*, in *Nuovi saggi sulla letteratura italiana del Seicento*, Bari, 1931;

P. Camporesi, *Giuseppe D'Alessandro poeta barocco tra Seicento e Settecento*, « Convivium », n. 3, 1952;

E. Zanette, *Una figura del secentismo veneto, Guido Casoni*, Bologna, 1933;

G. Brognoligo, *La vita di un gentiluomo italiano del Seicento, il conte Pietro Paolo Bissari, vicentino 1585-1663*, Napoli, 1909;

A. Livingston, *La vita veneziana nelle opere di Gian Fr. Busenello*, Venezia, 1913;

G. Lovascio, *Un secentista, Paolo Abriani, vicentino*, Terlizzi, 1907;

B. Guyon, *Ciro di Pers e le sue poesie*, Udine, 1897;

V. Brocchi, *L'accademia e la novella nel Seicento: Gian Francesco Loredano*, Venezia, 1898.

Altre indicazioni si potranno trovare nel volume antologico *Lirici Marinisti* a cura di B. Croce, Bari, 1910; e in A. Belloni, *Il Seicento*, Milano, 1929.

Per un'interpretazione critica dell'esperienza poetica dei marinisti:

B. Croce, *Sensualismo e ingegnosità nella lirica del Seicento*, in *Saggi sulla letteratura italiana del Seicento*, Bari, 1911;

B. Croce, *Storia dell'età barocca in Italia*, Bari, 1929;

D. Petrini, *Note sul barocco*, Rieti, 1929;

M. Praz, *Studi sul concettismo*, Firenze, 1946;

C. Calcaterra, *Lirici del Seicento e dell'Arcadia* [introduzione al volume antologico dei « Classici Rizzoli »], Milano, 1936;

C. Calcaterra, *Controriforma e Seicento*, in *Un cinquantennio di studi sulla letteratura italiana (1886-1936)*, Firenze, 1937;

C. Calcaterra, *Il Parnaso in rivolta*, Milano, 1940;

C. Calcaterra, *Il problema del barocco*, in *Questioni e correnti di storia letteraria* a cura di diversi autori, Milano, 1949;

F. Flora, *Storia della letteratura italiana*, Milano, 1942, vol. II.

Per altre indicazioni bibliografiche mi sia concesso rimandare alle mie pagine *La polemica sul barocco*, nel volume *Letteratura e critica nel tempo*, Milano, 1954.

Per qualche più preciso riferimento accennato nelle pagine introduttive:

U. Cosmo, *Con Dante attraverso il Seicento*, Bari, 1946;

G. Contini, *Preliminari sulla lingua del Petrarca*, « Paragone », n. 16, 1951;

L. Spitzer, *La enumeración caótica en la poesía moderna*, Buenos Aires, 1945;

G. Poulet, *Études sur le temps humain*, Paris, 1950;

G. Getto, *Interpretazione del Tasso*, Napoli, 1951;

E. Mâle, *L'art réligieux après le Concile de Trente*, Paris, 1932.

Per quanto riguarda i testi: per le lettere ci siamo limitati a scegliere dalla silloge curata dal Borzelli e dal Nicolini nel volume secondo dell'*Epistolario* di G. B. Marino (Bari, 1912) aggiungendo

tuttavia qualche nuova lettera ricavata dalle edizioni del seicento;
per le liriche invece abbiamo svolto un più ampio lavoro, rifacendo
e probabilmente estendendo la vasta lettura dei canzonieri barocchi
fatta dal Croce per la sua antologia dei *Lirici Marinisti* (Bari, 1910).
I risultati della nostra lettura sono riusciti, entro certi limiti, diversi da
quelli del Croce e per questo, crediamo, non inutili. Degli autori, molti,
già esclusi dal Croce, sono stati anche da noi rifiutati; alcuni altri invece,
dal Croce trascurati, sono stati accolti da noi (mentre all'opposto qualcuno ricordato dal Croce è stato da noi tralasciato). Delle liriche degli
autori, tenuti presenti nella raccolta del Croce e in questa, abbiamo
fatto una scelta in qualche rarissimo caso assolutamente identica,
altre volte totalmente diversa, più spesso l'abbiamo variamente modi-
ficata, o lasciando cadere alcuni dei pezzi inclusi o aggiungendone
altri nuovi o facendo l'una e l'altra cosa insieme. La nostra antologia
perciò, mentre non si riduce ad una scelta della scelta crociana, non
pretende nemmeno di sostituirsi ad essa (la prima cosa non potevamo
fare evidentemente, per motivi intimi di scrupolo di lettura integrale
e di gusto; la seconda per ragioni esterne di limiti di spazio imposti
da necessità editoriali). La nostra raccolta vuol piuttosto integrare
quella del Croce. A questo criterio anzi è stata in gran parte (fatta
eccezione per un nucleo di personalissime preferenze) ispirata la presente
antologia. I titoli delle liriche, scostandoci dal criterio adottato dal
Croce, abbiamo preferito lasciarli così come si trovano nelle edizioni
del seicento (e nei casi in cui in queste non erano espressi abbiamo
creduto meglio indicare i componimenti con il primo verso anziché
introdurre un titolo arbitrario). La grafia è stata naturalmente ammo-
dernata con la dovuta cautela. Alcuni errori di stampa e sviste di tra-
scrizione esistenti nelle edizioni del seicento o nella antologia del Croce
sono stati eliminati.

Tra i lavori apparsi dopo la pubblicazione del presente volume
mi limito a ricordare: J. Rousset, *Quelques réflexions en marge d'une
anthologie des marinistes*, in « Lettere Italiane », 1954, 3, pp. 291-295;
H. Hatzfeld, *Italia, Spagna e Francia nello sviluppo della letteratura
barocca*, in « Lettere Italiane », 1957, 1, pp. 1-29; W. T. Elwert, *La
poesia barocca nei paesi romanzi. Concordanze e divergenze stilisti-
che*, in *La critica stilistica e il barocco letterario*, Atti del II Congresso
Internazionale di Studi Italiani, Firenze, 1958, pp. 61-92; R. Massano,
Sulla tecnica e sul linguaggio dei lirici marinisti, in *La critica stilistica e il barocco letterario*, op. cit., pp. 283-301.

I MARINISTI

LETTERE

CLAUDIO ACHILLINI

I

A Giambattista Marino

Scrivo in fretta per carestia di tempo. Ho letta la lettera di V. S. [1] e con una mistura di vari affetti ho inteso il tutto. Non so dirmi altro se non che il Murtola, con l'esempio di colui il quale per acquistarsi un grido eterno volse distruggere il tempio di Diana effesia [2], ha tentato d'immortalarsi se non con la penna almeno con l'armi scelerate, procurando di struggere il Marino, ottava meraviglia del mondo. Ma perché egli era un tempio dedicato ad una deità maggiore (a quella, dico, d'Appollo, da cui Diana riconosce il lume), l'infame suo desiderio non ha sortito quei desiderati fini ch'egli si credette. Ma comeché il Marino in quel foco fosse restato consunto, essendo egli nondimeno la fenice della poesia, in quel rogo fatale si saria rinovato; e non rinovato ancora, sarrebbe eternamente vissuto nelle penne, nelle lagrime e nelle memorie di tutto 'l mondo. Io sento tanta allegrezza del fine reale di cotesto negozio, quanto disgusto reca a tutti gli amici l'intenzionale di cotesto scelerato; tanto più ch'egli, più tosto condotto da codarda desperazione che da legitima cagione, postosi il canape in seno, ha avuto ardire d'intraprendere sì brutta impresa. La quale al sicuro, come V. S. scrive nella

---

1. Si tratta di una lettera in cui il Marino raccontava l'attentato del Murtola.
2. Erostrato.

sua, è stata vietata dalla beata Vergine, sì come anco per decreti astrologici si può congetturare; poiché, avendo V. S. nel suo mezzo cielo la spica della vergine, che forsi mistica-mente significa la vera Vergine [1], è stata da sì regia e potente positura preservata da sì gran pericolo. Ma di questo, parlato che n'avrò col Magini, con più sicuro fondamento le scriverò per altra mia. Tratanto viva sicura che, come io più d'ogni altro avrei con lagrime di sangue pianta la sua morte, così più d'ogni altro cordialmente mi rallegro con lei del mira-coloso successo. Della magnanimità di V. S. in procurar sa-lute al reo, non le scriverò altro se non che, se il pericolo la fa gloriosa, la gloria la fa pericolosa.

[Di Bologna, febbraio del 1609].

II

AL CAVALIER MARINO

Dopo tanti anni io vi saluto cordialissimamente, e vi assi-curo col cuore in cima a questa penna che l'interposizione di tanta terra quanta è tra noi non ha potuto ecclissarvi pur un raggio dell'antico amor mio. Io sono al solito parzialissimo delle vostre glorie; e sì come nella più pura parte dell'anima mia sta viva questa opinione che voi siate il maggior poeta di quanti ne nascessero o tra' toscani o tra' latini o tra' greci o tra gli egizi o tra gli arabi o tra' caldei o tra gli ebrei, così questa medesima conclusione difendo e professo continovamente con la lingua qualor ne parlo, e con la penna ogni volta che ne scrivo. Insomma l'api di Pindo non sanno stillar favi più dolci di quelli che fabricano nella vostra bocca, e la fama poetica non sa volar con altre penne che con la vostra. L'invidia poi de' vostri detrattori non sente i suoi funerali più risoluti che nelle mie parole. Rallegromi delle vostre fortune in codesto

1. Cfr. vol. I, lettera VII, p. 98.

regno, e particolarmente che la vostra speranza a guisa di fenice sia risorta più viva e più bella dal suo rogo.

Moro d'impazienza per non potervi rivedere. Ma chi sa?

Reverite a mio nome, ve ne prego, tre personaggi segnalati: il nunzio apostolico, gloria de' prelati [1]; il signor di Bettune, norma de' cavalieri; e monsignor Rucellai, specchio di valore e di gentilezza.

Vivete felice e conservatevi tale con la vostra prudenza, perché voi servite ad un re nelle cui mani dirò quasi che Marte ha riposte tutte le speranze delle sue glorie in terra. Per fatal decreto voi sarete un giorno l'Omero di cotesto Achille. Intanto baciovi carissimamente le mani.

Di Bologna [princìpi del 1620].

III

AL SIGNOR GIROLAMO PRETI

Date il ben giunto al Marino [2] per me, e ditegli che all'aviso che m'avete dato del suo desideratissimo arrivo ho, dirò quasi, decimato il fiore dello spirito mio e, avendolo inzucherato colla memoria de' suoi dolcissimi versi, gliene condisco un saluto; e soggiungetegli che collo stesso condito priego il bel ciel di Roma che gl'influisca quelle fortune che a me con tanta costanza negò sempre. Ma che bisogno ha egli di fortuna? Il suo lauro è già divenuto reggio e le sue glorie con beato vantaggio suppliscono i diffetti della fortuna. Io sto con impazienza aspettando il suo poema. E passo intanto la vita su questi colli del Sasso [3], ed in questo punto m'affatico intorno a certe strade fresche ed erbose; e vedreste cento piante inchinarsi ai miei pensieri, perch'io possa illustrar coll'ombre, perché non posso con altro, questi miei poveri e

1. È Guido Bentivoglio.
2. Il Marino era arrivato da Parigi a Roma, dove si trovava il Preti.
3. Villa del Bolognese.

paterni terreni. Insomma io preparo seggi e drizzo passeggi proporzionati alla lezione di sì gloriose fatiche. E vivo sicuro che umano ingegno nel suo corso vitale, se legge l'*Adone*, non diverti mai per sentieri cotanto ameni; anzi mi persuado, per quei saggi ch'io n'ho gustati, che sì fatto poema sarà, come la poesia di tutti gli onori, così l'onore di tutte le lingue. E tengo per fermo che sul margine di sì puro Elicona restaranno sfrondati tutti gli altri allori; che, come alle spiritose vigilie della sua musa dormiranno tutte l'altre muse, così nel grembo di lei veglieranno tutte le grazie e tutte le meraviglie. Beato il cardinal Ludovisio [1], oltre tant'altre felicità, se seguirà, come spera il mondo, l'impreso stile di ricevere e favorire sì fatti soggetti. Mecenate e Augusto sovra sì fatte penne volarono all'eternità del nome; ché ben sapevano eglino che più saldo scudo contra l'invidia e l'oblivione fanno l'ombre degli allori che quelle delle palme o quelle della quercia.

[Dal Sasso, aprile o maggio 1623].

IV

A Giambattista Marino

Ho veduto il vostro *Adone*. Insomma la cara stella di Venere ha versato questa volta l'estremo nembo de' suoi dolcissimi influssi; le sue rose in terra tutte si sono aperte; i suoi mirteti hanno lagrimato ambrosia; i suoi cigni hanno fatte l'ultime prove del canto; l'Aurora ha sparsa più che mai copiosa sovra le marine di Cipri la pioggia delle sue preziosissime perle; i laureti di Pindo tutti si sono sfrondati a gara per incoronarvi; il fonte d'Ippocrene è corso nettare; le nove Muse, per non poter più degnamente ministrare ad altri, per voi ed in voi si sono trasformate in Grazie; al carro de' vostri

---

1. Il cardinale Ludovico Ludovisi.

trionfi veggo incatenati i poeti di tante lingue e di tanti secoli; sul Campidoglio di Parnaso non veggo gli occhi di tanti spettatori conversi ad altro che alla vostra imagine; sull'altare delle vostre glorie veggo sacrificati tutti i poemi terreni. Chi leggerà le vostre composizioni, s'egli non serà poeta, trarrà da mille eccellenze mille meraviglie; s'egli serà poeta, coglierà da mille meraviglie la propria desperazione, ed a ragione, poiché col volo della vostra penna vola dal cuore la speranza a mille poeti di mai più gloriosamente comporre. Tenera è la matteria che trattate; ma fra le tempeste amorose scintillano ad ora ad ora i baleni dell'epica maestà. Non meritarebbe d'aver lingua chi dicesse che tutte le glorie possibili della lingua tosca non fossero sparse per entro il vostro poema; e giurerei che non ha tante stelle il firmamento quanti lumi onorano questa vostra immortal fatica. Signor Marino, se vi toccasse mai il pensiero di rilambire l'immortalità di questo parto, purificate qualche senso amoroso e frenate insomma il corso a qualche amore. Ma non già frenate l'amore che mi portate.

[Dal Sasso, aprile o maggio 1623].

V

A Girolamo Preti

Ho letta la pietosa storia della morte del Marino, sì vivamente e sì pateticamente espressa da voi, che non saprei ben dire sotto quai più gloriosi pregi egli sia, o degli applausi del mondo vissuto, o della vostra eloquenza finalmente morto. Ben vi dirò che con lagrime di vero dolore ho pianta la sua morte, e con lagrime di vera dolcezza ho lagrimato le circostanze di sì religioso passaggio. Signor Girolamo, egli è morto, come dice il nostro Lamberti [1], l'unico maestro che

---

1. Antonio Lamberti, un corrispondente dell'Achillini.

n'insegnò le dolcissime armonie, con che sì aggiustatamente
si corrispondono tra di loro le sentenze poetiche. Sepolto è
l'unico padre di quei bellissimi lumi che dall'antiche tenebre
hanno tratta la poesia toscana. Tramontato è il sole de' poeti,
anzi dirò quasi che terminato è il mondo poetico, perché sì
fatto sole non risorgerà mai più. E se le parole, che altre volte
ho dette e scritte intorno all'altissimo concetto ch'io portava
di così grand'uomo, furono, vivendo egli, sospette; ora la di
lui morte sarà vita della mia fede. Ché però giurovi che
l'intelletto mio non giunge a conoscere che penna toscana
possa mai trapassare i luminosi voli della nobilissima penna
del Marino. Vero è che la pianta di sì grand'ingegno mandò
ben fuori talvolta alcuni rampolli o di soverchio lascivi o di
qualche irreverenza o di smoderato ardimento; ma non è però
che, recisi quelli, ella non rimanesse la più felice, la più sublime e la più gloriosa che negli orti toscani allignasse giamai. E se il premio può ragionevolmente testificare il merito
fra gli uomini, potrete forse con verità soggiungere che dal
gran Virgilio in qua non fu poeta che più di lui riportasse,
da prencipi e da regi, tesori in testimonio de' suoi finissimi
talenti. E se doppo lui di sì fatti tesori non è rimasta reliquia
proporzionata alla sua ricchezza, fu solo gloriosa colpa della
sua magnanima liberalità. Insomma il Marino è morto, e
così dal romore delle trombe marziali, che ad ora ad ora si
vanno pur troppo destando nella povera Italia, è stato fatal-
mente terminato il dolcissimo suono della sua cetra.

Ma se il gran Luigi re della Francia nel dovuto viaggio
di Gerusalemme [1], desiderato ed aspettato da tutto il mondo,
giungesse mai senza travaglio del bel paese fra le delizie di
Napoli, dovrebbe ragionevolmente con lagrime d'Alessandro
piagnere sovra la tomba del Marino, la cui cetra si sarebbe
senz'altro fatta tromba per risuonare i magnanimi gesti de
sì glorioso monarca. Il Marino è morto; che tanto è quanto
se io dicessi: è morto il cuore nel petto alle Muse, sta sve-

---

1. Cfr. nota biografica dell'Achillini.

nato il fonte caballino [1], i più fini allori di Pindo hanno perduto il verde, né più al ventillamento soave delle corde dolcissime d'un'angelica lira si scuoteranno le rose di Cipro o tre-
moleranno i mirti d'Amatunta [2]; ma bene correrà lagrime il
Sebeto [3] e mille cori di cigni gli andaranno teneramente cantando l'esequie finché dureranno i secoli.

Ma perché sul morire egli condannò al foco tutti i suoi
manuscritti e satirici e lascivi, dobbiamo rallegrarci: poiché,
se quelle fiamme amorose, ch'egli, tratto da furore divino,
accese tra le sue carte poetiche, furono di tanto splendore al
suo nome in terra; queste ultime fiamme, rigorose punitrici
degli errori suoi, gli splenderanno eternamente alla gloria del-
l'anima in paradiso, come si spera; poiché quante faville volarono da quegli scritti accesi, tanti si videro vivi argomenti
della sua contrizione. Benedette faville, che furono forriere
dello spirito del gran Marino. Noi, signor Girolamo, per
unirci, quando che sia, col nostro principio, immitiamo il
suo fine. E vi bacio le mani.

[Bologna, aprile 1625].

VI

Ad Antonio Lamberti

Abbiamo qui tra gli altri un predicatore capuccino in
domo, il più grande apostolo che mai nel corso di mia vita
io abbia udito; dalla bocca del quale, benché per lo più escano
concetti di scrittura sottili e stupendi, e benché la dottrina sia
profonda, i luoghi de' padri siano sceltissimi, l'elocuzione
propria e quasi di rilievo e l'azione efficacissima, queste però

1. È l'Ipprocrene, il fonte del monte Elicona sacro alle Muse, scaturito da
un calcio dato dal cavallo Pegaso.
2. *Amatunta*: città dell'isola di Cipro dove sorgeva un celebre tempio dedicato a Venere.
3. Fiumicello della Campania presso Napoli.

non sono le cagioni per cui restano sovrafatti di maraviglia e di confusione gli uditori. Il punto sta ch'egli predica Cristo crocifisso con tanta energia e con tanta pietà e riprende con tanto ardore e con tanta forza, che tutto lo uditorio si riduce ogni mattina a termini di mortale agonia. La sua libertà è giudiciosissima, l'ardire è modestissimo, perché nella prima non si scorda della discretezza e nel secondo non perde la traccia della carità, e sempre tra i fulmini delle sue minacce fa balenar le speranze della salute per chi non vive ostinato nella sua perdizione. Egli è così macilente, confitto e sepolto dentro ai panni, che a pena si vede, anzi altro non si vede e non si ode che una lana agitata che sgrida, un mantello vocale, un capuccio che atterrisce, un fuoco che scintilla fuori delle ceneri, una nuvola bigia che tuona spaventi, una penitenza spirante, un sacco di querele che riversa adosso ai peccatori. O Dio, quanto è vero che questo è il vero modo di predicare! E se tutti i predicatori fossero tali, so certo che più considera- tamente caminarebbe il mondo. I fiori di Pindo in pulpito fanno, per mio credere, una primavera sacrilega; e dirò più che i lumi retorici troppo peregrini sono le tenebre dell'apo- stolato che fanno smarrir l'affetto della pietà; e quelle gemme dell'eloquenza, che rendono sì ricchi gli erari de' poeti, sono quella grandine che tempesta i veri frutti della predicazione.

[anteriore al 1626?].

VII

A GIROLAMO PRETI

Signor Girolamo, io vi giuro con quella sincerità che tanto vi piace che il padre Fortini, esibitore di questa mia, è un prodigio nei pulpiti, un miracolo nelle catedre, un an- gelo nei costumi. Quanto al primo talento, gli applausi ch'egli ha riportati questa quadragesima da questo pulpito de' Servi, dove concorreva a torrenti il popolo stupefatto e atto- nito, ne fanno sì viva fede che le sue glorie viveranno perpetuamente nelle lingue, nei cuori, nella memoria, nelle penne e nella maraviglia che ne farà la nostra posterità. Quanto al secondo, egli è regente celebratissimo dello stesso monasterio, né vi dirò altro se non che gli emoli stessi l'esaltano e quasi l'adorano, né mai di lui ragionano senza innarcare il ciglio; e 'ntanto il suo valore (dirò quasi) sotto quegli occhi gloriosamente trionfa, e questa città quante volte fuori delle solite lezioni l'udì nei circoli, altre tante corone d'immortalità gli pose in capo. Del terzo poi, credetemi che ingegno più innocente io non potea presentarvi innanzi. Egli desidera d'esservi amico. Io con fidelissime parole non potea fabricare più giuste catene di queste per legarvi con lui. Abbracciatelo, ché io vi bacio le mani.

[anteriore al 1626].

VIII

AL MEDESIMO

Dalla più dura montagna forsi dell'Apenino spicco un tenerissimo saluto e ve l'invio su questa carta, invitandovi alla tranquillità di quest'aure, alla dolcezza di questi colli che con riverenza umile s'inchinano alla sacra fronte del Gran Sasso; invitandovi, dico, a godere il nettare di queste viti, la piacevolezza di questi piani, i dilettosi orrori di questi rivi, la vaghezza del picciol Reno, che fa, col suo lucido e povero tributo, specchio gentile all'amenità di questa piaggia. Qui prenderemo diletto col tendere mille insidie agli augellini, col adescare i vaghi pesci, col cacciare le timide lepri, col trattenerci leggendo, giocando, discorrendo a quest'ombre grate. Lungi intanto l'ambizioni che vivono costì fra li regali alberghi, lungi l'invidie, le passioni, i travagli dell'animo; ché la giocondità di queste valli vuole gli animi pacati, quieti, tranquilli. V'aspetto in ogni maniera in compagnia del presente, che viene a posta per voi. Venite e non favellate con alcuno; e se niuna di queste cose v'allettasse, almeno vi sostenga l'amor che vi porto. Se il signor abbate Sampieri verrà alla montagna, come disse, di qui anderemo a visitarlo. Il signor Erculani [1] vi saluta e in compagnia con me v'aspetta anch'egli. E amendue vi baciamo le mani.

Di Castel del Vescovo, [prima del 1626].

IX

AD AGOSTINO MASCARDI

È toccato alla peste lo svegliare il mio nome, che dormiva sotto i ricchi padiglioni della vostra memoria. Né voglio già ringraziarnela, perché non merita grazie una sì fatta disgrazia: ben rendo grazie a voi, che cotanto m'avete onorato con la vostra eloquentissima ed eruditissima lettera. Alla quale come potrò mai rispondere a parte a parte, se, subito ch'io l'ebbi ricevuta, vennero a me alcuni gentiluomini bolognesi, fra' quali un Paride letterato la riconobbe per un'Elena, bellissima figliuola del vostro ingegno, e me la rubò? Ma perché le sue bellezze avevano fatta nella mia mente una profondissima impressione, io m'ingegnerò d'andarle rispondendo conforme a quanto me n'anderà suggerendo la memoria.

E per cominciare di qui, io mi ricordo che tutta la lettera è sparsa delle mie lodi. Intorno a che debbo dirvi che, se io altresì prendessi a lodar voi, le lodi che io vi scrivessi sarebbono per aventura sospette di gratitudine. E se bene il merito vostro avrebbe in ogni maniera a precider le radici di sì fatto concetto, voglio nondimeno astenermi da sì fatto uffizio; perché, quantunque il facessi con tutte le forze dell'ingegno mio, so però che non potrei toccarne il segno e resterei pur anche debitore di gran somma ai vostri meriti. Perché, se bene io dicessi che le cose vostre non sono senza il dolce di Livio e senza il piccante di Tacito, e che la vostra vena, e

1. Gasparo Ercolani.

tosca e latina, corre perle orientali che fanno tramontar la gloria d'ogni altro scrittore; e se bene aggiungessi che il vostro ingegno è maggiore delle maraviglie che se ne fanno; direi cose note e cose volgari, dalle quali restarebbe defraudato del suo dritto lo splendore del vostro nome. Che però torno a dire che io tralascio questo uffizio e passo ad altro.

Voi m'esagerate la fierezza del corrente castigo; e veramente la vostra penna è sì felice che, quantunque siate assente dalle presenti miserie, tuttavolta più al vivo sapete rappresentarlemi di quello che abbiano saputo i veri oggetti agli occhi miei che gli ebbero presenti. Imperoché quell'esser divenute le contrade funestissimi torrenti, che altro non corrono che feretri; quell'esser fatti gli umani corpi fucine di pestiferi carboni, dove sulla instabile incude dell'umana pazienza si lavorano le sincopi e i dolori; quell'essersi cambiati tutti i deliziosi suburbi, già dedicati al genio e alle muse, in postriboli delle parche e in campidogli della morte; quell'essersi seminati tutti i campi della Lombardia più di cadaveri che di grani; e, per dirlo in una parola, quell'essersi spopolata la faccia e popolate le viscere della terra; sono cose da voi sì felicemente descritte, che parmi d'esser tornato a quelle miserie dalle quali è già libera la mia città di Bologna. Per salvezza della quale siami lecito il dirvi in due parole che cosa ha fatto il cardinale Spada. Anzi che cosa non ha egli fatto? Questo Proteo di providenza s'è trasformato in mille forme, s'è trasferito in mille luoghi, ha fatto assistenza a mille congregazioni; direttore fra le famiglie, dettatore tra medici, monitore fra sacerdoti; ora intrepido tra lazzareti, ora invitto tra le sepolture; non ha temuta fatica, non ha perdonato a vigilia, non ha fuggito pericolo per essere a questo popolo e padre e medico e sacerdote. Per sì generose diligenze intimorita la morte, hanno chiusa la bocca i sepolcri e la sanità s'è arrischiata di ripatriar con noi. Maggiore assolutamente d'ogni umana lode, ma inferiore solo al suo sviscerato affetto, è stato il merito di questo signore in questi funesti affari. Preziose reliquie, anzi sacrosanti oracoli per la salute della posterità saranno le sue regole, se dagli avanzi miserandi della pestilenza saranno raccolte. Ma di lui ragioneremo altrove.

Or torno a voi, con dirvi che più tosto che deplorare i presenti castighi dovreste convertire il vostro angelico talento nell'esagerare le abominevoli corruttele del secolo presente, ché poi non solo non vi maravigliareste della fierezza di queste calamità, ma più tosto restareste attonito come tutte le piogge del cielo non siano pestilenze e come tutti i raggi del sole non siano saette. Io qui non ragiono di Roma, perché i santissimi costumi del grande Urbano hanno potuto e moderare e giustificar la corte, e quindi è che vive privilegiata fra le communi miserie; ma parlo del rimanente del mondo. Pare, signor Mascardi, che nei petti umani a pena vi agonizzi la fede e vi palpiti la carità. L'interesse trionfa per tutto e, quello che è peggio, conduce incatenato sul carro l'onor di Dio. Le calunnie s'incoronano e si rendono soggetta la povera innocenza: fa' che stimolo d'onor terreno leggermente punga un fianco mortale, corresi con tanto precipizio all'impreso fine, che nel corso s'urtano gli amici, si calpesta la fede, si gitta in terra la verità e con cecità scatenata non si conosce Dio. Ogni ordine, ogni congregazione è oggimai sì corrotta, che quivi ad ogni altra sentenza prevaglino sempre i consigli dell'invidia, i pareri dell'odio e le tiranniche detratture dell'interesse proprio. A tre capi si sono ridotti tutti gli umani trattati: avanzamenti di mondane fortune, conseguimenti di carnali diletti e adempimenti di machinate vendette. E questi oggetti occupano in maniera le menti degli uomini, come se Dio o non ci fosse o non intendesse o non punisse.

Fate riflesso col vostro elevato ingegno sovra sì fatti costumi, ché poi, se vi contristarete alla ingiustizia del demerito, so certo che restarete consolato alla giustizia del castigo e benedirete quella divina mano che n'aperse una scuola da voi sì felicemente osservata, nella quale si mira punita la perfidia, calcata la inumanità, dissipati gl'interessi, colte al laccio le calunnie e disonorati gli onori del mondo.

Quivi si vede il perfidissimo regno d'Amore tutto sconvolto in meritate tragedie, perché quivi si mira mortificato il fasto d'una superba bellezza, terminato il corso d'una sfrenata gioventù, condannate agli orrori dei sepolcri le glorie di Venere, giustiziate le grazie che uccidevano i cuori, fioriti di carboni i bellissimi giardini di Cipro. Quivi inoltre ho veduto derisi gli oracoli degl'Ippocrati, rovesciate le profondità dei Galeni e schernite le providenze dei Mitridati [1]. Quivi finalmente s'impara che non hanno o le minere o le selve o gli animali riparo che arresti il corso alla giustizia del Punitore.

Fra tante perdite veggio che voi nella vostra lettera deplorate quella de' vostri amici. Qui non voglio dirvi altro se non che siete troppo modesto, perché, chiudendo in voi tante perfezioni, e naturali e morali e teologiche, voi solo siete a voi stesso sufficiente teatro per trattenervi e per consolarvi.

In un'altra parte della vostra lettera voi dite che, quantunque siate più giovane di me, siete però stato più di me esercitato dalla fortuna. Dio sa, signor Mascardi, quanto a questa ultima parte come sta il fatto. Vero è che, se vogliamo trattarla conforme alla verità teologica, non v'è fortuna, ma tutta è providenza di là su, dalla quale io sono sempre stato più favorito che non merito. E se bene io non ebbi in sorte di respirare sotto il bel cielo di Roma aure favorite, io so però o che nol meritai o l'eterna sapienza così giudicò per lo meglio. Che però non solo non maledissi quella mano che mi allontanò da cotesti colli, ma più tosto la benedissi, come mossa da quel Motore che muovendo non può errare; e s'ella, mossa o movendo, avesse mancato all'eterna regola (ch'io nol dico), fu questa ancora providenza permissiva, alla quale m'inchinai mai sempre.

In un altro luogo della medesima lettera, se ben mi ricordo, voi mi richiedete ch'io vi scriva come io in questa villa me la passi nei presenti travagli. Io vi rispondo che tutta questa estate io sono stato occupatissimo intorno alla fabrica

---

1. Ippocrate: è il capo della scuola medica di Coo fiorita nel sec. V a. C.; Claudio Galeno di Pergamo vissuto nel sec. II d. C. è autore di molte opere di medicina; Mitridate re del Ponto si era abituato fin dai primi anni a bere veleni per difendersi da eventuali attentati mediante veleno: a lui era attribuita l'invenzione del mitridato, un contravveleno ritenuto onnipotente.

d'un picciol tempio dedicato a sant'Apollonia mia protettrice, dalla quale e ho ricevuto e spero favori e grazie particolari; e fuori di questa occupazione io mi sono dilettato degli orrori solitari di questi boschi. Oh come nobilmente si conversa nella solitudine e quanto s'illustrano l'anime fra quest'ombre! O Dio, perché non ho parole bastevoli ad esprimervi questa verità? Qui, sollevandosi l'uomo in Dio, sente nel sollevarsi cadersi d'attorno tutti gli affetti del mondo; e sollevato poi, contempla il vero tutto della vita celeste e s'accorge del puro nulla delle felicità terrene. Quivi si concentra lo spirito nel suo Fattore e di beata tenerezza sente disfarsi, né per altro si disfà che per potere più intimamente penetrare in lui; e se soverchio è l'ardire di cotanto inoltrarsi, egli con la gloria il castiga. E in queste perdite estatiche di se medesimo trova lo spirito le vere caparre della sua salute. A sì stretti cancelli ed a sì beate angustie ridotte l'anime nostre, prendono in mano la penna della fede, ed infondendola nelle stille del proprio sfacimento sottoscrivono agli occhi della creazione, ed intingendola nel sangue del Redentore riconoscono le grazie della redenzione, e bagnandola infine nelle lagrime della propria dolcezza fanno al lor Signore una ricevuta di quei saggi che godono della futura glorificazione. Ma perché queste cose meglio s'intendono con le mute sperienze che con le pompe delle parole, e perché io so di scrivere ad uno che forse più di me le sperimenta, io passo ad altro. E tratanto non vi paia strano che in una lettera famigliare si leggano questi tratti predicabili ed apostolici, perché in tempo di tanta mortalità, nel quale stanno aperte le cataratte del cielo e ne diluviano castighi e si veggiono spalancate le viscere della terra per ricever l'ossa di tanti fulminati, opportuna cosa è il pensare al suo fine e 'l convertire ogni occasione o di scrivere o di ragionare ai fini dell'eterno profitto.

L'altro tempo che m'è avanzato in queste selve ho dedicato alla *Prima secundae*[1] del gran Tomaso; ed avendola diligentemente tutta revista, da quei princìpi architetonici

---

1. Così è designata una parte della *Summa Theologica* di Tommaso d'Aquino.

morali, ho illustrati più di mille luoghi della professione ch'io tratto in catedra. E senza questi lumi superiori stimo risolutamente che non si possano degnamente interpretar le leggi. Fuori dell'opere di questo santo io non ho meco altro libro che la Scrittura sacra e l'opere di san Girolamo; onde mi scusarete s'io non ho potuto e se non potrò con erudizioni tratte dai libri dell'antichità fare un'eco dovuta alle vostre eruditissime voci.

Voi mi richiedete del mio senso intorno agli spettri di Milano e alla magica peste, portata dalla Fama su certi fogli curiosi che vanno attorno. Qui, o ragioniamo del potere o del fatto. Se del potere, chiara cosa è, e la teologia non ci lascia dubitare, che il demonio può naturalmente queste e cose maggiori, purché Dio non gli sottragga il potere: intendo però, s'egli eserciterà le sue forze naturali dentro alla latitudine del moto locale, trasportando ed applicando gli agenti alle materie. Perché se noi credessimo che nei predicamenti della qualità, della quantità o della sostanza egli potesse immediatamente produrre sì fatti termini, noi, s'io non m'inganno, faressimo errore.

Se ragioniamo del fatto, certo che, per le continue relazioni che vengono di Milano, anche quest'ultimo spaccio io molto agevolmente m'induco a crederlo; ma non già credo quelle favolose circostanze che questa estate andavano attorno, le inverisimilitudini delle quali erano troppo note a chi leggeva quei fogli. E che altre volte siano avvenute sì fatte pestilenze o col concorso del demonio o con l'arte ignuda degli uomini, oltre le nobilissime auttorità addotte da voi, io mi rimetto ad un certo trattatello manuscritto che va attorno, il cui titolo è *De peste manufacta*, nel quale sono registrate molt'altre auttorità di simil fatto. Ma quello che mi confonde l'ingegno si è come si trovino uomini di barbarie tanto inumana che cospirino coi diavoli alla destruzione di tutta la propria spezie.

Io qui impazzirei col pensarvi; e però vengo ad un'altra non meno curiosa meraviglia, e chieggio a voi: che cosa è egli mai questo fomite o seminario pestifero che resta impresso ne' panni, e con fecondità così tragica fruttifica la

morte delle famiglie e de' popoli intieri? È egli accidente o
sostanza? Se accidente, o è trasportato o è prodotto. Al primo
modo repugna la filosofia, la quale non ammette il passaggio
degli accidenti da un soggetto all'altro. Al secondo pare che
ripugni il non potersi intendere con quale energia possa l'ap-
pestato tradurre dalle radici o dalle potenze de' panni agli
atti una sì fatta qualità, oltre che non sarebbe agevol cosa
l'assegnare in qual spezie di qualità dovesse riporsi. Se è
sostanza, come vogliono tutti gli antichi, e greci e latini, o
è semplice o è composta. Se semplice, o ella è aerea; e perché
in brieve tempo non vola alla sua sfera, liberandone i panni?
o è acquea; e perché o non bagna o non è dall'ambiente,
tante volte accidentalmente secco, disseccata e consumata?
o è ignea; e perché non abbruggia? o è terrea; e perché o
non si vede o col tatto non si sente? Se è sostanza composta,
torno a dire che dovrebbe o con l'occhio o col tatto discer-
nersi; eppure egli è verissimo che un panno bianco, mondis-
simo agli occhi nostri, ucciderebbe una città intiera. In questa confusione di pensieri io mi risolvo con dire che la peste
è un flagello ineffabile agitato dalla mano di Dio, e ch'allora
cessa il castigo quando Dio leva mano dal flagellarci.

Ma perché la lunghezza di questa risposta non abbia a
cagionarvi tedio, fo fine; aggiungendo solo che se voi pen-
saste che la perdita che avete fatta di tanti amici potesse con
la debolezza delle mie forze ristorarvisi, eccomi a rinovarvi
quella professione di amicizia che altre volte io vi feci in
Ferrara, in Roma, in Bologna, in Venezia, in Milano e altrove. Intanto vivete lieto e con la vostra penna mantenete
le stampe nel possesso di quegli onori che tutto il giorno rice-
vono dalle cose vostre, e con la vostra lingua tenete in vita
le glorie di cotesta nobilissima catedra; e con la penna e con
la lingua insieme conservate, come finora avete fatto, le bellezze alle belle lettere, anzi conservate alle lettere umane la
divinità del vostro ingegno.

E pregandovi a riverir a mio nome un ecclesiastico eroe
che si trova in Roma, dico monsignor de' Massimi, idea de'
prelati ed auttore della nobilissima lega che hanno fatta in lui

Frontespizio delle *Opere* dell'Achillini

(Venezia, 1650).

la Prudenza, la Magnanimità e la Religione, e a salutarmi il
signor Ghino Ghini, splendore de' letterati e norma degli
uomini da bene, vi bacio carissimamente ed affettuosissima-
mente le mani.

Dal Sasso, 1630.

X

A MONSIGNOR FURIETI, GIÀ VICELEGATO DI BOLOGNA

Ho ricevuto la lettera di V. S. illustrissima sui colli del
Sasso, su questi colli dove la natura quasi sovra pomposa
scena rappresenta con sì viva eloquenza le parti del diletto.
E le giuro che nello stesso punto con un tenero sospiro m'è
venuto in mente che, se queste bellissime vedute con tanto
vantaggio delle loro glorie furono favorite dalla presenza di
lei, se queste viti si preggiarono di svenarsi in nettare per suo
gusto, se questi venticelli ebbero per pompa de' loro voli il
portar d'intorno il suo nome, se queste soggiacenti pianure
offersero tanto volontieri agli occhi suoi lo spettacolo fuggitivo della caccia, se questo mio viale con archi frondosi e
con ombre illustri ebbe una viva ambizione di render quasi
trionfale il di lei viaggio al tempio, se questi abitatori corsero
quasi a torrenti per participar le sue grazie; ora tutti concordemente invidiano sì fatti favori alle rive del Sebeto. Rive
che, con offrire incomparabili tesori alla vita di V. S., saranno purtroppo contra di noi le rive di Lete; perché la
gelosia del nostro cuore ci dice ch'Ella si scordarà di queste
povere ville, se bene questi cuori e queste piante non si scor-
daranno mai di lei: i cuori scolpiti di mille grazie, le piante
incise con mille tagli, che, troncando loro le scorze, conti-
nuano la memoria di monsignor Furieti.

Questo anno poi, per passare ad altro, ho trovato nelle
mie cantine vini che, per Dio, non invidiano le grazie a quello
che V. S. ha fatto navigare a Bari con tanto applauso di
queste vigne. Quanta invidia n'avranno coteste beate riviere!

La mia torre è finita. O Dio, quanto nobili sono riuscite le sue stanze, e quale spettacolo ella si è fatta al teatro delle circostanti montagne! La prospettiva anch'essa sta su l'articolo della sua perfezione; e creda V. S. che non si poteva desiderar di meglio, perché fa sì nobile armonia con la pergola che vi si accompagna, che ho per a punto veduta l'imaginazione mia fuori di me stesso.

Scriverei qualche cosa delle guerre; ma non voglio che dagli affari marziali restino contaminati questi teneri affetti della villa, l'innocenza de' quali riverisce insieme meco l'innocenza di lei. A cui per fine fo un dolcissimo saluto.

[Dal Sasso, dopo il maggio 1634].

GIROLAMO PRETI

I

AL CAVALIER MARINO

Io vorrei che dal signor Parco o da questa carta fusse rappresentata a V. S. la devozion mia verso lei così vivamente come io la sento nel cuore. Ma l'affetto con cui riverisco la sua persona è giunto a tal segno di tenerezza e di sincerità, ch'io diffido ch'egli possa mai bastevolmente esserle significato né dalla lettera mia né dalla voce altrui. Però vorrei che cotesto ingegno di V. S., il qual si è inalzato ormai sovra i confini umani, si sollevasse anche ad imaginarsi una straordinaria affezione quanto maggior può cadere in petto più che umano; e quando Ella avesse figurato tra sé un amore eminente e ideale, allora credesse fermamente d'aver veduto per contemplazione quel cordialissimo sentimento che io ho di lei. Intanto ho voluto darne questo saggio a V. S. per supplicarla a credere ch'Ella non ha il più sviscerato servidore di me; della qual verità Ella resterebbe persuasa se sapesse la publica professione ch'io fo, dovunque mi sia, d'essere parziale del suo nome, adorator del suo ingegno, celebrator della sua gloria e direi difensore de' suoi scritti, se non ch'essi hanno ormai superata l'invidia e trionfato della malignità.

Io, per aprire ingenuamente il mio senso, quanto più son venuto avanzandomi nell'età, tanto più ho conosciuto che i componimenti di V. S. avanzano i segni ordinari degl'ingegni mortali e ch'Ella ha posti gli ultimi confini alla lirica poesia. Dirò anche dell'eroica infallibilmente, quando Ella avrà so-

disfatto alle promesse che ha fatte al mondo di dover publi-
care i suoi epici componimenti, co' quali tengo per fermo
che, secondo le proporzioni degli altri suoi scritti, Ella sia
per superar la proporzione degli altri scrittori. Parlo degli
scrittori non solamente di questa ma anche delle lingue antiche, i quali (così soglio dir sempre), se potesser vedere gli
scritti del signor Marino, io mi fo a credere che gli scritti loro
tanto meno piacerebbono a loro stessi quanto più piacevano
a' loro secoli. Conosco ch'io parlo arditamente così ora, come
son solito di far sempre nelle domestiche conversazioni; ma
voglio più tosto dir ciò ch'io sento che tacer quello che mi
par che V. S. meriti. Al rimanente, egli pare che ora nel-
l'Italia o gl'ingegni languiscano o gli studi della poesia inte-
pidiscano, non so per qual costellazione o sciagura di questi
tempi. So bene ch'io per la mia parte m'astengo dallo scrivere, non per altro se non perché l'opere di V. S. mi sgo-
mentano sì fattamente ch'io soglio dire esser temerità il por
mano al mestier del poetare, il qual fu sempre malagevole
per l'eminenza dell'arte ed ora è temerario per la sublimità
del paragone. Egli è vero che questi giorni addietro fu ri-
stampato il mio libretto con alcune giunte, e non manca tut-
todì qualche altro scheccheratore. Ma conosco in verità che
l'ombre mie e altrui non vagliono ad altro che a fare spiccar
maggiormente il lume della gloria sua. Tutta l'Italia aspetta
con disiderio grande l'*Adone*, del qual poema mi fûr dette
in Roma gran cose dall'illustrissimo e reverendissimo signor
cardinale Ubaldini, e io ho seminata per tutto la testimonianza
ch'egli a me ne fece. Onde l'aspettazione universale è grande,
ma se ne sperano gli effetti molto maggiori. Priego intanto
V. S. a voler gradire questa qualsisia dimostrazione d'osservanza mia verso lei, attribuendo questo ufficio all'affetto mio,
il qual non può esser soverchio dov'egli ha proporzione con
tanto merito. Gli amici, la città, l'Italia invidiano la persona
di V. S. a cotesto cielo; senonché andiamo sofferendo questa
lontananza con la consolazione che abbiamo degli onori che
Ella riceve dalla magnanima grandezza di cotesto re.

Col qual fine il signor Achillini, parzialissimo ammiratore di V. S., insieme meco le bacia affettuosamente la mano, e preghiamo il signor Iddio che la conservi lungamente per ornamento alle lettere e per gloria del nostro secolo.

Di Bologna [1620].

II

A CLAUDIO ACHILLINI

Cuor mio, abbiam perduto le delizie della poesia, l'ornamento del secolo, il lume degli ingegni. Il nostro cavalier Marino passò a miglior vita in Napoli a' 25 del passato; giorno memorabile per esser il martedì santo, solenne per l'Annunziazione della Vergine e lagrimevole per la perdita di tanto uomo. Ha quattro mesi ch'egli si pose in letto per certi dolori d'urina e per mala disposizione di tutto il corpo. Sovragiunse la febbre, la quale andò degenerando in ettica manifesta; s'aggiunse il travaglio della carnosità, da cui egli solea spesso essere molestato; e avendolo perciò i medici siringato, egli rimase in quelle parti ulcerato notabilmente. Questi dolori alterarono sì fattamente la febbre, che di ettica degenerò in acuta, la quale finalmente rubbò quest'uomo al mondo. La sua indisposizione era ancor forse stata aggravata dallo studio, perché egli, così infermo, stava nel letto continovamente circondato da' libri de' santi padri, co' quali egli andava facendo un altro volume di *Dicerie sacre* per publicarlo. Cigno benedetto, che voleva che le sue ultime voci fossero sante! Ed a dirne il vero, in questo caso tanto acerbo noi dobbiam rallegrarci, perch'egli è morto da santo. Ha fatto testamento, nel quale ha lasciata la sua libraria, che val molti mila scudi, a' padri teatini. Dimandò spontaneamente tutti i sagramenti della Chiesa, ne' quali mostrò una compunzione esemplare e desiderabile da qualsivoglia religioso uomo. Comandò nel testamento che si ardessero tutti i suoi manuscritti non solo delle cose satiriche e delle lascive, ma di tutte quelle che non fossero sacre. Fatto il testamento e non fidandosi che tal ordine fosse esequito, si fece portar al letto tutte le scritture suddette per esequire egli stesso la sua sentenza. Que' padri religiosi che gli assistevano gli dissero che le cose semplicemente amorose, nelle quali non fosse lascivia, si potean serbare; ma egli, inesorabile, volle con gli occhi suoi veder l'incendio di tutti gli scritti affatto, eccettuando i componimenti sacri. Visse glorioso ed è morto con miglior gloria; onde noi possiamo imparar da lui non tanto a scrivere quanto a morire. Voi ed io abbiam perduto un grande amico; il mondo ha perduto un uomo il quale non so s'avrà più pari.

Questi ragguagli fedelissimi ci sono venuti da Napoli in fretta per certi corrieri con lettere scritte frettolosamente. Se per lo procaccio verrà altra particolarità di questo fatto, ve ne darò parte. Voi vogliatemi bene e raccomandatemi al signor Lamberti.

Di Roma, a' 2 d'aprile 1625.

BARTOLOMEO DOTTI

A CHI LEGGE

[Prefazione alle *Rime* del medesimo].

Si accordarono, amico lettore, la natura costante ad infondermi un genio inclinato alla poesia, e la fortuna volubile a costituirmi una vita adattata al romanzo. Principiai l'esercizio della inclinazione in giorni di quiete, ora per mio studio, ed ora per altrui commando; poscia lo proseguii nel tempo de travagli parte per diporto, e parte per isfogo delle passioni. Uniti diversi componimenti, altri letti nelle rinomate accademie dei signori Dodonei e Pacifici di Venezia, Faticosi di Milano ed Erranti di Brescia, nelle quali il venir admesso mi diede indizio di essere compatito; altri passati sotto l'occhio purgato d'alcuni letterati insigni, particolarmente dei signori Padre D. Bartolomeo Aresi Cisterciense, e dottor Iacopo Grandis, soggetti d'isquisita intelligenza e di gusto delicato nella poetica, così da loro, come da vari altri amici intendenti, fui con impulso incessante persuaso a publicarli. Con tutto che la cognizione delle proprie debolezze mi armasse d'una salda renitenza, nondimeno il coraggio insinuatomi dall'esortazioni loro m'indusse a lasciarla da canto, ed a proporre alla tua discreta curiosità un fascio di sonetti nel presente volume. Li troverai senza distinta disposizione mescolati e confusi, come le foglie della Sibilla, sì perché mi pare che meno rincrescevole nella varietà possa riuscir la lettura, sì anco perché non li ho registrati con altr'ordine, se non con quello che nel trascriverli mi sono venuti alla mano. Averei volontieri omessi gli amorosi, come deliri giovenili, se ben vanità studiose, ma li tollerai sulla considerazione fattami, che in libro simile, quasi in convito publico, devono imbandirsi vivande per qualunque appetenza.

Di qual tempra siano gli eroici, i morali ed i sacri, vuol esser giudicato con indulto di bontà dal tuo serio intendimento, già che io altro non adduco, se non d'aver più tosto applicato alla sodezza dei sensi ed alla chiarezza della spiegazione, che alla mollizie dei versi ed alla pettinatura delle parole.

Mi son guardato al possibile dal peccare contro la favella toscana; ma però non mi è nato scrupolo nel valermi talvolta di voci usate dagli autori, se non accreditati positivamente nella lingua, almeno applauditi communemente nell'arte.

Nei capricciosi talora ho tentato scherzare sugli argomenti, trattati dalla facilità d'ingegni sublimi, ad oggetto di semplice riverente immitazione, e talora ho procurato spiegar alcune materie dalle quali sperava dedurre o qualche arguta vivezza o qualche giovevole documento.

Ben prevedo che alcuni di questa sorte verranno interpretati squarci misteriosi di satiriche derisioni, massime da chi ha notizia de' miei sinistri successi; ma quando assai discosta ne risulta l'apparenza, è soverchia perspicacità il volerne anotomizzare la sostanza. Sia com'esser si voglia, egli è visibile ch'io non nomino né descrivo persona vivente, o che rammemoro soggetti famosi dei secoli più remoti, ed introduco esempi manifesti dei tempi più inveterati. Che poi dal biasimo dei vizi e dei viziosi antichi venga risvegliato qualche rimordimento nei moderni, quello è più tosto artificio meritorio che colpevole, come dei sacri oratori, li quali del medesimo si vagliono sui pergami, a detestazione dei corrotti costumi. Sgridano in Faraone i prencipi tiranni, in Acabbe i grandi oppressori, in Gioabbe i ministri disubbidienti, in Epulone i ricchi avari, in Giuda gli amici traditori, in Pilato i giudici ingiusti, ed in mille altri morti, che non odono, si aprono l'adito a rimproverare i vivi, che ascoltano.

Venga pure in tal figura ricevuto alcuno de' miei scherzi, ch'io non me ne offendo; poiché non è disonesto, né vietato lo scrivere in simil guisa; ma quando taluno più sensitivo del dovere, appropriando a se stesso il colpo neutrale, voglia dar di petto nelle saette gittate all'aria, non solo io mi contento che tralasci di leggere questi poveri fogli, ma spontaneamente mi sottoscrivo che li condanni alle fiamme.

Non è nuova questa, quanto ingiusta, altretanto sciocca, violenza in uomini più sedotti da un escandescente livore, che condotti da una moderata ragione. Ben è vero che quelli, dai quali fu praticata, inferirono a se stessi l'infamia, ed agli scrittori la gloria.

Eccolo confermato dall'oracolo della più accettata politica, dico da Cornelio Tacito al cap. 35, nel 4 libro degli Annali: *Neque aliud externi reges, aut qui eadem saevitia usi sunt, nisi dedecus sibi, atque illis gloriam peperere.*

Tu, generoso lettore, se ti occorrono (che succederà pur troppo) sentenze, od espressioni fallaci od insussistenti, non immitar coloro che, riportata in via d'onore una ingiuriosa ma inespugnabile negativa, declinando dal cavaleresco, se ne querelano al foro giudiciario, coll'oggetto fraudolente di confonder l'azione con la reità, e col ridicolo supposto di sfuggir l'obligo preciso della prova in contrario, determinata da tutte le leggi. Impugnale pure apertamente con ragioni valevoli a convincermi; ché, fattomi conoscere il fallo, mi troverai rassegnato a soffrirne l'emmenda.

Perdona solo, te ne prego, gli errori della stampa, inevitabili anco alla più guardinga vigilanza non che ad una revisione frastornata, ed accommoda li più essenziali secondo le postille segnate nella correzione dupplicata in fine del libro, mentre ai meno rilevanti puoi supplire con la tua paziente intelligenza.

Piacciati anco di leggere le parole Dio, Dea, Paradiso, adorare, idolatrare, caso, fortuna, fato, e simili, come ornamenti della tessitura poetica, coi quali non intendo però adulterare la purità della santa fede cattolica.

Li personaggi, ai quali osserverai dedicati vari sonetti, avverti che sono quasi tutti di nobilissime condizioni e di conspicui natali. Se a cadauno di loro non espressi nella stampa i titoli concedenti, devi ascriverlo a scanso di lunghezza e di affettazione, non in loro a deficienza di onorevolezza, né in me di rispetto. Dove risplende la purità insigne dei cognomi celebri e delle famiglie illustrissime, io reputo superfluo, per non dire sprezzabile, il far vana pompa di quegli attributi che, dall'adulazione abusiva partecipati anco all'ambizione immeritevole, adornando con parità indebita la pretendente arroganza, riescono di sfregio alla venerabile benemerenza.

Quand'io mi avveda che siano accolte con rimostranza di compatimento dalla tua piacevolezza queste primizie della mia stimolata risoluzione, ti prometto un buon numero di ode, o siano canzoni, se la clemenza del signor Iddio mi preserverà dai pericoli della guerra e dai rischi del mare, a cui ritorno per qualche tempo ad esporre la vita, che a te stesso prego dal cielo più felice della mia.

TOMMASO STIGLIANI

I

A GIAMBATTISTA MARINO

Offerendosi questi mesi passati l'opportuna occasione di monsù d'Urfé, che di Parma veniva a Parigi e che mi richiese instantemente ch'io volessi scrivere a V. S., io gli scrissi, non già per far compimenti seco né per riceverne da lei, ma per non vilipendere la cordiale instanza di quel buon cavaliere, che volentieri ci vede stare in concordia ed essere amici. Fecilo ancora per rappresentare a V. S. con tale occasione una sincera significazion del mio solito amore, in risposta della quale avessi io poi ad esser consolato da lei con altrettanto avviso di sua salute ed ad esser favorito con altrettanto comandamento di suo servigio; poiché le cerimonie vane furono sempre nemiche della mia penna e della mia lingua e del mio cuore, massimamente trattandosi con uomini virtuosi e congiunti in amicizia domestica. Nondimeno è piaciuto a V. S. d'apprendere la detta mia lettera non per quale ella è, ma per una oziosa disfida a contendere di belle parole e cerimoniose e per un capriccioso morbino [1] di voler con lei la baia. Per la qual cosa, essendosene mezzo corsa ed entrata in valigia [2], m'ha riscritto ch'Ella non può per adesso dar degna risposta a tanta mia compitezza, perché prima vuol riveder tutte le sue lettere vecchie e, lambiccandole, rifarne una buona e quella mandarmi, la qual abbia a contener non

1. *morbino*: puntiglio, volontà scherzosa.
2. *entrare in valigia*: adirarsi, impermalirsi.

altro che le mie lodi. Io, come dico, non iscrissi a V. S. con questa vana intenzione; ché certamente non son tanto scioperato né tanto morbino [1], attesa la continova occupazion de' miei studi e la spessa afflizion del mio mal della pietra, che non dànno mai luogo a leggerezze vili né a bagatelle fanciullesche, con tutto che in altre nostre occasioni sia sempre paruto a V. S. ch'io scherzi volentieri con esso lei così in voce come in carta. Il che in effetto non è stato mai, ma sempre ho parlato dadovero e sempre ho scritto da senno. Della qual verità V. S. s'accorgerà appieno, se tornerà indietro colla memoria a ponderar più sensatamente le mie parole dette e se tornerà a rileggere con occhio più svegliato le scritte. Eccettuato però quel paio di lettere dell'anno passato che trattavano del ritratto, intorno al quale io volsi più tosto giocare che adirarmi, come più avrei dovuto; le quali lettere io pretesi che si contenessero dentro ai termini dello scherzo, senza passare allo scherno. Pure, poiché V. S., come troppo ombrosa che è, si serve, ogni volta ch'interpreta, più della sua coscienza che del suo ingegno e vuole in ogni modo ch'anco adesso io abbia burlato, io non vo' guastarle sì bella chimera in capo, per non iscompiacerle. Anzi vo' replicarle appunto secondo quella e ballar conforme all'invito del suono, come se realmente burlato avessi. Ché alla fine il burlare non è bestemmia, non è eresia, non è delitto capitale.

Dico dunque che a V. S., per fare una lettera la qual sia quasi quintaessenza di lettera, non fa bisogno di stillar tutte le sue, ma solo ne può prendere una fra esse a caso e quella stimar per quintaessenza, senza porla in lambicco ed in pericolo di farla risolvere in fumo o in zero via zero. Poiché, sì come il vino, quando è ottimo, quale per esempio sarebbe la malvagìa di Candia, equivale all'acquavite o all'elesir, così le scritture di V. S. (massimamente quelle ch'Ella compone da un tempo in qua, dopo la stampa delle prime *Rime*) son tutte quante fior di perfezione per se medesime senza altra distillazione, e sian pure in verso o sian in prosa, mercé dello

---

1. allegro, disposto a scherzare.

stil metaforuto (così Ella il chiama), nel quale esse son fab-
bricate, e dal quale è affatto sbandito tutto ciò che non fa
stordire di maraviglia e strabiliare e cader morto, e tutto ciò
che non esce della secca anticaglia dei classici e del lor trito
modo e della lor battuta via, sì come V. S. istessa ha più volte
detto a me colle parole precise e dicelo ogni giorno a tutti.
Il male è ch'io non merito ch'una sì nuova eloquenza e sì
pellegrina si spenda inutilmente in mio onore e gloria. E
molto peggio è anco ch'io intorno al mio presente replicare
sto a più tristo partito di quello a che dice V. S. di star Ella.
Poiché, se V. S. lambicca le forze del suo ingegno, cava almeno qualche tal succo; ma se io lambicassi cento anni le
forze del mio, non potrei trarne tanta sostanza che mi bastasse
a ringraziar pur un merletto della frangia d'una delle fim-
brie della sua gentilissima arcimusa. Ché l'« arci » si convien
realmente aggiungere al nome ordinario, mentre nello scrivere tanto vale V. S. sola quanto vagliono insieme tutti gli
scrittori antichi e moderni: anzi potrei dir con buona coscienza ch'Ella valesse assai di più; ma lo taccio per non offendere la gran modestia di V. S., che non riceve le lodi avute se
non sino a quel giusto segno che le par di meritare. La quale
arcimusa, vestendosi toscamente d'erbette e di fiori e pascen-
dosi di liquidi cristalli e d'aure soavi, non spira altro mai
ch'arabi odori ed altro non profferisce ch'accenti damaschini [1]
e sillabe lavorate alla zemina [2], oltre dello sfoderar sempre
concetti sfoggiati e soprafini da non pigliarsi se non colla
forcina [3], ed oltre dello sputare a tutt'ore sentenze prelibate
e da mangiarsi non altrimenti che colla mostarda o colla salsa
verde. Ringrazierò dunque essa arcimusa e V. S. insieme,
non già con alcun ricercato artifizio, ma solo (per parlar tuttavia chimicamente) colla pura decozione delle mie semplici
parole, bollite nello schietto fuoco dell'amore e dell'osservanza

---

1. *damaschini*: squisitamente lavorati (« adamaschinare » si diceva l'inca-
strare fili d'oro e d'argento nell'acciaio).
2. cioè alla gemina o all'agemina (si diceva anche alla damaschina: cfr. nota
precedente).
3. forchetta.

dentro all'affettuosa pentola del cuore. Le quali parole V. S. distillerà poi sottilmente nella boccia della sua discrezione, intendendo da quel che dico quel che vorrei dire; cioè che, dove Iddio non mise cervello, non ve ne potranno mai mettere gli uomini del mondo.

E per fine le bacio le mani.

Di Parma, 29 settembre 1616.

II

AL SIGNOR FRANCESCO BASCAPÉ, A FERRARA

M'ha fatto alquanto ridere l'avviso datomi frescamente da V. S., cioè quel Buffalmacco del dottor Graziano[1] abbia detto la mia copia esser falsa, la qual va attorno manoscritta, della lettera soddisfattoria ch'io già inviai al cavalier Marino in Francia circa il pretender egli che da me sia stato mentovato il suo nome nel mio *Mondo nuovo* con detrazione e con maldicenza[2]. M'ha fatto, dico, esso avviso ridere un pochetto in considerar l'ostinata goffezza del dottore ed in veder ch'egli, a dispetto del mondo voglia pur sempre essere simile a se medesimo, cioè un uomo indocibile ed un Narciso delle proprie opinioni[3], non ostante l'accorgersi ch'in tale amore egli non abbia rivale alcuno, che sia degno di nome d'uomo, se non genterelle dell'istessa fatta con lui.

La detta mia copia, che va oggi per le mani, è stata veramente tratta non dalla lettera ch'andò a Parigi, ma dalla mi-

---

1. È qui indicato ironicamente l'Achillini. Buffalmacco è il noto personaggio di alcune novelle del Boccaccio: qui vale buffone. Graziano si dice chi lusinga per rendersi gradito a qualcuno (con allusione, bene appropriata per il giurista Achillini, a Graziano, il monaco del sec. XII autore del *Decretum* o *Concordia discordantium canonum*, e ai versi che gli dedicò DANTE, *Paradiso*, X: « Quell'altro fiammeggiar esce del riso Di Grazian, che l'uno e l'altro foro Aiutò sì che piace in paradiso »).

2. Cfr. vol. I, lettera XXI, p. 138, nota 2.

3. cioè un uomo che non ascolta le ragioni degli altri e ama solo le proprie idee.

nuta che restò appresso di me. E quantunque dalla lettera si trova variare in alcune poche parole, non perciò è falsa, come Graziano pretende e predica (il quale dal Marino ne tiene un transunto *ad verbum*), ma falsità è il dir ch'essa sia falsa. La ragion di che si è che la fedeltà ed infedeltà degli scritti non consiste ne' vocaboli, ma ne' sensi e ne' concetti. Onde, se uno original diceva, verbigrazia: « Antonio andò per questa via », e poi la copia dice: « Antonio caminò per questa strada », ciò non si potrà dire esser falsificazione se non impropriamente e nella semplice massa verbale. Poiché quelle parole seconde, benché sieno diverse dalle prime, pur tutte insieme significano l'azion d'Antonio non punto alterata. Ma propriamente falsificazion sarebbe quando si dicesse: « Antonio non andò per questa via ma per un'altra ». Perché ciò, oltre l'alterar le parole prime, altera l'operazion significata, che è quel ch'importa. Vero è che sì fatta licenza di mutar le parole o d'accrescerle o di scemarle non si concede a' puri copisti delle scritture o a' notari o ad altre sorti di curiali, ma solo agli autori di quelle, i quali sempre nel riscrivere sogliono migliorar qualche vocabolo. Cosa che è tanto naturale ed usitata, che occorre ogni giorno a chiunque scriva e, dopoi scritto, ricopi.

Questa perfidiata opinion di Graziano, con tutto ch'egli sia dottore in legge e che faccia anco del filosofo, è tanto erronea e pericolosa che costrigne, chiunque la volesse tenere, ad affermar per vere tre conseguenze stranissime e disorbitanti, le quali da quella nascono. La prima è che, secondo lui, tutte le traduzioni de' libri bisognerebbe dir che fussero falsità; perché, se ben conservano i sentimenti, cambiano le voci e le frasi e la testura. La seconda è che tutte le deposizioni conformi de' testimoni riesaminati più d'una volta sarebbono testimonianze false; perché, se ben dicono la medesima cosa, non la dicono quasi mai coll'istesse formate parole, stante la fiacchezza della memoria umana che rattiene i sensi e dimentica i nomi. La terza è che l'istoria sacrosanta de' quattro evangelisti sarebbe bugia; perché, se ben gli autori narrano concordemente la vita di Cristo signor nostro, lo fanno con diverse frasi e con differente dichiarazione.

Ecco come il povero dottoraffio, per biasimar lo Stigliani, si riduce a poco a poco a rinegar la fede ed a dare in eresia. Il qual nondimeno Iddio convertisca, col farlo desistere primamente dalla cattiva volontà e poi dal suo filosofare in legge e dal suo legizzare in filosofia, come si dice d'Erasmo, che grammatizzava in teologia e teologizzava in grammatica. Per lo qual confonder d'arti avviene a Graziano che i filosofi lo lodano solo per buon leggista, e che i leggisti lo lodano solo per buon filosofo, non volendolo intanto nessuno dal suo lato; in che veramente essi hanno ragion da vendere, mentre ambedue queste professioni, come ancor tutte l'altre, tengono che le parole son fatte in grazia della sentenza, e non la sentenza in grazia delle parole. Iddio, dico, il converta, acciocché dagli spessi gavilli ch'egli cava da questo suo doppio innesto di scienze, il quale è mostruoso ed incompatibile, non risulti più l'aperto detrimento del prossimo, come ogni dì risulta. Massimamente di quei suoi corrotti scolaretti, che egli volta comunque vuole; i quali, ingannati dalla sua sonora ciarla, gli fanno continovamente coda, seguendolo ad occhi chiusi come fa il cieco il suo cane, e sempre imparandone falsa dottrina. O se pure Iddio non vuol per ora convertirlo, almeno conceda a noi sì lunga pazienza e sì allegra, che sempre abbiamo a ridercene e non mai a crucciarcene.

Questo è quanto io rispondo contra la malvagia calunnia che Graziano va seminando in discredito della mia lettera. E dico « calunnia », perché, se ben so che l'errore è d'ignoranza, so anco ch'esso è accompagnato da malizia. Atteso che, o egli si creda di dire il vero o egli non sel creda, gli conviene in tutti i modi far vista di crederlo per lo grande interesse che vi tiene, professandosi mio nemico come fa. Tanto più ch'egli è uno di quei due amici a cui il Marino scrive in formola di pìstola quella sua licenziosa invettiva, la qual si legge stampata nel principio della *Sampogna*; dove, insieme col biasimarsi la mia persona in lungo, si biasima essa mia lettera e si vilipende per cosa puerile e per favola.

Bacio a V. S. le mani.

Di Roma, 15 di maggio 1625.

III

A FRANCESCO BALDUCCI

Oggi, ch'appunto è il primo giorno di quaresima, io mando a V. S. costì in Montelibretti[1] un libretto da sardelle, intitolato *Vita del cavalier Marino*[2]; e facciolo non tanto per darlo a lei quanto per non averlo io. Non odo io già malvolentieri le lodi date a' virtuosi dopo la morte, anzi v'applaudo sempre con tutto il sentimento e ve n'aggiungo delle mie; massimamente trattandosi ora del Marino, la cui improvisa morte mi è per molte debite cagioni dispiaciuta in supremo grado, e particolarmente per esser mancato al mio *Occhiale*[3] quel lettore che più che gli altri io volea vivo, accioché egli si correggesse e mi diventasse benevolo. Ma questo tal libretto non merita in modo alcuno l'approvazione de' galantuomini. Questa è una *Vita* che non avrà vita, ed è una lode che non otterrà lode. Perché, oltre l'esser dettatura ignorantissima e priva affatto d'eloquenza e di grammatica (sì come V. S. vedrà mostrato nelle continue postille marginali da me fattevi), ella non è una istoria, ma una favola ed una poesia in prosa; la quale, faccendo la scimia di Senofonte in Ciro[4], descrive il personaggio non qual era ma quale avrebbe dovuto essere; se bene alle volte confessa anche i difetti di quello, o per inavvertenza dell'autore o perché gli piacciano. Né ci ho trovato altro di verità schietta se non che esso si chiamava Giovan Battista Marino, e ch'era napolitano, e che, essendo vivuto un tempo in Roma ed un altro nella corte di Savoia ed uno altro in Francia, era poi morto in Napoli. Tutto il rimanente è alterato o, per dir meglio, adulterato con isfacciata mescolanza di composte menzogne

---

1. Comune in provincia di Roma.
2. Si tratta della *Vita* scritta da GIOVAN BATTISTA BAIACCA pubblicata a Venezia presso Giacomo Sarzina nel 1625.
3. Cfr. *Note biografiche*.
4. Senofonte (430-354 a. C. circa) nella *Ciropedia* descrisse l'educazione e la vita di Ciro il Vecchio senza preoccuparsi dei dati storici, ma con l'intento di offrire un modello di monarca perfetto.

e d'immaginati ghiribizzi; il che similmente si prova nelle dette mie postille. Delle quali falsità io mi curo però assai poco, sì come di quelle che niente m'appartengono, quantunque per ispasso l'abbia notate; ma ben mi doglio d'una sola che mi tocca. Questa è che lo scrittore, col lodar soverchiamente il Marino biasimando soverchiamente me, viene ad innestar coll'encomio la satira, per non dire colla lusinga la pasquinata; anzi viene a mostrar chiaro in tutta la testura dell'opera d'avere avuto non tanta intenzione d'onorare i morti quanta di vituperare i vivi. Cose che, sì come non dovrebbono essere scritte da autori modesti e civili, così non dovrebbono esser sofferte dagli offesi, ma più tosto esser rintuzzate con severe risposte. Certamente, signor Francesco, che mi sento un gran pizzicor nelle mani di pigliar la penna e di rispondere qualche cosa a questo autoruzzo; ma, perché odoro ch'egli è stato a ciò istigato da altri suoi pari, e perché veggo così lui come quegli esser più forniti d'audacia che di sapere e più ricchi di passione che di sofficienza, stimo quasi peccato il perder tempo in garrir con idioti, da' quali non si può imparar nulla; essendo io solito di scrivere non a danno d'altri ma a profitto mio e del prossimo, né per voglia di contendere ma per desiderio d'intendere. Addunque risolviamo liberamente di fare a lui ed a loro quello che per un simile rispetto già facemmo i mesi passati al tanto temerario quanto imperito scrittor delle *Rivolte di Parnaso* [1]; cioè perdoniam loro del tutto senza farne parola, e sia assai vendetta l'allontanare il libretto dal mio studio, sì come ora faccio, e donolo a V. S., acciochè lo legga per ridersene. Alla qual per fine bacio le mani.

Di Roma, il dì sudetto [12 febbraio 1626].

1. Scipione Errico.

IV

AL SIGNOR RODRIGO ***

Ho ricevuto la lettera di V. S. insieme colle sue rime
per mano del padre provinzial Conturso, il quale ha passati
meco a bocca alcuni suoi caldi uffici in raccomandazione
d'essa lettera e d'esse rime, pregandomi che all'una io ri-
sponda e l'altre consulti.

Nella lettera V. S. s'abbassa insino al pregarmi per l'amor
di Dio ch'io le dica sinceramente il mio parere intorno alle
dette poesie, cioè se esse sieno per riuscire tra le migliori della
nostra lingua o pur tra le mediocri, acciocché di qui Ella
possa risolvere a qual delle due luci abbia da concederle, se a
quella della stampa o a quella dell'incendio. Ond'io non
voglio in modo alcuno tradir tanta confidenza (ché non si
convien ad uom da bene né a cristiano), ma farò per prieghi
quel che soglio far per usanza, che è il parlare appunto con
sincerità e senza simolazione; massimamente trattandosi del-
l'opere d'un giovane (ché tale io credo Ella sia), al quale i
consigli non giungono tardi, non gli mancando tempo da
eseguir quegli.

La domanda di V. S. pare a primo aspetto esser una, ma
in effetto è due, o almeno contien due membri molto tra sé
differenti. Ché altra cosa è il giudicar se una poesia sia in sé
perfetta, ed altra è il giudicar s'ella sia per ottener nell'opinion del mondo luogo conveniente alla sua perfezione. A
far l'un giudizio basta aver finezza di gusto, ma a far l'altro
bisogna quasi avere spirito di profezia.

Credono alcuni (e di questa sentenza fui un tempo ancor
io) che la fortuna non abbia dominio veruno sopra i lavori
del nostro ingegno, ma che alla bontà degli scritti sempre
segua di necessità l'applauso di chi legge. Ma invero essi s'in-
gannano di gran lunga e m'ingannavo io stesso con loro.
Molte altre sono le cagioni estrinseche, le quali possono impedir la debita gloria a chi scrive: la posteriorità de' tempi,
la preoccupazion de' luoghi, l'abbondanza de' libri buoni, la
persecuzion de' professori viventi, l'inopportuna grossezza

o picciolezza de' volumi, gl'interessi mercantili de' librai, le
proibizioni de' superiori, e va' discorrendo. Io stimo che
Luigi Tansillo [1], per esempio, sia miglior poeta lirico che
non è il Petrarca medesimo; ed in questa credenza ho trovato
convenire e concorrere la più parte di coloro ch'hanno (come
è in proverbio) sale in zucca. Uno n'era il Tasso, benché egli
non communicasse tal suo senso a tutti, ma ad alcune persone
confidenti. Nulladimeno il Petrarca è famosissimo e celebre,
e quest'altro a pena s'ode nominare. Il che è avvenuto: perché egli trovò occupata la sedia con troppo vecchio possesso;
perché scrisse in tempo abbondante di buoni autori, i quali
unitamente il perseguitaron tutti; perché gli furono proibite
alcune delle sue più ingegnose composizioni dall'Inquisizione
ed alcune altre dall'imperador Carlo quinto per rispetti politici e di Stato; perché scrisse troppo picciolo volume di sonetti e di canzoni, il quale neanco va da sé, ma va gravato da
grossa fasciucheria [2] di rime diverse. Oltre che, dopo la sua
morte gli furono falsamente attribuite alcune sciocche scritture, che diedero compìto tracollo al suo credito; perciocché
le due comedie, che vanno stampate sotto suo nome, furono
fatte non da lui ma da un vicentino ignorante, e le *Lagrime
di san Pietro* son fattura non sua ma di Giacopo suo nipote.
A queste tante disgrazie ch'egli ebbe, s'aggiunga per sigillo
che poi venne il Marino e colla sua garbata ronchetta gli
carpì tutti i suo' migliori concetti; non dico solo dalle prefate
Rime impresse, ma da alcune canzoni e capitoli non pubblicati, i quali esso Marino buscò in Nola manoscritti. Questi
egli non si degnò di sfiorare ma, occupandogli intieri, gli re-
gistrò per suoi e seminogli nelle sue opere tutte, ma più nel

---

1. Luigi Tansillo (1510-1568), ricordato dalle nostre storie letterarie per le
sue liriche fra i petrarchisti del cinquecento (a lui si devono anche alcuni capitoli,
due poemetti didascalici in terza rima, la *Balia* e il *Podere*, un poemetto di
argomento licenzioso il *Vendemmiatore* e uno di argomento religioso le *Lagrime
di San Pietro*), sarà dal MENINNI, nel *Ritratto del sonetto e della canzone* indicato
come l'iniziatore di uno dei tre momenti fondamentali della storia della lirica
italiana, e precisamente del secondo, dopo il primo cominciato con il Petrarca e
prima del terzo culminante con il Marino.

2. *fasciucheria*: forma spregiativa di fascio.

primo e secondo volume: sì come l'istesso egli ha dapoi fatto
ancora a me in ambedue le prefate maniere, ed il mondo parte
da sé il vede e parte il può credere e conghietturare, se ben io
per maggior mia cautela ho voluto provarlo più chiaramente
nel terzo e quarto libro del mio *Occhiale*. L'istesso che dico
del Tansillo si potrebbe, o poco meno, dir d'Angiolo di Costanzo [1] ancor esso, il quale scrisse ottimamente, ma sonetti
soli e pochissimi, e toccogli andar co' volumi altrui in frotta.

Ma, tornando al proposito di V. S., io lascerò per ora da
banda di far giudicio della bontà intrinseca delle suddette
sue poesie (le quali però confesso che mi paiono assai infe-
riori a quelle del Tansillo e del Costanzo), e dirò solo la mia
opinione intorno al pubblicarle. Né si curi Ella di sapere
appieno tutte e due le cose, ma si contenti di sentirne una,
per ischifar displicenza. E primamente le giuro da galan-
tuomo ch'io mi pentisco d'aver dato fuori il *Canzonier* mio,
non ostante ch'egli (come V. S. sa) abbia pur sortito qualche
fama, considerando che questa resta inferior di gran lunga
all'estreme fatiche che v'ho durate, e considerando anco il
gran pericolo della trista riuscita il qual v'ho corso, oltre i
patiti travagli di proibizioni ed oltre l'emolazioni e perseguita-
menti ed inquietitudini, che m'hanno accelerata la vecchiezza
per venti anni avanti. Del mio *Mondo nuovo* [2] non dico nulla
se non solo ch'esso, non ostante l'essere senza paragon più
dilettevole che 'l *Canzoniero*, può tuttavia star suppresso e
non ristamparsi né correre per le botteghe, cotanto sopra di
lui si prevale la quotidiana maledicenza de' marinisti. I quali
miei trapassati infortuni ed incontrati intoppi mi rattengono
ancora così dubitoso, che perciò io soprasto a non dare in
luce l'altre mie cose poetiche, che forse son più mature e più
plausibili che le prime; se bene pur publicherò in breve la
Replica fatta all'Aleandri [3] e compagni e l'altre opere dogma-
tiche, perché son cose composte in prosa e perché mi v'induce
la necessità del difendere la mia riputazione.

---

1. Angelo di Costanzo è un altro petrarchista del cinquecento.
2. Cfr. *Note biografiche*.
3. Girolamo Aleandri pubblicò nel 1629-1630 una *Difesa dell'Adone*.

Diceva il nostro paesano Orazio che quel primo navigante,
il quale avventurò la sua vita in mare, doveva avere il cuore
armato d'insensata quercia, anzi di triplicato bronzo. Ed io
soglio dire che quell'auttore, il quale non teme la stampa come
cosa formidabilissima, non ha sentimento in capo ma è stolido
del tutto. Molti furono stimati eccellenti prima ch'imprimes-
sero, e poi coll'impressione si vituperarono; de' quali uno è,
per esempio, oggidì l'Achillini, le cui *Rime* sono nel medesimo
tempo uscite di torcolo ed uscite di credito. Questa è quella
spaventevole pietra di paragone, la quale da ognuno si de' fuggire come se fusse pietra di scoglio. Chi non ha oro sopraffino,
non le s'accosti; e chi anco l'ha, pur le stia lontano. Perché
se 'l vulgo overo i potenti vorranno che quello sia alchimia [1],
pur sarà e, se non sempre, almeno durante la vita degli scrittori e de' censori loro. Troppo è casuale la piega dell'opinion
popolare e degli imperiti, e troppo è violenta ed indiscreta.
S'assomiglia appunto al torrente che corre, il quale non tratta
meglio gli scrigni pieni di gioie di quel che si faccia i zocchi [2]
fracidi, ma involve sottosopra in un fascio le cose preziose colle
vili e communi.

Questi sì fatti pericoli se fussero stati ben considerati da
coloro a cui toccano, non sarebbe cresciuto in infinito il numero de' versificatori italiani come il veggiamo essere. Ché,
per mia fé, non è città in Italia da cento anni in qua, non terra,
non castello, non villa, non borgo, il quale non abbia i suoi
poeti che tutto il dì scrivono rime ed epopee e tragedie pasto-
rali e le stampano. Onde i libri son moltiplicati sì smisurata-
mente e sì fuor d'ogni termine, che solo a far catalogo de'
nomi non basterebbe un grossissimo tomo simile al *Codice* legale. E la fama de' lombardi non giunge in Toscana e quella
de' toscani non si stende al Tevere, né di molti accademici romani arriva la nuova a Napoli, il quale ancor egli tien relegata
dentro al giro delle proprie muraglie la nominanza de' suoi
poetucoli vani. E lo stesso, ch'avviene in Regno [3] alla città

---

1. *alchimia*: metallo composto per via d'alchimia, oro falso dunque.
2. zoccoli.
3. nel Regno di Napoli.

madre, avviene alle città figliuole, se pur non peggio. Taccio di Sicilia e di Sardigna e di Corsica, isole tutte attenenti alla nazion nostrale e che nostralmente parlano ed iscrivono, dove i verseggianti son tanto incogniti che, non che l'uno non conosca l'altro, ma appena ciascuno conosce se medesimo. Atalché tutto lo scrivere poetico d'Italia altro non viene ad essere ch'uno ampio abisso d'oblivione ed uno interminabile oceano di dimenticanza e di disprezzo. I quali inconvenienti hanno cagionato che 'l mondo s'è talmente stufo, talmente sazio e talmente svogliato, che né meno legge gli scrittori buoni e i valenti, con tutto che gli senta spesso lodar da chi ha giudicio, perché « stomaco turbato aborrisce il zucchero » e « cane scottato teme l'acqua fredda ». Tra i quali valenti, dato ancora che V. S. fusse uno, pur corre dubbio d'andarne alle fardelle[1] se stamperà; né le torna conto il gir di sua volontà a pigliar un vilipendio: ché non avrebbe poi di chi lamentarsi, salvo di sé, se urtasse in isciagura. Poiché, quando uno va spontaneamente a cozzar col capo in una parete, non è la pietra che gli rompe la testa, ma è egli che si rompe la testa nella pietra.

Un tempo i lettori si contentarono d'una lettura non cattiva, poi volsero eccellenza, appresso desiderarono maraviglie, ed oggi cercano stupori; ma, dopo avergli trovati, gli hanno anco in fastidio ed aspirano a trasecolamenti ed a strabiliazioni. Che dobbiamo noi fare in così schivo tempo ed in così delicata età e bizzarra, il cui gusto si è tanto incallito e tanto ottuso che oramai non sente più nulla? Apunto non istampiamo nulla, ma stiamcene in riposo, mentre ogni buona fatica è perduta. E dico « buona fatica », perché mi par di vedere che questa soverchia delicatezza del secolo si vada a poco a poco convertendo in totale stupidezza e pazzia, mentre egli insieme col non gradir gli scritti perfetti gradisce gli affettati e gl'idioteschi, cotanto in lui prevale il cieco desiderio che tien di novità. Io intendo non solo di quel poetar ridicolo che 'l Marino chiamava « stile metaforuto », e che dopo la publicazion delle sue prime rime fu sua seconda maniera, e nel quale egli ha

1. *fardelle*: roba sporca, rifiuti.

avuto molti moderni versificatori che con notabile piggiora-
mento l'hanno immitato; ma ancora di quel prosare in romanzi
con locuzion monca e storpiata, che ultimamente s'è introdutto
e messo in uso da alcuni giovani cervellini e bisbetici. Del qual
modo di prosa è stato così origine e capo l'autor del *Coralbo*
e della *Donzella* [1], come del detto poetare fu capo il Marino;
ancorch'io non nieghi ch'essi due fondatori sarebbono per sé
stati tollerabili in qualche parte, se i succedenti seguaci triviali
non avessero poi troppo bruttamente avvilita l'una via e l'altra
con deteriorarne la frase e con guastarne la dicitura. Di queste
due squadre di schiccheranti i primi, che sono i versificatori,
hanno potuto per ora appresso al vulgo scavalcare il Petrarca
e 'l Casa e 'l Bembo e gli altri somiglianti; ed i secondi, che
sono i romanzieri, hanno potuto far dismettere la lettura de'
migliori libri vecchi di cavalleria, valendo, verbigrazia, più una
mezza carta d'*Amadis di Gaula* [2] che non vagliono tutti insieme quei loro sciagurati scartabelloni. Chi crederebbe mai un sì
strano portento? E pure il veggiamo vivamente esser vero
e realmente essere avvenuto. La qual doppia corrottela di
gusto, quantunque sia non poco mostruosa, è nata però nel
secolo non senza la sua natural cagione. Perciocché, sì come
la grande inappetenza delle donne gravide suole alle volte
degenerare in falsa volontà di mangiar carboni o calcina o
creta o simili altre porcherie (e questa è l'infermità chiamata
da' medici « cissa »), così la strema sazietà de' nostri lettori,
per vaghezza di variar pastura, s'è convertita in un matto
appetito di leggere spropositi.

Nondimeno io non credo che ciò sia per durar molto. I
mali di questo mondo son della natura de' beni. Nessuno è
perpetuo, ma tutti son caduchi e di corta durata, ma tanto
più quando essi sieno violenti. Succederanno i nostri posteri

1. Giovan Francesco Biondi (1582-1644), autore del romanzo l'*Eromena* stampato a Venezia nel 1624, continuato nel nuovo romanzo *La donzella desterrata*
(di cui si conosce un'edizione di Camerino del 1632 che non è certo la prima)
e nel terzo romanzo *Il Coralbo* pubblicato a Venezia nel 1632.

2. L'*Amadis de Gaula* è il celebre romanzo cavalleresco spagnolo (ricordato
nel *Don Quijote* come « *el mejór de todos libros de este género* ») che ebbe
nel cinquecento larghissima fortuna e fu rielaborato in poema da Bernardo Tasso.

e, ridendosi di noi e de' nostri abusi, riconosceranno finalmente i carboni per carboni ed il pan per pane. Ma che dico
io? Troppo termine ho assegnato a quest'emenda del secolo.
Essa sarà pur fatta più tosto da chi ha commesso il peccato
che da chi non v'ha colpa e non è nato ancora. La vertigine
degli occhi corporali (la quale è infermità che fa travedere)
non costuma d'andar molto in lungo. Tale sarà, spero, la
vertigine delle menti moderne, le quali non sempre lasce-
ranno abbagliarsi ed ingannare dal concorso ed esempio de'
vani pedanti e de' giovanetti e de' poetastri; ché da queste
tre fogge di lettori s'origina veramente tutto l'odierno spaccio
de' prefati ghiribizzi. Così noi, piacendo a Dio, non saremo
scherniti dalla età futura, e le gaglioffe operacce prenominate
non sopraviveranno agli autori loro.

Ora dunque, per venir dalle digressioni allo ultimato concludere, sia il non istampare il nostr'unico rimedio, com'io
diceva, ed il nostr'unico partito contra i correnti disordini.
Questo solo consiglio è buono e questo io do a V. S. nella
sua dimanda, poiché Ella me n'ha tanto instigato non solo
coi prieghi della sua lettera ma coll'intercession vocale del
padre provinziale sopradetto; perché altrimenti io mi sarei
taciuto, come altre volte ho fatto ad altri richieditori in somiglianti occasioni. Il qual mio consiglio può da V. S. essere
stimato fedele e cordiale (quale appunto Ella dice che 'l
brama), mentre io, avanti che lo dia a lei, lo prendo per me
col non dar più fuori nulla di poetico. Accettilo, signore,
l'accetti con altretanto amico consenso con quanto buona volontà io lo porgo. Facciamoci pur cauti colla ruina di tanti
sventurati, né vogliamo imparare a nostre spese ove il po-
temo fare a costo d'altri; ché per certo, quando gli speri-
menti son dubbiosi e di rischio, più saggio è colui che crede
per non voler provare, che non è colui che prova per non
voler credere. Finisco e per fine le bacio le mani.

Di Matera, 4 di marzo 1636.

V

Alla signora baronessa di Montescaglioso

Un'ora dopo l'essere arrivata la lettica con che V. S. illustrissima manda a pigliare il signor Gian Giacomo e me, m'è sopraggiunto un pedone con una nuova lettera di lei, nella qual mi s'impone ch'io vegga d'accordar [1] quel prete forastiere che dicono essere esorcista e lo meni costà con noi. S'io vengo non posso fare il servigio, e se fo il servigio non posso venire, non conoscendo il prete e bisognando informarmi di lui ed abboccarmivi; nel che si consuma un giorno o due di tempo. Ma, a parlar più apertamente, la principal cagione che mi ritien di non venire si è il pericolo delle strade cattive, ed in particolare di cotesta salita di Montescaglioso, facilissima a convertirsi in discesa, ora che 'l cielo è acquoso e la terra è inzuppata e che quanto piove di sopra tanto fangheggia di sotto. So che V. S. illustrissima non vuol servidori morti, perché i sì fatti son disutili, ma li vuol vivi a fine che se ne possa valer nell'occorrenze; onde credo che non le dispiacerà ch'io cerchi di conservarmi per lei ed anco per me.

Adunque per ora verrà il signor Gian Giacomo solo, la cui venuta è per negozio che non patisce dilazione; ed io, che veniva per semplice spasso, resterò ad eseguire il detto comandamento: il qual eseguito, ne ragguaglierò V. S. illustrissima, ad effetto ch'Ella possa di nuovo rimandar la lettica a levar me e 'l sacerdote. La qual mia restata non solo è giovevole a V. S. illustrissima, perché per essa avrà il servigio; ma torna non manco opportuna al signor Gian Giacomo di quel che torni a me. A lui si minora il pericolo, dovendo il mancamento del mio peso alleggerirgli la lettica, ed a me si dà spazio d'aspettar che si sereni il tempo e si rasciughino le vie; ed oltracciò, lo scongiuratore verrà più contento dentro ad essa lettica che non verrebbe sopra un cavallo.

Presso a poco io m'immagino chi sia la persona per la

---

1. persuaderlo a consentire.

qual V. S. illustrissima vuol costui; che è quella giovane magra e sgroppata [1], tuttoché nel resto non sia brutta, colla quale più volte io mi ricordo aver parlato. Questa io stimo più tosto furba che spiritata, mentre, essendo sanissima e potendo vivere di fatica, vive di limosina ed usa il demonio per capital della sua industria. Nella qual mia credenza tanto più mi confermo quanto che, un pezzo fa, ne vidi costì una sensata sperienza in quella piazza che è davanti a Sant'Angiolo de' benedettini. Questa fu che, stando ella inginocchiata ai piè d'un monaco vecchio, che per lo spazio d'un ora continova l'aveva esorcizzata in quel luogo per non aver potuto tirarla in chiesa, io me l'accostai in presenza del popolo che v'era; e, mostrandole chiuso il pugno destro, dentro al qual teneva ascosa una persica, le dissi fortemente: — Bacia, maladetto spirito, questa sagra reliquia ch'io ho qui in mano —. Al che ella, con aguzzar gli sguardi e con innarcar le ciglia e farsi deforme, rispose da parte del diavolo: — Signor no, che non la vo' baciare, perché non amo le cose sante. — Almeno — replicai io — indovinami di chi essa sia reliquia. — Questa è — disse ella — un osso di sant'Angiolo. — Oh buono! — ripresi a dir io. — Se tu fossi demonio, saperesti che gli angioli non hann'ossa, poiché angiolo saresti tu medesimo, se ben de' neri. Ma tu realmente non sei altri che quel che si vede, cioè una femminuccia, ignorante sì, ma maliziosa, la quale, o per non lavorare o per altri tuoi disegni e rispetti, t'infingi indemoniata. Che ciò sia vero, ravvediti che questa non pur non è reliquia di sant'Angelo, ma né meno è reliquia, ma è una frutta d'albero —. Ed in così dire apersi la mano e mostrai la bicoccola.

Il popolo, che della sciocca divinazion dell'osso avea da prima cominciato a ridere, quando vide la persica, rinforzò maggiormente il riso, ed alcuni fanciulli proruppero a liete grida non senza qualche fischio. Il monaco, che veramente era sant'uomo, ma semplice ed oltra modo austero e zelante, vedendosi da me interrotto e tenendosi per tanto ridere mezzo

1. sciancata.

burlato ancor esso, disse verso me, ma cortesemente: — Signore, le cose di Dio non si vogliono schernire né vilipendere. — Queste — risposi io, — padre mio, non son cose di Dio, ma del diavolo; e però io le beffo. Overo, se non son del diavolo, neanco son di Dio, ma son di nessuno, perché son nulla, cioè mere fraudi di costei; e però io le sprezzo —. Ed egli mi soggiunse, pur con carità e con ansiosa paura dell'onor mio: — Vadasene, di grazia, V. S. per suo meglio, acciocché questo folletto, adiratosi, non le rinfacciasse in pubblico qualche segreta colpa, come spesso la mala spezie suol fare, la quale è altrettanto nemica della nostra fama quanto ella è della nostra salute. Ed io ne ho veduti esempi più d'uno —. A questo io risposi sorridendo: — Per grazia di Dio io non ho di che temere, perché, se ben son peccatore, non ho fatte già mai cose vituperose. E quando fatte l'avessi, qui non è chi me le sapesse rimproverare, non ci essendo diavoli, ma solo uomini che non sanno indovinar l'occulto —. Mentre io così parlava, arrivò il portinaro in fretta a chiamare il sacerdote da parte del padre abbate; ed egli, partitosi, lasciò imperfetta la sua opera e mozzato il ragionamento meco.

Io, restato là fuori colla gente, volevo di nuovo rattaccar parlamento colla donna. Ma ella, che già s'era levata in piedi, prevenendomi, gridò contra di me tutta crucciosa: — Se tu non te ne vai tosto, io uscirò del corpo di costei ed entrerò addosso a te. — Piano — dissi io, — messer diavolo, e senza collera, dapoiché pur vuoi ch'io creda che tu qui sia, non ostante ch'io sappia che non ci sei. Io ho fatto partir quel severo ministro che è tanto tuo nemico e che tanto ti flagella, poiché del sicuro non per altro che per causa mia egli sarà stato richiamato in monasterio; e tu per rimerito mi vuoi offendere? Questa è una ingratitudine manifesta. Con tutto ciò, io mi contento che tu mi spiriti, purché prima m'ascolti una parola segreta —. La giovane, alquanto raumiliatasi, mi sporse un'orecchia; ed io avvicinandomi dissi pianamente, che nessun mi sentì se non ella sola: — Farfarello mio, questa donna dentro alla qual tu abiti mi piace assai, e vorrei che tu, avanti ch'eschi fuor di lei, me l'accordassi ad acconsentirmi; il che sarebbe con sua buona mancia e con obbliga-

zione a te —. A questa richiesta la femmina, risdegnatasi
più che prima, alzò la voce gagliardamente, dicendomi:
— Oh che bella coscienza d'uomo attempato! voler commet-
tere disonestà con una povera spiritata! Va' pure a far l'ufficio tuo al qual manchi, ed il quale è lo stare in chiesa a
dir paternostri. — Anzi sei tu — gli rimbeccai io — che
manchi al tuo ufficio, il quale è di tentare i fedeli. Poiché
io voglio far peccato per mezzo tuo, e tu mi predichi la coscienza. Or da quando in qua i diavoli son diventati divoti
ed esortano a far bene? Insomma, se tu sei spirito, sei spirito
goffo in supremo grado; e se tu sei donna, pur sei goffa
tuttavia. Ma perché gli spiriti son sempre astutissimi e le
donne alle volte possono esser pazze, io torno a riconcludere
ed a sigillare che tu sia quella femminetta ch'io dissi da principio. Il che se vero è, come è verissimo, tu farai meglio da
ora innanzi a prendere la carità non per lo demonio ma per
Dio; e se ancora t'impiegherai a filare, pur farai bene. Ma
se vuoi fare una cosa ottima e la più santa di tutte, prendi
marito e non andar più vagabondando per le strade, ché non
si conviene ad una zitella onorata, se ben povera.

Detto questo, io le lasciai un par di carlini in mano e me
n'andai via, accompagnato con molto applauso dalla più savia
parte de' circostanti, i quali per le cose vedute ed udite si
certificarono affatto colei non avere in corpo altro spirito
che la sua anima.

Questo tal successo ho io voluto a V. S. illustrissima qui
raccontare, perché non so se le fu allora riferito, benché sappia che 'l signor baron suo consorte lo intese dal monaco
medesimo. Il quale appresso, ripensando più maturamente
al fatto, si disingannò ancor egli totalmente, e mi dicono che
la fece anco privar della limosina ch'ella giornalmente rice-
veva alla porta del monisterio.

Di questi indemoniati finti si vede, signora mia, gran
quantità per lo mondo, de' quali a' miei giorni io ho cono-
sciuti tanti che ne saprei formar quasi croniche; che per li
loro diversi interessi scroccano il vivere al prossimo e dileg-
giano empiamente i ministri della Chiesa. Non voglio qui
inferire non potersi trovare spiritati veri, ché mercé di Dio

non ho barattato coscienza col..., ma ho la solita mia di
sempre. Cioè credo cogli altri cristiani che la spiritazion dia-
bolica vi sia; ma solo dico che ella è rara, e che spiritata non
è quella donna ma è ghiottona, e che in ciò ha moltissimi
compagni. Massimamente non avendo ella voluto cessar dal
suo fingere, da poi ch'io la confusi e mortificai, che già son
passati tre anni; anzi intendo che ha fatto peggio, perché
ora ha nome di disonesta, dove allora l'avea di casta e di
vergine.

Pure io condurrò, come ho promesso, il prefato scongiuratore a Montescaglioso, acciocché V. S. illustrissima si
chiarisca *de visu*, in caso che la pretesa spiritata sia quella
medesima di che io ho favellato e non un'altra. Ma, siasi chi
si voglia, io mi protesto in tutti i modi di non volere esser
presente allo scongiuro, perché non mi scappasse detto o fatto
qualch'altro sproposito, di che il prete s'offendesse; ch'io
non so se in bontà egli sia simile al monaco, o pur per oppo-
sito sia un simolatore, quali più sogliono essere questi che
vanno in volta. Né voglio più tentar la fortuna, ma starmene
colla prima vittoria; che è quanto m'occorre. E per fine a
V. S. illustrissima fo umile riverenza.

Di Matera, 15 gennaro 1638.

GIROLAMO FONTANELLA

A D. Cosimo Pinello, marchese di Galatane

Apelle Efesio, quando esponeva in publico le sue pitture, attendeva di nascosto le sentenze dei riguardanti; si poneva dietro le tavole per raccogliere dalle varietà de' giudici la correzione de' suoi difetti. Parevali che, come sotto il martello si raffinano maggiormente i metalli, così l'opere de' suoi pennelli avessero a ricevere maggior finezza sotto i colpi delle censure. Anch'io desiderando (illustrissimo signore) più che gli applausi volgari, i pareri degli uomini giudiciosi, non per altro esposi alla publica luce l'ombre della mia loquace pittura che per correggere con più sano ravvedimento le mie imperfezioni. Ma non manca chi mi rimproveri ch'in età giovanile mi sia troppo accelerato questi anni a dietro a publicar le mie ode, potendo con la lima d'una lunga considerazione maggiormente perfezionarle. Richiedendosi nel poeta non solo una esquisita felicità di naturalezza per generarle, ma una tarda deliberazione di mente per digerirle. Io, con pace di costoro, i quali quanta avarizia di comporre dimostrano nella penna tanta liberalità di riprendere dimostrano nella lingua, condanno l'opinioni di coloro, i quali per maturare i parti de' loro ingegni aspettano l'età più matura, e vanamente si dànno a credere di fare acquisto dell'immortalità quando, declinando il corso umano, si ritrovano più propinqui alla morte. Le Muse, che sono figliuole della Memoria, abborriscono d'accompagnarsi coi vecchi, che sono padri della smemoraggine. Per la scoscesa dell'altissimo Pindo non bene può sostentarsi chi è stanco di lena e debole di vi-

gore. Le vergini di Parnaso, come inamorate donzelle più
volentieri gradiscono la vaghezza de' giovani che la severità
degli attempati. Il vecchio, ch'è tardo nel moto e malagevole nel passo, non può giungere frettoloso quella Dafne, che
fuggendo dagli occhi d'Apollo e trasformandosi in alloro,
fu simbolo della gloria fuggitiva. Non è carrico di molte
frutta quell'albero ch'è carrico di molti anni. I furori poetici
perdono la forza della divinità in un animo agghiacciato di
senettù. Nella vecchiezza dell'inverno tengono silenzio gli
uccelli, e nella primavera della gioventù cantano più soavemente i poeti; la tranquillità d'uno studio piacevole non sop-
porta l'occupazioni d'un vecchio noioso. Mostra copia di
spiriti ne' concetti chi raccoglie copia di spiriti nelle vene.
E più purgato torna il suono delle sue rime chi più purifi-
cati conserva gli organi del cervello. Pallade, che con aspetto
di fresca età fu aggregata al collegio delle Muse, piantò
nelle rigide balze gli olivi delle sue vittorie; per divisarne
che nella validezza de' giovani stanno situati i trionfi della
sapienza. Non bene s'accordano l'indisposizioni della vecchiaia
con gli ordini dell'armonia; e non ha concordia di regolati
componimenti chi tiene la musica degli elementi discorde
nel suo composto. Saturno, ch'è padre della fredda malinconia, fu bandito dal proprio regno, ch'è stanza di fervida ilarità. La canicie d'una barba senile va mendicando il
suo refrigerio dal fuoco, e la bianchezza de' cigni va ricer-
cando il suo diporto dall'acque. Quelli più volentieri frequen-
tano le fornaci di Volcano che le fontane d'Apollo, e più
tosto si compiacciono di bevere nella bigoncia di Bacco che
d'abbeverarsi nella tazza delle Muse. Tramonta il sole della
gloria poetica, quando il corso dell'umana peregrinazione
s'approssima all'occidente. Non può farsi chiaro nel grido
colui ch'è rauco nella favella; e non può scrivere con penna
franca una mano avviluppata da rigore d'infermità. E come
ponno gli uomini annosi col canto vincere il tempo? Se incur-
vandosi sotto la carica de' lustri, non altrimente che 'l vinto
sotto il giogo del vincitore, si confessano superati dall'armi
del tempo. Ma perché vado limosinando ragioni per compro-
bare questa verità? Se in contestazione di tutto ciò ammiro

V. S. illustrissima, che in età così acerba produce parti così maturi di poesia, ed avanzando i migliori dell'età nostra, ha fatto in questa lodevole professione così maravigliosi progressi. E se tra le virtù cavalleresche quella della poesia (secondo la sentenza de' savi) viene giudicata la principale, essendo Ella versatissima in questa, si rende per conseguenza più d'ogn'altro riguardevole appresso il mondo. La destrezza ch'usa nel maneggio de' cavalli, la sagacità ch'adopera nell'arte della scherma, e tant'altre virtù partenevoli a cavaliere qualificato, sono fregi caduchi dell'umana condizione; ma formar con la penna concetti spiritosi nelle carte, dar giudicio infallibile sopra dotti componimenti, sono ornamenti incorruttibili dell'animo ben composto. Or quanto dell'operazione attiva è maggiore l'industria contemplativa, tanto V. S. illustrissima con largo vantaggio eccede ogn'altro di maggioranza. Quindi è che non la chiarezza della sua prosapia, gloriosa per una lunga e continuata serie di secoli, non la venustà del suo volto, organizzata con sì bella simetria dalla natura, ma la sovranità de' suoi meriti incomparabili, la bellezza del suo spirito generoso, mi violentano con affettuosa tirannide a riverirla. Ed ecco che per segnale del mio tributo e per testimonianza del mio vassalaggio, le dedico e consacro queste mie giovinili fatiche. Gradisca ella questa espressione di volontà, nel ricevere benignamente il mio dono; e dove io manco con la povertà del mio stile, supplisca ella con la ricchezza della sua grazia. Il cielo prosperi con larghi influssi le sue fortune; e senza più, a V. S. illustrissima bacio umilmente le mani.

Di Napoli a dì primo di decembre 1637.

GIUSEPPE BATTISTA

I

AL SIGNOR OLDAURO SCIOPPIO

Che l'uso di scriver in terza persona col Vossignoria nelle lettere faccia la sentenza intrigata e oscura, io non ho dubbio alcuno. Bisogna allo 'ncontro confessare che la costumanza di scriver col Voi la rende sciolta e chiara. Non dirà altramente chi si esercita in tal faccenda tutto giorno, e non ha guasta la fantasia. Porrei qui gli esempi, se 'l sublime ingegno di Vossignoria abbassarsi volesse alle minuzzaglie gramaticali, e se io non pensassi d'insegnar all'aquila il volo, o 'l nuoto al delfino. Vorrei scrivere, per vero dire, col Voi solamente, affinché piana ritrovasse la intelligenza de' miei periodi chi legge; e in quanto al rimanente ciascun lascerei nel grado de' suoi meriti e nel sito della propria estimazione. A niuno torrei i calzari lunati dal piede e le immagini fumose degli avi. Non gitto il tempo in investigare se il Tolomei e gli altri della sua scuola avessero quest'uno pensiero. So ben io che egli scriveva a Francesco Primo e a Carlo Quinto dando loro il Voi, e pur que' principi sovrani rimanevano pienamente sodisfatti, sapendo che Roma stessa non seppe ritrovar forma di favellare più acconcia a' Cesari suoi. Ma oggigiorno quando gli uomini ambiziosi amano titoli vani infino alle iperboli meno credibili, chi ha petto d'opporsi all'uso, il quale ha forza d'impor leggi barbare alle penne più regolate e men soggette? Io scriverò, benché contro voglia, come e' vuole, praticando quell'adagio: è meglio esser pazzo con tutti che savio solo.

II

AL SIGNOR GIOVANGIACOMO LAVAGNA

Mi sono finalmente sequestrato in un cantone d'Italia, affinché né più il mondo conosca me, né io il mondo. Dentro a' confini della patria son forestiere, perché la patria nelle solitudini più romite non mi vede. Persuaso dalla quiete, che sempre ho cercato né mai ho potuto rinvenire, mi son ristretto a viver solo, perché viva uno. Abito una casuccia, la quale direi stanza d'un cinico, se fosse di legno, e non fosse nemica di quelle sozzure che rendevano la botte di Diogene stalla d'Augia. La guardarroba, tolto via buon numero di buoni libri, *rheda componitur una*, come tutto il valsente di Codro. L'ho fatta imbiancar di calcina, perché le pareti sono di tufo nostrale, non di marmo barbarico. Havvi alcune dipinture, dalle quali bee l'occhio colori e l'animo divozione. Non sono storie, che rappresentando laide bellezze appiccan fuoco ne' sensi, e quanto onorano l'arte, tanto svergognano l'artefice. A piè di ciascuna figura alcuni versi aprono il significato di quelle mutole poesie, che tengono a bada il leggitore avveniticcio, il quale, se non avrà voglia di rileggergli, non avrà pentimento di avergli letto. Con queste mani cultivo un orticello ad imitazione di Diocleziano, dove popolo di fiori distinto in aiuole m'è tributario d'anima odorata, e delibando egli l'umida vita da rivoli serpenti d'acqua caduca non soggiace mai alle ingiurie delle stagioni. I rivoli poi più che candidi annoverano in una verde immagine il gambo de' fiori palpitanti come nel proprio grembo immersi. Se non ho potuto rizzarvi in mezzo una fonte sulle statue più nerborute, una selce sdrucita almeno vomita larga usura d'acque, le quali intrigate nell'angustia de' progressi armonicamente singhiozzano. Vengono a succiare gli umori filati da quella pietra ospitale i pennuti poeti delle boscaglie collaterali, e co' rostri non bene asciutti narrano mille favole. Qui godo assai, perché di nulla m'attristo: e vivo molto, quantunque di vivere mi rimanga poco.

III

AL SIGNOR GIOVAMBATTISTA MANSO,
MARCHESE DI VILLA, E PRENCIPE DELL'ACCADEMIA DEGLI OZIOSI

Legga V. S. Ill. le mie rime, e le do quella piena autorità che dee darsi ad un maestro. Non voglia con tutto ciò esaminarle al paragone delle rime del Petrarca, siccome vuole che scriversi debba, perché a me non piace di murar sul vecchio. Ubbidisco religiosamente a' precetti de' nostri maggiori, che più di noi han saputo, ma fabbrico a mio talento lo stile. Questo voglio, che sia mio solo. E che vedrebbe di nuovo il mondo, se tutti imitassero il Petrarca? E se 'l Petrarca stesso nuotò senza scorza, come uom dice, e cioè non si antepose altro esemplare, perché noi porrem le pedate sulle sue? Occupò forse e' solo tutte le strade? Ma le strade del poetare sono tante quanti sono i cervelli, come ne' poeti greci e latini s'osserva, de' quali ciascuno ha seguito il suo genio. Forse pe 'l suo cammino mai non incespicò, sicché la sua scorta rimanesse agli altri sicura, e senza pericolo di cadere? Ma egli incespicò non solamente più volte, ma cadde ancora, perché fu uomo. Non dee con ciò negarsi che egli non iscrivesse più nobilmente degli altri. Ma se oggi vivesse, muterebbe opinione, e scriverebbe non solamente per farsi intendere da Monna Laura, ma usurpar eziandio applausi e gloria appo gli eruditi. Pietro Bembo perché non s'allontanò un'unghia da lui, fu con suo biasimo appellato il Petrarca rifritto. Angelo Poliziano a Paolo Cortese, che superstiziosamente seguiva l'orme di Cicerone, così mi ricorda che scrivesse *Epist.* 15, l. 8: *Ut bene currere non potest qui pedem ponere studet in alternis tantum vestigiis: ita nec bene scribere qui tamquam de praescripto non audet egredi. Infelicis est ingenii nihil a se promere, semper imitari.* Il che poi Giusto Lissio rinfacciò ad alcuni italiani, che scrivendo in idioma latino non sapean dir cosa che non trascrivessero da Cicerone stesso. E quantunque egli confessi d'aver ciò fatto nella sua gioventù, confessa ancora di trovarsene pentito. Già si sa anche da' barbieri, per favellar con Orazio, ciò che degl'imitatori scrive

Orazio stesso: *O imitatores servum pecus*; è deplorevole colui che fatica per divenire inferiore ad un altro, mentre non mai maggior dell'imitato stimasi lo scrittor imitante. Si dee scrivere con lo 'ngegno propio, non pigliato a pigione, e con pensiero d'esser il primo: che se al pensiero non corrisponde l'evento, il solo tentare è plausibile. Quando io pecco contro le leggi da' nostri insegnatori prescritte, mi gastighi V. S. Ill. a tutta severità, e le dico liberamente ciò che disse a Romano Plinio il giovane: *Annota quae putaveris corrigenda. Ita enim magis credam cetera tibi placere, si quaedam displicuisse cognovero.*

IV

AL SIGNOR MERCURIO GALASSO

Se voi sapete che io non son buono per la corte, né la corte è buona per me, a che mi chiamate in casa del principe vostro con replicate istanze? Quante volte in presenza vostra, quando in Napoli attendevamo voi alla medicina, io alla teologia, ho rifiutato simiglianti occasioni, curando poco i vantaggi della mia fortuna, per non turbar gli ozi de' miei studi? È nota a voi la mia tempera malinconica per natura, e più malinconica poi fatta per l'assidue fatiche nelle lettere, la quale di leggieri potrebbe rendermi odioso in codesta corte, dove bisogna aver sempre faccia comica. Non voglio perder la libertà, né la quiete, le quali esser deono il companatico più familiare dell'uomo. E, quel che monta più, non vedete che le vostre persuasioni non possono aver forza meco, mentre volete impormi quel giogo al quale voi vi siete destramente sottratto.

V

Io sono in villa, e ci son tutto, perché non penso alla città. O silenzi beati! Qui sul mattino i primi raggi del sole mi svegliano dal sonno, e godo sì bel pianeta in fascia, quand'io mi sono in letto. Un coro di musici alati, che scornano mille cetere, mi provoca al canto co' suoi garriti. Traggo il piè dal tugurio con un libricciuolo in mano, e sui tappeti dell'erba m'assido a leggere con quiete non interrotta. Vi giuro che m'insegnano più queste campagne in un sol giorno che la città in un anno. Passa in tanto alcun pastorello che guida la greggia, e io chiudendo il libro attacco ragionamento con lui. Gli racconto alcune favole, e con diletto grande egli ascoltandole appoggiato sul vincastro, dalla sua simplicità governato le crede storie. Se n'ammira e si rallegra insieme, immaginando d'aver appreso gran cose, perché sa ciò che non sapeva. Poi, e per palesar la sua virtù e per lasciarmi, come uom dice, a bocca baciata, mi paga a suon di zampogna. Ritorno alla capanna per desinare, e un pezzo di salvaggina arrostita nello schidone, come la mangiavano que' primi eroi, è la mia maggiore imbandigione. Se fosse il verno, mi piacerebbe una rapa cotta nella brace, come piaceva a Fabrizio. Ho gusto di bere in un fiasco d'acero lavorato al tornio le lagrime del Vesuvio, sotto le cui piante giace la villa, disprezzati tutti gli argenti che martellano gli orafi napoletani, e tutti i cristalli che manda Vinegia. Consolata così la fame, sotto l'ombra d'una quercia visitata spesso dalla cortesia dell'aure inganno l'arsure del meriggio, scrivendo qualche verso boschereccio. Forte mi maraviglio di Cicerone, che scrivendo a Rufo, lo consiglia ad abitar sempre la città. Io allo 'ncontro conforto V. P. ad abitar sempre la villa, perché nella città si vive villanamente, e civilmente nella villa.

VI

Al signor marchese di Villa, Giovambattista Manso

Ne' componimenti da V. S. Ill. alla mia veduta antiposti non ha cosa che mi piaccia, né cosa che mi dispiaccia. Né col carbone possono segnarsi, né con la creta. Nulla di bello ci truovo, nulla di brutto: e pure in una faccia bella mi diletterebbe un neo, come diceva Ovidio. Vorrei che l'autore si sollevasse un poco, e non amasse di radere tanto il suolo. Sul piano si cammina sicuramente, ma senza lode. Per lo dirupato si va con pericolo, ma anche con lode. Dopo un volo generoso anche la caduta è plausibile. Io non lodo nelle faccende poetiche il detto di quel rematore: *altum alii teneant*. Il poeta esser dee anzi temerario che timido. Col componitore avrei favellato altramente, modificando la libertà della penna; ma con lei, che mi conosce, vo tirar linee bianche. Leggagli ella di grazia, che non discorderà del mio sentimento.

PIETRO CASABURI

A monsignor Caramuele

Non men d'Omero, tenuto nella *Poetica* dallo Stagirita per oracolo della poesia, debbo gloriarmi, quando la penna di V. S. illustrissima, cioè del gran Caramuele, ha voluto con tanti eccessi di lode citarmi nella sua *Metametrica*, provando con l'autorità de' miei versi le sue proposizioni. Le ne rendo grazie immortali, così come ha renduto immortale il mio nome appo la memoria de' posteri. Ho compiute le *Saette di Cupido* che mi chiede, e scritte a penna le dirizzo agli arbitrii de' suoi canuti giudizi. Contengono amori di numi e d'eroi più celebri dell'antiche favole ed istorie. Ho loro dato il nome d'Elegie, componimenti atti ad esprimere tenerezze amorose, giusta la sentenza d'Ovvidio lib. I, *de Rem.*: *Blanda pharetratos elegia cantet amores.* In tal genere di poesia, intorno a' particolari che son propii della lirica, ho voluto imitar molti, per attalentare a molti. Quanti sono i genii degli uomini, tante maniere praticar si deono nello scrivere, per conseguir chiarori di gloria. Chi brama un'arditezza di Stazio, chi un'arguzia di Marziale. Questi vuole una tenerezza di Catullo, quegli un volo di Pindaro. Altri cerca un sale di Persio, altri una dilicatezza di Claudiano. È faccenda malagevole d'ottener l'aggradimento di tutti. Lo smeraldo, gemma tanto gradita alla vista degli uomini, spiace agli occhi di certi serpenti attossicati. Gli Atlanti, popoli dell'Affrica mostruosa, narra Plinio, bestemmiano il sole, fattura più bella delle mani di Dio. Quando ella era nelle nostre accademie in Napoli, era il mio Socrate; or che fa soggiorno in Milano, imito Socrate stesso, il quale ogni dì diveniva censore di se medesimo. Esser dee l'uomo tutt'occhi, per veder la sua vita. Doventa gran maestro di se stesso chi riprende se stesso, avvisò Diogene. Mi è paruto altresì d'arricchirle di metafore e di figurati abbigliamenti, con l'imitazione de' più famosi scrittori greci, latini ed italiani. Son sicuro che saranno commendate dal suo dilicato intendimento: poiché spesse volte ha nell'erudite assemblee protestato, che la metafora le diletica tanto lo genio che nulla più. Permetta il suo grande ingegno che su tal materia alquanto io mi dilati.

E per vero dire qual poeta di rinominanza illustre non abbigliò i suoi poemi di traslati arditissimi? Chi brama la poesia senza ornamenti retorici, ama la primavera senza fiori, il monile senza gemme e 'l firmamento senza stelle. Il perché con fior di senno fu la metafora appellata dal Nisieli ne' *Proginnasmi* lingua delle Muse. La metafora, o sia traslato, è quella che per una qualche somiglianza trapporta la dizione dal propio al non propio significato. Quelle sono più vaghe che si deducono dalle parti del corpo all'animo: che fan passaggio da senso a senso: ch'attribuiscono ragione ed intelletto alle fiere: quelle che dipingono le cose in moto ed in operazione: quelle che passano da elemento ad elemento: quelle che dan vita e sentimento alle cose insensibili, ed altre di similianti bellezze. Quindi diletta la metafora, insegna Aristotile, perché con la proporzione, tirata ad una sola parola, rappresenta all'intelletto più cose in un solo argomento. Piace la metafora, dice Tullio, perché lasciando lo 'ngegno le cose propie che tiene vicino, gradisce più quelle che giungono forestiere di lontano. Oltracciò, accresce la metafora robustezza alle cose robuste, severità alle severe, fierezza alle feroci, vaghezza alle vaghe, dilicatezza alle dilicate: diminuisce le cose picciole e dà incremento alle cose grandi. Mi conceda la sua modestia ch'io le registri qui alla ricisa una serie di metafore usate da' più chiari scrittori: posciacché, quantunque l'abbia osservate ne' loro fonti, nulla di manco similianti vaghezze quante volte si leggono tante volte dilettano. Uopo è qui d'addurne molte, per divisar che, in tutte le materie che han trattato non solamente i poeti ma eziandio i prosatori, si leggono le metafore praticate con frequenza. Orazio, lib. 4, od. 12, chiamò i venti anime della Tracia: *Impellunt animae lintea Traciae.* Petronio nelle satire appellò una veste sottilissima, che nella sua trasparenza scopriva quanto copriva, nube di lino: *Palam prostrare nudam nebula linea.* Anzi più. La nominò vento tessuto: *Aequum est induere nuptam ventum texile.* I boschi non han voce né favellano, e Manilio lib. 3 cantò: *Totumque canora voce nemus loquitur.* Come ridono le campagne? la terra come si veste? come si vestono gli alberi? E Marziale lib. 10 epig. 52 disse: *Ridet ager, vestitur humus, vestitur et arbos.* Son di vetro i fiumi? No. E 'l Pontano cantò: *Flumine sub vitreo.* Ed Ovvidio nelle *Pistole* disse: *Vitreoque magis perlucidus amne.* Orazio lib. 1 od. 21 chiamò le fronde delle piante chiome delle selve: *Vos laetam fluviis, et nemorum coma.* La dolcezza non è degli occhi, ma del palato. E Virgilio nell'ecloga 3 proferì: *Suave rubens Hyacinthus.* Vivacissima è la metafora, usata da Properzio lib. 1 ragionando dell'erbe dell'Egitto, irrigate dal Nilo, che mestier loro non fa delle piogge del cielo: *Arida nec pluvio supplicat erba Iovi.* Marziale nel lib. I epig. 18 proferir volendo che mescolar non si debba il vino generoso con le bevande di poca stimativa, cantò: *Scelus est iugulare Falernum.* Lucrezio lib. 3 chiamò i raggi del giorno lucide saette: *Et lucida tela diei.* Chi mai vide le rose vestirsi di splendor sanguigno, e le viole di splendor nero? E Claudiano lib. 2 *De Rapt.* cantò: *Sanguineo splendore rosas, vaccinia nigro induit.* Il nostro Stazio lib. I *Theb.* nominò braccia delle selve i tronchi delle querce: *Rapiunt antiqua procella brachia sylvarum.* Il mare non si solca; e Virgilio lib. 5 *Aen.* scrisse: *Sulcant vada salsa carinae*, e nel 3, *Maris aequor arandum.* In terra non si vola; ed Ovvidio lib. X *Met.* favellando d'Atalanta, cantò: *Passu volat alite virgo.* Nell'aere non si veggono abituri; ed Orazio lib. I od. 28 pronunziò: *Aerias tentasse domos.* Plinio lib. 19 c. 4 appellò le nevi pene de' monti: *Poenasque montium in voluptatem gulae vertunt.* Le nevi stesse muoiono forse? Ed Ovvidio lib. 3 *Fast.* disse: *Et pereunt lapsae sole tepente nives.* Virgilio lib. 2 *Georg.* nominò gli alberi case degli uccelli:

Antiquasque domos avium. Stazio nella *Tebaide* lib. 10 chiamò strada aerea una scala, portata da quel gran combattente per salir su le mura di Tebe: *Aerium sibi portat iter*. I duo Scipioni furono da Virgilio lib. 6 *Aen*. appellati folgori di guerra: *Aut geminos, duo fulmina belli, Scipiadas*. E Lucrezio lib. 3 in fine cantò: *Scipiades belli fulmen*, metafora tolta da Omero, il quale nell'*Iliade* lib. 5 appellò Diomede tuono e fulmine. Ecco il suo verso, giusta la versione del Tebaldi: *Tuono alle squadre, e folgore alle mura*. Ovvidio lib. 3 *Met*. nominò stelle gli occhi di Narciso: *Geminum, sua lumina sydus*. Traslato usato eziandio da Properzio lib. 2 *Non oculi geminae sydera nostra faces*. Virgilio lib. 4 *Geor*. chiamò nettare il mele: *Et liquido distendunt nectare cellas*. Ovvidio lib. I *Fast*. nominò gemme i fiori delle piante, *Et nova de gravido palmite gemma tumet*. E Virgilio de 4 temp. disse: *Ver pingit vario gemmantia prata colore*. E qui Columella, quantunque rusticano, si osservi con quante metafore adornò un sol periodo: *Ut propinquante vere, gemmantibus frutetis partus edatur*. Da Claudiano lib. 2 *De Rapt*. furono le rose chiamate stelle: *Haec graditur stellata rosis*. Da Virgilio lib. 4 *Aen*. furono stelle appellate le gemme: *Stellatus iaspide fulva ensis erat*. All'incontro Marziano Capella chiamò gemme le stelle: *Quo gemmata poli volvere sydera*. Esiodo nominò la luna occhio della notte: *Noctis oculus*. Da Ovvid. lib. 4 *Met*. fu il sole appellato occhio del mondo: *Per quem videt omnia Tellus, Mundi Oculus*. I filosofanti stessi chiamarono il sole cuore del cielo, come attesta Macrobio *Super Somn. Scip. Physici eum cor coeli vocaverunt*.

Ma tralasciando le autorità di tanti valent'uomini greci, e latini, si contenti che noti qui solamente alcune metafore, usate da' nostri poeti italiani, i quali nelle loro poesie han favellato mai sempre con parole traslate, usando metafore arditissime. Il nostro Torquato Tasso nella sua *Gerusalemme*, nel canto nono all'ott. 91 appellò nube la polve, alzata in aria, e folgori di guerra i guerrieri dell'esercito cristiano:

> Nova nube di polve ecco vicina,
> che folgori di guerra in grembo tiene.

Chiamò nel canto 6 all'ott. 48 fulmini le spade stesse de' combattenti, lampi i loro splendori, e tuoni lo strepito delle percosse:

> Lampo nel fiammeggiar, nel rumor tuono,
> fulmini nel ferir le spade sono.

Nel canto 8 all'ott. 67 disse che Rinaldo fu spada e scudo della fede cattolica:

> Rinaldo han morto, il qual fu spada e scudo
> di nostra fé.

Appellò nel canto 11 all'ott. 22 Goffredo mente e vita dell'esercito:

> L'anima tua, mente del campo e vita.

L'uve non son d'oro, né di piropo, né son gravide di nettare; ed egli nel canto sedicesimo all'ott. 11 disse:

> Qui l'uva ha in fiori acerba, e qui d'or l'have,
> e di piropo, e già di nettar grave.

Nel canto stesso all'ott. 9 nominò l'acque de' fonti, cristalli mobili:

> Acque stagnanti, mobili cristalli.

Si cibano gli sguardi? Mai no. E sì nel medesimo canto all'ott. 19 disse:

> E i famelici sguardi avidamente
> in lei pascendo, si consuma e strugge.

Chiamò nel canto 9 all'ott. 60 gemme le stelle del firmamento:

> Poscia il puro cristallo e 'l cerchio mira,
> che di stelle gemmato incontro gira.

Appellò nel canto 4 all'ott. 30 rose ed avorio, il candido
e 'l vermiglio delle guance d'Armida, attribuendo eziandio la
dolcezza al senso degli occhi, ch'è del palato:

> Dolce color di rose in quel bel volto
> fra l'avorio si sparge e si confonde.

Nel canto medesimo all'ott. 31 disse, che il bianco seno
della testé nominata Armida era di neve:

> Mostra il bel petto le sue nevi ignude,
> onde il foco d'amor si nutre e desta.

Chiamò nel canto stesso all'ott. 94 fresche brine le candi-
dezze del suo volto, e rose altresì il suo color vermiglio:

> Sì che viene a celar le fresche brine
> sotto le rose, onde il bel viso infiora.

Ma se annoverar volessi tutte le metafore e le vivezze
poetiche di Torquato e degli altri famosi nostri poeti italiani,
non mi bastarebbono tutti i numeri dell'alcebra. Voglio rap-
portar qui solo alcune metafore usate da Francesco Petrarca,
nostro antico italiano, il quale quantunque amò la purità
dello stile, nulla di meno trascende tutt'altri nelle arditezze
del metaforico.

Chiamò egli nella canz. 26 il suo cuore di smalto per la
costanza:

> Questo mio cor di smalto.

Nominò nel son. 193 vomere la penna con la quale,
arando le carte, coltivò un verde lauro, lodando le bellezze
della sua Laura:

> Vomer di penna con sospir del fianco.

Appellò nel son. 180 Giove re delle stelle:

> Anzi il re delle stelle.

E nella canz. 19 chiamollo motore delle stelle:

> Onde il motore eterno delle stelle.

Chiamò nel son. 269 stellanti chiostri i cieli:

> Per adornarne i suoi stellanti chiostri.

Come si fulmina lo sperare? come giace morto? Ed egli nella canz. 4 cantò:

> Allor che fulminato e morto giacque
> il mio sperar.

Si tessono unquemai le tenebre per farne vestimenta? Non già. Ed ei nella canzone stessa disse:

> Lunga stagion di tenebre vestito.

Appellò nel son. 184 liquidi cristalli l'acque de' fiumi:

> E 'l mormorar de' liquidi cristalli.

Ed usando la metafora stessa nel son. 63 cantò:

> O ninfe, e voi, che 'l fresco erboso fondo
> del liquido cristallo alberga e pasce.

Nominò nel son. 270 l'erbe e i fiori dolce famiglia di Zeffiro, dando anche il riso a' prati:

> Zeffiro torna e 'l bel tempo rimena
> e i fiori e l'erbe, sua dolce famiglia,
> ridono i prati.

Intender vorrei come il sole uccida i fiori e l'erba. Poiché nel son. 114 cantò:

> Pommi ove il sole uccide i fiori e l'erba.

Chiamò nel *Trionfo della Fama*, cap. 3 Tullio e Virgilio per la loro eloquenza occhi della nostra lingua:

> Questi son gli occhi della lingua nostra.

Appellò nel *Trionfo d'Amore* cap. 4 la lingua degli uomini facondi elmo, scudo, spada e lancia, usando quattro metafore in un sol verso:

> E mill'altri ne vidi, a cui la lingua
> lancia e spada fu sempre e scudo ed elmo.

Chiamò nel *Trionfo della Fama* cap. ult. i duo Scipioni veri folgori di battaglia:

> E i duo folgori veri di battaglia.

Nominò nel *Trionfo* stesso cap. I, folgori e scogli di guerra i valorosi guerreggiatori:

> Que' tre folgori e tre scogli di guerra.

Ma osserviamo le vivezze poetiche e l'arditezze de' traslati ch'usò in lodando le bellezze della sua donna. Egli nel sonetto 109 usando tre figure in un verso, chiamò verde lauro la sua donna, scherzando vagamente col suo nome:

> L'aura, che 'l verde lauro e l'aureo crine.

E nel son. 193 esaggerando le bellezze della medesima, cantò:

> Un lauro verde sì, che di colore
> ogni smeraldo avria già vinto e stanco.

La chiamò nella canz. 28 fiore delle belle:

> In quante parti il fior dell'altre belle.

L'appellò nel son. 283 fiore e lume di bellezza:

> Or di bellezza il fiore
> e 'l lume hai spento.

Nominò nel son. 125 oro fino la sua chioma, e calda neve la bianchezza del suo viso:

> La testa or fino, e calda neve il volto.

E, usando la metafora stessa nel son. 184, cantò:

> Quella ch'ha neve il volto, oro i capelli.

Né gli bastò d'aver chiamato oro fino i capegli, disse altresì nel son. 23 che doventavano d'argento:

> E i capei d'oro fin, farsi d'argento.

Chiamò nel sonetto 115 fiamme e rose il vermiglio delle gote della sua donna, e dolce falda di viva neve il suo candore:

> O fiamme, o rose, sparse in dolce falda
> di viva neve.

Qui si leggono in un solo emistichio sette arditissimi traslati. E nel son. 102 usando le metafore stesse cantò, chiamando le medesime gote rose e neve:

> E le rose vermiglie infra la neve.

Disse nel son. 168 che i suoi denti erano perle, e rose le labbra:

> La bella bocca angelica di perle
> piena, e di rose.

Appellò nella canz. 44 le sue bianche membra muri d'alabastro, tetto d'oro la chioma e finestre di zaffiro gli occhi:

> Muri eran d'alabastro e tetto d'oro,
> finestre di zaffiro.

Han mani forse gli occhi per legar gli uomini? Non mai. Ed egli nel son. 3 cantò:

> Che i bei vostri occhi, donna, mi legaro.

E con l'arditezza del medesimo traslato nel son. 47 disse:

> Da duo begli occhi, che legato m'hanno.

Appellò nella canz. 44 gli occhi armadure lucide, pungenti ed ardenti:

> Alle pungenti, ardenti e lucid'armi.

Disse nel son. 116 non solo che gli occhi della sua donna pungevano, ma che folgoravano ancora:

> Folgorar ne' turbati occhi pungenti.

E nella canz. 41 gli nominò armi, e gli sguardi saette di foco invisibile:

> L'armi tue furon gli occhi, onde l'accese
> saette uscivan d'invisibil foco.

Chiamò nel son. 125 il ciglio della sua Laura ebeno, e stelle gli occhi:

> Ebeno il ciglio, e gli occhi eran due stelle.

E nel son. 168 cantò:

> Gli occhi sereni e le stellanti ciglia.

E nel son. 259 disse:

> Ove è 'l bel ciglio e l'una e l'altra stella?

Appellò quasi infinite volte la sua donna sole. Come nel son. 21:

> Così costei, ch'è tra le donne un sole.

E nella canz. 31 usando la forza del medesimo traslato, disse:

> E i rai veggio apparir del vivo sole.

E nel son. 174 dando al sole anche l'aggiunto di dolce, cantò:

> Ivi è quel nostro vivo e dolce sole.

Più. Disse nel son. 198 che ciascheduno occhio della sua donna era un sole:

> Che dal destr'occhio, anzi dal destro sole.

E nel son. 218 parlando de' medesimi occhi, cantò:

> L'un sole e l'altro.

Chiede Ella metafora più grande, quando Anassimandro presso Plutarco *De Placit. Phy.* affermò, che il sole sia molte volte della terra più grande? Vorrei che s'imitasse tant'uomo in usar simiglianti bellezze e forme di scrivere, non quando rade il suolo, o cade. Posciacché, quantunque faccia volamenti di meraviglia, mostrando la vivacità del suo divino ingegno, nulladimanco, come uomo, soventi volte è caduto, conforme han divisato il Tassoni, il Muzio e 'l Castelvetro. Ma taluni affettano d'imitarlo con versi smunti e dislombati, a simiglianza degli adolatori di Filippo, re della Macedonia, i quali sapevano imitar quel gran monarca quando nella reggia camminava sciancato, non già quando fra le battaglie volava più veloce d'un fulmine. Disfacitori delle vivezze poetiche, cercano il disformamento delle loro venustà. Pubblicando composizioni sincopizanti, si osservano aride più delle secche dell'Affrica. Ingannati da giudizii fallaci, credono di star fermi in alto paraggio, ma precipitar si veggono tra stucchevoli bassezze. Simigliano cotestoro certi popoli della Germania, mentovati da Tacito nel tredicesimo degli *Annali*, che, abitando le parti più basse della terra, si vantavano d'esser più di tutti gli altri vicino al cielo. Cultori poco esperti di Parnaso, proccurano barbaramente di rendere quelle vaghe amenità solitudini diserte. Trasandando la cultura de' fiori e de' frutti di que' deliziosi verzieri, vi cultivano solamente lappole e lambruschi; simiglievoli a quel tiranno di Roma, il quale, obliando le rose, cultivava solo negli orti penduli cicute ed aconiti. Non basta l'accumular dovizie di libri ne' ciscranni, per esser buon poeta. Bisogna tuttafiata impallidir su' volumi fra le lucubrazioni, a uso de' Bianti, per apprender con l'imitazione de' migliori l'idee del buono. Fu ludibrio del mondo, racconta Luciano, quel Dionisio, il quale, comperatesi le carte dove Eschilo scriveva le sue tragedie, pensava d'esser divenuto più che poeta. A' miei libri, che non cantano i metri d'Agatone, notati da Suida, vaghi sol per l'udito, bastano gli elogi d'un Caramuele, ch'è tutto intelligenza. Vuol Pittagora che delle poesie far si debba giudizio con lo 'ntelletto, dove allogò la sede dell'anima. E con l'anima la riverisco.

Di Napoli a 4 di marzo del 1680.

GIOVAN FRANCESCO LOREDANO

I

AL P. F. CLEMENTE BARERA, PADOVA

I gran volumi sono le delizie degli oziosi, ma non i gran poemi. La poesia nel nostro secolo è arrivata a un segno, che quando non piace nel poco, nausea nel molto. I versi al presente vogliono essere tutti sale; ma l'usarne di soverchio è un guastare i cibi ed un provocare superfluamente la sete. I molti poeti hanno reso sprezzabile la poesia, perché l'uso addomesticando le cose lieva la maraviglia. Mi perdoni dunque se li rimando il poema senza averlo veduto, perch'è troppo prezioso il tempo nel perderlo senza guadagno. Il far la *Turcheide* in questi tempi è un dichiararsi nemico de' Cristiani. Con che ecc.

Da Venezia.

II

AL SIGNOR OTTAVIAN CONTARINI, VENEZIA

Sono in Vigo d'Arzere a godere le benedizioni d'un'aria felice: e le delizie d'un sito suburbano. La quiete è il primo trattenimento; e 'l non far niente il mio maggior impiego. Qui l'ambizione non ruba l'ore al riposo; né i clienti m'alterano gli affetti. Il cibo e 'l sonno non dipendono che dagl'impulsi della natura; che invigorita sotto la bontà di questo cielo, non si risente punto dell'ingiurie del tempo. Io non mi maraviglio che Diocleziano preferisse i cavoli del suo giardino ai tributi dell'imperio; mentre rinonciarei ad ogni più superba porpora per lo verde di questi prati. E se bene Vigo d'Arzere non è una di quelle ville decantate dall'antichità; se bene i Lucili, i Ciceroni ed i Seneca sdegnarebbero passeggiarla; se bene il Padovano ne tiene in suo territorio di più deliciose e più grandi, non per questo resta d'esser arricchita de' doni e delle felicità del signor Dio; avendo senza i sudori dell'arte i fiumi ed i monti vicini. Non è però senza qualche freggio di nobiltà; mentre i rovinosi avanzi d'una grandissima torre la distinguono dall'altre ville. È fama esser stata stanza d'Ezelino di Romano; e che per strada sotterranea (della quale n'appariscono segni evidenti) egli corresse a Padova, a Bassano, a Cittadella ad insanguinare le sue crudeltà. Altri vogliono che una regina d'Ungheria, fuggendo l'inquietudini del proprio paese, qui venisse a consolare i suoi riposi ed a prolongare la vita; accorciata molte volte più dall'angustie dell'animo che dalla moltiplicità degli anni. La mia casa è più commoda che ricca; se bene l'architetura non è del Palladio, né del Scamozzi, non resta per questo di non tenere la precedenza tra tutte l'altre. Il sito la rende soggetta all'invidia, quando alla struttura le fosse levata ogni apparenza di bello. L'acqua che le scorre vicino e gli alberi che la circondano, nella maggior ardenza del sole le fanno godere l'ombre ed il fresco; il lume è qui senza calore, e la primavera e l'estate. Sopra una porta della mia casa io trovo ogni maggior consolazione, passando ad ogni momento così gran numero di persone di qual si voglia condizione che la strada publica ha sembianza di mercato. Se i movimenti della mia anima m'obbligano alla solitudine, mi fermo sopra d'un'altra che corrisponde alla campagna. Quivi senza compagnia e senza osservazione godo di me stesso. Se piango o rido, non temo l'altrui censura; e mi compiacio che i miei deliri non abbino altri testimoni che 'l cielo e le bestie. La Brenta, che quasi mi circonda, è un fiume così benefico, che nell'istesso punto che adirato minaccia diluvi, rende più fertile la terra. I pesci, ch'egli ci detta, sono egualmente copiosi e delicati, onde riescono sempre desiderabili, ancorché non siano rari. Insomma

egli è un paese che si può più ammirare che descrivere. Ha
tante rarità che confondono il giudicio; come le stelle nel
cielo fanno prevaricare gli occhi. Io l'ho scelto per consa-
crargli gl'impieghi più dolci della mia anima. E se potrò
giammai staccarmi col corpo d'onde sono lontano col desiderio, voglio sagrificarle tutte quell'ore che stimerò più soavi,
perché saranno l'ultime, e più gradite, perché le riconoscerò
per mie. Mi continui V. S. il suo amore, ancorché lontano;
mentr'io sarò sempre di V. S. ecc.

Da Vigo d'Arzere.

III

AL SIGNOR PIETRO MICHIELE, BURANO

Il convito del Serenissimo Molino è stato in verità così superbo che non si può descrivere. Si sono unite le cose più delicate dell'oriente e dell'occidente, accioché l'arte trionfasse
della natura. Gli elementi impoveriti de' cibi più delicati ri-
verivano quelle tavole, come un cielo di tutte le delizie. Lo
stemprar le perle non poteva far più ricco l'apparecchio, dove
la moltiplicità de' regali di prezzo rendeva tutte le vivande
preziose. Ogni cosa era preparata non per estinguer la fame,
ma per irritarla. I pesci e le carni avevano cangiata sostanza
e natura. Le machine e le chimere di zucchero superavano
l'imaginazione e stancavano con la moltiplicità l'appetito. I
frutti prima della stagione erano le cose più ordinarie perché
erano naturali. L'occhio nella novità delle comparse alle volte
fermava gli altri sensi e la confusione accresceva il godimento
con l'allungarlo. Se ai cuochi in Atene venivano decretati
publici onori, i maestri del presente convito meritarebbero
altari e sacrifici. Direi di più, quando la descrizione non fosse
più impossibile che temeraria. Mi creda che le tavole di Lu-
cullo hanno avuto maggior fama, ma non maggior pompa.
Aggradisca ciò, che tumultuariamente per ubbidire al suo
comando, le porge la penna; e mi conservi di V. S. ecc.

Da Venezia.

LIRICHE

CLAUDIO ACHILLINI

I

Loda il gran Luigi re di Francia
che dopo la famosa conquista della Roccella
venne a Susa e liberò Casale.

Sudate, o fochi, a preparar metalli,
e voi, ferri vitali, itene pronti,
ite di Paro a sviscerare i monti
4. per inalzar colossi al re de' Galli.
Vinse l'invitta rocca e de' vassalli
spezzò gli orgogli a le rubelle fronti,
e machinando inusitati ponti
8. diè fuga ai mari e gli converse in valli.
Volò quindi su l'Alpi e il ferro strinse,

I. — 1. Il poeta si rivolge ai fuochi delle fucine perché s'affrettino a preparare strumenti metallici, ferri (detti *vitali* cioè lavorati, non grezzi, e tali da
servire al lavoro, all'attività e alla vita dell'uomo; e, dunque; anche: *operanti,
animati*).

3. *Paro*: isola celebre per il suo candido marmo, detto appunto pario.

5-8. La Roccella (*l'invitta rocca*) tenuta dagli Ugonotti (i *vassalli* dalle *rubelle fronti*) cadde (il 28 ottobre 1628) dopo un lungo assedio, che poté avere
effetto solo mediante la costruzione, voluta dal Richelieu, di una diga (gli
inusitati ponti) che, partendo dalle due estremità del braccio di mare sul quale
sorgeva la città, riuscì a bloccarla dalla parte del mare da cui giungevano i rifor-
nimenti della flotta inglese nettamente superiore alla flotta francese, impari ad
un valido assedio (mediante la diga il mare venne così fugato, allontanato,
dalla città, trasformato in una chiusa insenatura, in una *valle*).

9-11. Durante l'assedio di Casale condotto dagli spagnoli alleati di Carlo
Emanuele I contro il nuovo duca di Mantova e di Monferrato, Carlo di Gonzaga
Nevers Rethel, i francesi, già discesi in favore di quest'ultimo e respinti nel-
l'estate del 1628, ridiscesero sotto la guida di Luigi XIII e del Richelieu, liberi

e con mano d'Astrea gli alti litigi,
11. temuto solo e non veduto, estinse.
     Ceda le palme pur Roma a Parigi:
     ché se Cesare venne e vide e vinse,
14. venne, vinse e non vide il gran Luigi.

II

Orti vaticani, ne' quali si veggiono effigiate sugli olmi le statue
degli Alcidi, degli Apostoli Pietro e Paolo, e s'ammirano le navicelle
formate sui mirti. S'accennano quindi, con perpetua allegoria, le
grandezze e lo stabilimento della Chiesa Romana, alla cui fede si
sono converse nazioni di tutto 'l mondo.

     Sugli olmi vaticani alzan le clave
     i verdi Alcidi, ond'ogni mostro cade;
     verdeggiano de' Paoli in man le spade;
4.   e Pietro cresce a sostener la chiave.
     Se mai cangiata in turbo aura soave
     sveglia tempeste a l'odorate strade,
     le procelle sommerge e l'onde rade
8.   sovra il mirto d'Amor provida nave.
     Il Borea e l'Austro i bei giardini infiora;
     s'infiorò qui l'occidental mio giglio;
11. e verrà per fiorirvi un dì l'aurora.
     Ridono questi fior d'ogni periglio;
     e la vespa che gli orti infetta e sfiora
14. fugge de l'ape trina il giusto artiglio.

dall'assedio della Roccella, nella primavera del 1629, travolsero a Susa la resi-
stenza piemontese e trattarono con Carlo Emanuele la liberazione di Casale.
10. *Astrea*: dea della giustizia.

II. — 9. *Borea* e *Austro* (nome dei due venti che soffiano rispettivamente
dal nord e dal sud) stanno a indicare i paesi settentrionali e meridionali, come
poi l'*occidental mio giglio* sta ad indicare la Francia (i gigli d'oro erano il segno
araldico della casa di Francia. Si ricordi DANTE, *Paradiso*, VI, 100: « L'uno al
pubblico segno i gigli gialli Oppone »), e l'*aurora* l'oriente (i paesi mussulmani
che si convertiranno un giorno, nell'augurale visione del poeta, al cattolicesimo).
14. *l'ape trina*: il papa Urbano VIII, sul cui stemma stavano tre api.

III

Nascita del dì d'aprile.

    Fuggìan del verno i rigidi martiri,
e la stagion de' redivivi odori,
fra le gioie del mondo e fra i respiri,
4. figliava il dì d'aprile in mezzo ai fiori.
    Progne, per farne a quel bambino onori,
segnava in cielo armoniosi i giri;
i Zefiri novelli e i nati Amori
8. prendean da quella cuna archi e sospiri.
    Più d'ogn'altro mostrò materno il zelo
l'acqua, che corse ad allattar quel nato,
11. sciolta pur or da la prigion del gelo.
    Lieto fanciul, se ti fu culla il prato,
se di viole il crin ti cinse il cielo,
14. morirai fra le rose un dì beato.

IV

Altezza esaggerata del monte Apennino.

Al sig. Ercole Gualandi suo meritevolissimo e dolcissimo amico.

    Ecco il padre de' boschi alto Apennino,
che il verdeggiar de la sua bella fronde
nel ceruleo del ciel quasi confonde,
4. cotanto erge a le stelle il crin vicino.
    Bel monarca de' monti, il capo alpino
par che di viva maestà circonde,
sdegni lo scettro e la corona altronde,
8. che corona è la quercia e scettro il pino.
    Qui temerei che non si stracci o svella
(tanto giran vicin gli astri a la selva)

III. — 5. *Progne*: la rondine.

11. di Berenice il crin, ma fatto è stella.
　　　Qui da Sirio cacciata esser la belva
　　　paventarebbe pur, ma cauta e snella
14. schifa i chiari perigli e si rinselva.

V

Tornato di Roma spiega ch'egli gode in una selva
che si specchia nel fiume Reno
al signor Gasparo Ercolano suo antico e religiosissimo amico.

　　　Siedo al rezzo gentil di selva antica
　　　che se stessa nel Ren pinge e vagheggia,
　　　or che il sol bacia Sirio e ne fiammeggia
4. ed arde quasi la campagna aprica.
　　　Qui par che il fiume in suo tenor mi dica:
　　　De' bei riposi tuoi questa è la reggia;
　　　qui pur sui colli del tuo cor verdeggia
8. la fronda degli ulivi al cielo amica.
　　　Gasparo, io sento in su l'ombrosa riva
　　　mormorando recarmi il picciol Reno
11. la pace, che col Tebro al mar fuggiva.
　　　Così l'ore tranquille e quel sereno,
　　　cui l'aprico di Roma a me copriva,
14. svelato godo a le bell'ombre in seno.

IV. — 11. *Berenice* offrì la propria chioma nel tempio di Venere, di dove essendo scomparsa, si formò la leggenda che Venere l'avesse trasformata nella costellazione che prese per l'appunto il nome di « Chioma di Berenice ».
12. *Sirio*: stella della costellazione del Cane Maggiore.

V. — 3. Quando Sirio sorge e tramonta con il sole, dal 21 luglio al 26 d'agosto, si ha il maggior caldo, la canicola (Sirio è la stella più grande della costellazione del Cane maggiore, e si chiamava appunto canicola).

VI

Scherza intorno alla primavera, per quando le foglie degli alberi
sono sì picciole che non hanno ombra continuata,
ma quasi ricamano la terra.

    Or che del sol più temperato è il raggio,
il fiume che dormia fra bei cristalli
si sveglia e segue in sugli obliqui calli,
4.   garrulo peregrino, il suo viaggio.
    Saluta l'usignuolo in suo linguaggio
april, che tanti fior vermigli e gialli
semina su le piagge e su le valli,
8.   vago forier d'un odorato maggio.
    E perché d'ombre il pastorel s'invoglia,
a lo spirar di placid'aura i' veggio
11.   che verde il bosco a quel desio s'infoglia.
    E dice: A te m'inchino, a te verdeggio;
e l'ombre mie la giovinetta foglia
14.   tesse col sole e ti ricama il seggio.

VII

Bellissima mendica.

    Sciolta il crin, rotta i panni e nuda il piede,
donna, cui fe' lo ciel povera e bella,
con fioca voce e languida favella
4.   mendicava per Dio poca mercede.
    Fa di mill'alme, intanto, avare prede
al fulminar de l'una e l'altra stella;
e di quel biondo crin l'aurea procella
8.   a la sua povertà togliea la fede.

VI. — 1. Più che in altre stagioni, in primavera il sole è né troppo freddo
né troppo caldo.

VII. — 6. *l'una e l'altra stella*: gli occhi.

    — A che fa — le diss'io — sì vil richiesta
la bocca tua d'oriental lavoro,
11. ov'Amor sul rubin la perla inesta?
    Ché se vaga sei tu d'altro tesoro,
china la ricca e preziosa testa,
14. che pioveran le chiome i nembi d'oro.

VIII

Amante paragona il suo stato amoroso al filatoio.

Al signor Antonio Lamberti.

    Qui nel torcer del corso il fiume irato
urta mole filante e in cerchio tira,
e de l'umana ambizion si mira
4. quasi girar su questa sfera il fato.
    L'ordigno reo di tante rote armato
ingegnosi martiri intorno gira,
e le viscere sue quinci sospira
8. e filate e contorte, il verme alato.
    Lamberti, quella fera, ond'io mi moro,
da le rote superbe impara e toglie,
11. per tormentarmi, il barbaro lavoro.
    E tiranna crudel de le mie voglie
mentre per umiltà verme l'adoro,
14. mi fila in pianti e mi contorce in doglie.

---

9. *A che fa... sì vil richiesta...?* : perché richiede cosa di così poco valore?
10. la tua bocca che è un lussuoso gioiello.

VIII. — 2. *mole*: macchina; *urta... e in cerchio tira*: urta e fa girare.
    5. *reo*: crudele per il *verme alato*, per il baco da seta, per il quale fa girare *ingegnosi martiri*: i filatoi che dipanano i fili dai bozzoli.

IX

La mina.

    Entra per nera e sconosciuta bocca
fin sotto al muro ostil duce tiranno,
e con industre e vigilato affanno
4. v'aggiusta un muto foco e poi ne sbocca.
    Ma non sì tosto una favilla tocca
l'incendioso e prigioniero inganno,
che in un solo momento, eterno al danno,
8. crepa il suol, tuona il ciel, vola la rocca.
    Portai del cor nel più secreto loco
semi di foco e ne cercai lo scampo
11. per non esser d'un cieco e scherzo e gioco.
    La favilla d'un bacio accese il lampo
in su la mina e publicossi il foco;
14. ed ecco Amor trionfatore in campo.

IX. — 4. *muto foco*: la polvere e la miccia che non ancora divampate, prima della detonazione, sono appunto *muto foco*.

GIROLAMO PRETI

I

Bella donna a cavallo.

Frenava il mio bel Sol vago destriero,
ch'avea di neve il manto, il crin d'argento;
movea veloci i passi a par del vento
4. e insuperbia di sì bel pondo altero.
Pronto di bella man seguia l'impero,
a la sferza, a la voce, al cenno intento;
dorato il morso avea, spumoso il mento,
8. lungo il crin, curvo il collo, il cor guerriero.
Sovra un colle di neve un fior parea
colei, ma per odor spirava ardori,
11. ed ogni cor fra quelle nevi ardea.
Parean le Grazie e i faretrati Amori
ministri a lei d'intorno; ella pungea
14. con lo sprone il destrier, col guardo i cori.

II

Rose impallidite.

Ite in dono a colei, pallide rose,
a cui l'alma donai senza mercede;

I. — 10. Invece di diffondere, come i fiori, profumo diffondeva vampate
d'amore.

e poi che 'l mio penar non cura o crede,
4. siate del mio morir nunzie amorose.
    Vidi voi d'ostro già tinte e pompose,
    d'ostro che 'l labro suo forse vi diede;
    ora il pallor di morte in voi si vede,
8. imitatrici del mio duol pietose.
    Dite, se pur vi mira e se v'accoglie,
    ch'io son mal vivo e sarò tosto esangue,
11. come voi moribonde aride foglie;
    e se 'l vostro color pallido langue,
    ella ravvivi l'odorate spoglie
14. con l'onda del mio pianto e del mio sangue.

III

Un pastore descrive l'amenità di un luogo e le sue pene amorose.

    Un rio, qui gorgogliando in fra le sponde,
    con tributo d'argento al Ren deriva;
    qui fa un'ombrella il platano e l'oliva,
4. rami a rami intrecciando e fronde a fronde.
    Al garrir degli augelli Eco risponde;
    qui tempra un venticel l'arsura estiva;
    molle il suol, fresco il rio, verde è la riva;
8. qui fan letto l'erbette e specchio l'onde.
    Quanti augelletti, o Cinzia, ascolti e miri,
    in quel linguaggio lor pianger, cred'io,
11. della fierezza tua, de' miei martiri.
    Anzi, mossi a pietà del dolor mio,
    vanno emulando i pianti e i miei sospiri,
14. spirando l'aura e mormorando il rio.

II. — 5. *ostro*: porpora.
III. — 2. *deriva*: volge il corso.

IV

Un pastore descrive un luogo, dove la sua ninfa stava sollazzandosi.

Là 've quel monte infin al ciel inalza
la frondosa di querce ispida schiena,
e par che regga il debil fianco appena
4. quella d'alti dirupi orrida balza;
   là stassi Cinzia, e leggiadretta e scalza
con l'orme del bel piè stampa l'arena,
dove quel rio da cavernosa vena
8. sbocca di grembo al monte e al piè gli balza.
   Mira, o Tirsi, colà come lasciva
or bagna il suo bel viso ed or le piante
11. ne l'onda cristallina e fuggitiva.
   I' giurerei che quella rupe amante
è di lei fatta, e quella fonte viva
14. è di pianto amoroso onda stillante.

V

Un pastore invita la sua ninfa alla montagna.

Cinzia, colà tra quelle balze alpine
stassi la mia capanna, opaca, ombrosa;
la difende dal ciel quercia frondosa
4. e le fan mura intorno ortiche e spine.
   Giace un mio giardinetto in quel confine,
ch'ha una veste di fior varia e pomposa;
la calta, il croco, il gelsomin, la rosa
8. daran fregi al tuo sen, ghirlande al crine.
   Là scaturisce un'onda in grembo al monte,
nel cui specchio potrai limpido e schietto

IV. — 4. quella rupe orrida per gli alti precipizi.
V. — 5. confine: parte.
7. calta: fiore di colore giallo.

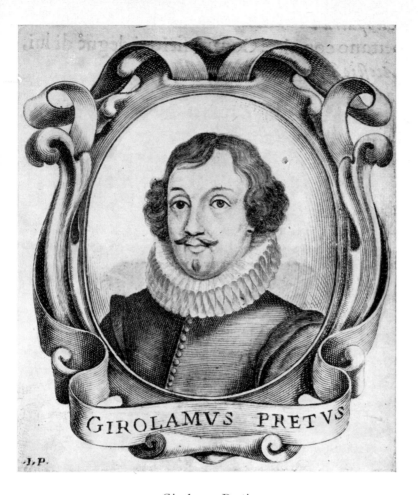

Girolamo Preti

(Da *Le glorie degl'Incogniti*, Venezia, 1647).

11.   mirar quanto se' bella, ornar la fronte.
       Così, tu stessa a' tuoi begli occhi oggetto,
       vedrai qual sia maggior, giudice il fonte,
14.   l'ardor de le tue luci o del mio petto.

VI

Fontana di Paolo V nella piazza di San Pietro in Roma.

       Ondosa mole, ognor d'acque feconda,
       a piè del Vaticano il capo estolle.
       L'alto di spuma è biancheggiante: e l'onda
4.   benché gelida sia, gorgoglia e bolle.
       Quasi corona, il marmo orna e circonda
       misto a perle stillanti argento molle.
       Cade un fiume d'intorno, e l'aria inonda;
8.   e par che procelloso ondeggi un colle.
       Meraviglie di Paolo: i marmi e i monti,
       novo Encelado santo, inalza e muove,
11.   e trae, novo Mosè, da pietre i fonti,
        e mentre è il ciel sereno, il nostro Giove,
       che i torrenti sotterra al cenno ha pronti,
14.   gl'inalza, e senza nubi i nembi piove.

VII

Ruine di Roma antica.

       Qui fu quella d'imperio antica sede,
       temuta in pace, e trionfante in guerra.
       Fu: perch'altro che il loco or non si vede;

VI. — 10. *Encelado*: uno dei giganti che tentarono la scalata al cielo
(sovrapponendo al monte Pelio il monte Ossa e a questo l'Olimpo, e di qui
lanciando macigni contro il cielo) per cacciarne Giove; *santo* è il nuovo Encelado per l'intenzione pia che lo anima.

4.   quella, che Roma fu, giace sotterra.
    Queste cui l'erba copre e calca il piede,
fur moli al ciel vicine, ed or son terra.
    Roma che 'l mondo vinse, al tempo cede
8.   che i piani inalza, e che l'altezze atterra.
    Roma in Roma non è. Vulcano e Marte
la grandezza di Roma a Roma han tolta,
11.   struggendo l'opre e di natura e d'arte.
    Voltò sossopra il mondo, e 'n polve è volta:
e tra queste ruine a terra isparte
14.   in se stessa cadeo morta e sepolta.

VIII

Fra la solitudine della villa biasima la corte.

    Verdi poggi, ombre folte, ermi laureti,
perpetui fonti, limpidi ruscelli,
mormoranti e canori aure ed augelli,
4.   vaghe piagge, odoriferi mirteti;
     antri e silenzi solitari e queti,
valli romite e boschi orridi e belli,
tremule fronde, teneri arbuscelli,
8.   siepi rosate, pallidi oliveti;
     oh quanto or godo, abitator selvaggio,
più che morta speranza, un verde vivo,
11.   più che regio splendor, l'ombra d'un faggio!
     Deh, quanto più qui desiando vivo
povera libertà ch'alto servaggio,
14.   più che sete d'onor, sete d'un rivo!

VII. — 9. *Vulcano e Marte*: gli incendi e le guerre.

VIII. — 9. *abitator selvaggio*: abitatore della selva.
10. *morta speranza*: speranza senza successo è quella del cortigiano.

CESARE ABBELLI

I

Fatto ai raggi del sol maturo alfine.

Fatto ai raggi del sol maturo alfine,
de la feconda vite il biondo incarco
omai del grave peso incurva l'arco,
4. perché si sciolga il pampinoso crine.
    La vite che pur dianzi in sul confine
d'april, d'erbe e di fior gravido e carco,
degli occhi aprendo il lagrimoso varco
8. pianse l'ira del verno e le pruine,
    già ride; e mentre da la verde treccia
lieto cultor su le ramose braccia
11. i bei racemi ad or ad or distreccia,
    gioir, Fillide, impara; e perch'io faccia
poi vendemmia d'amor, meco t'intreccia,
14. come vite gentil ch'il tronco abbraccia.

II

Rosa caduta di bocca a bella donna, e dalla medesima calpestata.

Colta su l'alba una vermiglia rosa
fra due labbra di rose emula ardea,

I. — 7-8. È l'umore emesso in primavera dalle viti.
11. *racemi*: grappoli.

  e al nettare divin ch'indi bevea
4. superbìa vaneggiando ebra amorosa.
  Talché del suo natal schiva e sdegnosa,
  per sì bel loco tumida, dicea:
  — No, no, che dal vil piè di Citerea
8. non vien la stirpe mia chiara e famosa.
  Ma cadde il fior superbo in questo punto,
  e per sventura sua misero a sorte
11. fu dal piè di colei pesto e consunto.
  Risesi Amor, che 'l vide; e gridò forte:
  — Or via, gran donna, da quel piede a punto
14. da che non vuoi la vita abbi la morte.

III

Alla luna andando di notte alla sua donna in villa.

  Scorgimi pure al desiato tetto,
  luna gentil, dov'il mio ben s'accoglie;
  scorgimi pure a le beate soglie
4. di quel fortunatissimo ricetto.
  Di quanto i' deggio al tuo cortese affetto
  darti mai segno il mio destin mi toglie,
  ma fin di là dal fiume onde si scioglie
8. ogni membranza, io te membrar prometto.
  Pur che là giunto poi, cortese lume,
  questi tuoi chiari rai spenti o nascosi,
11. te ne vada a corcarti entro a le piume;
  ch'oltre che turberesti i miei riposi,
  se pur di castità sei diva e nume,
14. non lice a te mirar furti amorosi.

  II. — 5. *del suo natal*: della sua nascita dal sangue di Venere, punta a
un piede.

  III. — 7. fin oltre il fiume dell'oblio, oltre il Lete; oltre la morte dunque.
9. *là*: alla casa della donna.

TIBERIO SBARRA

I

Ecco, Lilia, ch'intorno austro gradito.

Ecco, Lilia, ch'intorno austro gradito
d'atre nubi ricopre il ciel sereno;
odi strider la rana, e quel baleno
4. mira, ch'appar colà dov'io t'addito.
   Segni che pio vapore insiem'unito
vuol'omai ristorar l'arso terreno,
ed a quelle delizie aprire il seno,
8. che fan sì largo e generale invito.
   Pendon l'uve mature, il fico pende,
l'augellin con la ragna, e la pernice
11. con la rete e col can tosto si prende.
    Godiamo or la stagion lieta e felice,
e se d'altro diletto il cor s'accende
14. impedimento alcun non ce 'l disdice.

II

Quella importuna gazza, ohimè, Licori.

Quella importuna gazza, ohimè, Licori
non l'odi tu, che strepita su 'l pero?

I. — 10. *ragna*: tipo di rete per prendere uccelli.

Indizio è, lasso, indubitato e vero,
4. che l'alba vien dal mar indico fuori.
   Poco tardar potran Licida e Clori,
   de la cui vigilanza io mi dispero,
   a sorger, che non altro è lor pensiero
8. ch'uscir prima di Filli a corre i fiori.
   Tal che s'io più sto teco elle vedranno
   il partir mio furtivo, e poi sovente
11. a le nostre delizie onta faranno.
    Vano instinto saria d'incauta mente
    a lasciar il piacer di mese o d'anno,
14. per un attimo sol di ben presente.

III

Questo bel panierin, di fiorfiorelli.

Questo bel panierin, di fiorfiorelli
ricinto, e pien di fragole e di rose
che Filli ha per te colte, e con ascose
4. maniere esalta i tuoi sembianti belli,
   cara Lilia, io ti dono. I fior novelli
   non dimostran però tutte le cose;
   ché son le luci tue stelle amorose,
8. né l'immitan del Reni anco i pennelli.
   De le chiome non parlo, ella nei prati
   non ha fior di ginestre: usò le fraghe
11. per l'essenzia gentil de la tua bocca;
    ché son le labra tue com'esse vaghe
    e ravvivan gli spirti arsi e gelati,
14. con quel misto sapor che ne trabocca.

II. — 12. *instinto*: impulso, risoluzione impulsiva.

III. — 3-4. *con ascose Maniere*: in maniera simbolica.
8. Guido Reni, il celebre pittore del seicento.
9. per indicarne la qualità.
14. *misto sapor*: sensazione di calore e di frescura.

FRANCESCO DURANTE

I

Ancor di ghiaccio al piè catene algenti.

Ancor di ghiaccio al piè catene algenti
porta, di Borea prigioniero, il fiume?
De la quercia e del faggio ancor le brume
4. al torto crin fan rigidi ornamenti?
Con la ferza già pur de' raggi ardenti
l'auree lane al Monton batte il gran lume;
né fiato ancor, che tanto orror consume,
8. mandan per questo ciel tepidi venti.
Aura, ch'a la stagion più lieta ognora
stata se' duce, il tuo spirar sì grato
11. omai deh movi, e ci rimena Flora.
Strisciando angue di vetro il rio gelato
fugga, e con lui fuggan le nevi, e mora
14. il verno fier, ché 'l bell'aprile è nato.

I. — 5-6. Il sole (*il gran lume*) sta per entrare nella costellazione del-
l'Ariete, nel primo segno dello Zodiaco, dove si trova appunto nell'equinozio
di primavera.
9. *Aura*: zefiro.

ANTONINO GALEANI

I

Or ch'immenso il calor sembra che smaghi.

    Or ch'immenso il calor sembra che smaghi
l'erba, ch'il verde imbianca e 'l crine arriccia,
e stanco il sole a la stagione arsiccia
4. beve assetato anch'ei torrenti e laghi;
    ben l'acqua prender puoi, Lidia, onde allaghi
questa degli orti tuoi terra massiccia,
ch'a' miei sì fresca e zampillante spiccia,
8. un guardo solo, e nulla più, che paghi.
    Forse ciò sprezzi perc'hai sempre avanti
mille ruscelli tributari, a cui
11. sono fonti inesausti occhi d'amanti.
    E pur seccan questi orti a' danni tui:
ma ben ti sta: ch'ancor in mezzo i pianti
14. inaridir fai le speranze altrui.

II

Festeggiano le squille, Egle, a vicenda.

    Festeggiano le squille, Egle, a vicenda,
ritorna a queste ville il dì festivo;

I. — 1. *smaghi*: infiacchisca.
6. *massiccia*: indurita per la siccità.

II. — 1. Le campane dell'Avemaria suonano a festa l'una dopo l'altra.

a' nostri balli il cittadin lascivo
4. verrà pomposo, onde l'incaute accenda.
    D'Amarilli tu sai: pria ch'ei te prenda,
prendi tu lui, più di lei cauta, a schivo;
diman fia 'l suo partir, s'oggi è l'arrivo,
8. ch'a variar piacer sempre è che attenda.
    Nol mirar, se di sete ei coloreggia;
nol curar, se col piede or gira or striscia;
11. nol sentir, se con man molle tasteggia.
    Anch'ella agile al moto, al tatto liscia,
e variata di color pompeggia,
14. ma velenosa è poi su 'l fin la biscia.

III

Là tra i giunchi palustri e l'alga immonda.

    Là tra i giunchi palustri e l'alga immonda
odi gracchiare, o Filli, in strana foggia,
figlia del fango e de l'estiva pioggia,
4. quella verde loquace in grembo a l'onda.
    O che 'l più cupo gorgo in sen l'asconda,
o nuoti all'aure o s'in pantano alloggia,
inver' la sponda avidamente poggia,
8. se mai face apparir vede a la sponda.
    Purché godano gli occhi al caro lume,
dimenticata ogni contraria sorte,
11. v'arde il cor di desio, se non ha piume;
    né cura o vede che quel raggio acceso
è fiaccola parata a la sua morte...
14. Tal de' tuoi lumi al lume anch'io fui preso.

3. *lascivo*: piacente.

III. — 4. la rana.

11. *se non ha piume*: se non ha ali.

LUDOVICO TINGOLI

I

Brama che si sconci il tempo perché la sua donna torni di villa.

Ne' boschi è l'idol mio: finché tu ridi,
invido ciel di chiare tempre adorno,
spegnere il pianto mio col suo ritorno
4. non è che la speranza egra confidi.
Deh movi, Austro gentil, dai mauri lidi
di sonore tempeste orrido il corno;
involvi d'atre bende i climi intorno,
8. porta in aria Nettun co' flutti infidi.
Spero tregua ai sospir sol dal tuo fiato,
luce a l'orbo desio dal tuo baleno,
11. pace dai tuoi tumulti al cor turbato.
Sta la mia calma a tue procelle in seno,
sol da' tuoi nembi attendo il Sole amato,
14. solo da le tue nubi il mio sereno.

I. — 1. *ridi*: sei sereno.
2. *tempre*: colori.
5. *Austro*: vento del sud che spira, appunto, dai lidi mauri, cioè africani.
7. *climi*: regioni.

II

Brutta donna adorna di gran gioie.

    Costei cui sol di tenebre e d'orrori
natura acherontea veste e circonda,
osa intorno spiegar quanti ne l'onda
4. del Gange e del Pattol nascon fulgori.
    Spargon le chiome e 'l labbro ombre e squallori,
e d'oro e di rubini il braccio abbonda;
invece che lo sguardo i rai diffonda,
8. sfavillano dal sen compri splendori.
    La perla, onde la bocca orba notteggia,
a l'orecchia plebea quasi per scherno
11. pende, ed intorno al nero collo albeggia.
    Ma che stupir, s'è pur decreto eterno
ch'ove ricco tesoro arde e lampeggia,
14. ivi custode sia spirto d'Averno?

III

A donna imbellettata.

    Non son que' gigli e quelle rose ardenti,
che spieghi al viso alter, tue primavere;
non son, donna sleal, di tue miniere
4. gli ori, ond'abbagli al crin gli occhi e le menti.
    Pellegrini liquor, polvi lucenti,
speziosi veneni, erbe straniere
d'indiche piagge e di contrade ibere,

II. — 2. *acherontea*: infernale.

4. Pattolo: fiume della Frigia nel quale, dopo che Mida vi si bagnò per liberarsi dalla sua tragica facoltà di convertire in oro quanto toccasse, si diceva che scorresse abbondante l'oro.

III. — 6. *speziosi*: speciosi, artificiosi, che conferiscono solo un'apparenza illusoria di bellezza.

8.   son del volto infedel pompe apparenti.
       Ma da dura prigion scuotersi mai
       uom che mercò col falseggiar degli ori
11.   senza pena crudel io non mirai.
       E s'ha il regno d'Amor giusti rigori,
       te pur vedrò punita, empia, che vai
14.   con sì falsa beltà comprando i cori.

IV

Bella ricamatrice.

       Per tesser al meriggio inganni illustri,
       giardiniera d'un vel, la dea ch'adoro
       spargea con man di neve e di ligustri
4.   sovra un serico aprile un maggio d'oro.
       Tanto avvivava più nel bel lavoro
       fior non caduchi per girar di lustri,
       fior che Tempe non vide o l'orto moro,
8.   quanto più li feria con gli aghi industri.
       — Vergognar, le diss'io, bella, voi fate
       natura a sì bell'arte e gli elementi,
11.   ove le tele a vegetar forzate.
       E cresce lo stupor, che sì ridenti
       e vive primavere anco spiegate
14.   sotto i torridi rai degli occhi ardenti.

IV. — 7. *Tempe*: valle della Tessaglia; *l'orto moro*: il giardino delle Esperidi.

Ludovico Tingoli

(Da *Le glorie degl'Incogniti*, Venezia, 1647).

FILIPPO MARCHESELLI

I

In morte di bella donna.

Non sempre aspetta del decembre algente
le brume annose l'implacabil Parca,
ma con taglio importun la falce innarca
4. sui più robusti fior d'april ridente.
Fatale arbitrio d'Atropo inclemente
se può di Stige anticipar la barca,
in van ti gonfi, in van d'orgoglio carca
8. oblii l'avello, o Gioventù dolente.
Ecco in tragica selce un Sol si chiude,
che dai meriggi suoi con fosco esiglio
11. cadde ignudo di raggi a l'ombre ignude.
D'una guancia e d'un sen la rosa e 'l giglio
sol serve a fiorir tombe, e solo allude
14. de la morte i trofei l'arco d'un ciglio.

I. — 2. *l'implacabil Parca*: Atropo, la morte.

II

Nel viaggio a Padova va a riverire le ceneri
del gloriosissimo S. Antonio.
Si allude all'odore che spira dalla sua tomba.

Se frettoloso da l'emilie sponde
sprono in deserte vie destrier venale,
o de l'adriaca Teti in prora frale
4. soggiogo a un lino le più indomit'onde,
   non per mirar come Nettun circonde
di argentei amplessi aureo Leon regale;
ma per ardere incensi, ove immortale
8. ceneri dive euganeo avello asconde.
   D'incenerite membra adoro intanto
spirante empirei odor tomba felice,
11. che a le salme incorrotte oscura il vanto.
   Ah che a ragion contro l'etate ultrice
vanta in rogo odoroso il cener santo
14. chi de' numi del cielo è la Fenice.

II. — 6. *aureo Leon*: il Leone di S. Marco, Venezia.
8. *euganeo*: padovano.

PIER FRANCESCO PAOLI

I

Riceve una lettera stando lontano.

Or che formo di pianto un ampio lago
lunge da lei, che lunge anco innamora,
non acconsente un suo pensier ch'io mora,
4.   un suo pensier del mio morir presago;
    e invece del suo volto amato e vago,
in cui bellezza angelica s'adora,
carta m'invia, perch'io la miri ogni ora,
8.   che di lei che la scrisse è viva imago.
    La miro, e cangia il ciel meco tenore,
mentre con quei caratteri possenti,
11.   fatto mago d'amor, scongiuro Amore.
    La miro, e rileggendo i dolci accenti,
con gli occhi entro quel nero asciutto umore
14.   bevo la medicina a' miei tormenti.

II

Bella donna che distilla rose.

Tiensi costei (sì vago ha 'l seno e 'l volto)
da la bellezza de le rose offesa;

I. — 9. muta procedimento, non lascia che muoia.

e di disdegno ambizioso accesa,
4.   il pensier contra lor tutto ha rivolto.
      Le chiude in cavo rame, ove raccolto
tien lento foco, a tormentarle intesa;
sin che 'l bel, ch'al suo bel facea contesa,
8.   vagheggia in poco umor stillar disciolto.
      Quinci lieta e superba, ove 'l sol splende,
in questo vaso e in quel l'acque odorose,
11.   quasi trofei di sua fierezza, appende.
      Poi, per le sue saziar voglie fastose,
in varie guise a dissiparle attende...
14.   Oh beltà, ch'è tiranna anco a le rose!

III

Insegna di leggere l'alfabeto.

A me sen vien, per sua vaghezza eletto,
i primi ad imparar puri elementi,
costei che sa, bench'io li chiuda in petto,
4.   legger ne la mia fronte i miei tormenti.
      Ridice ella inesperta ogni mio detto,
ma tace, scaltra, a' miei sospiri ardenti;
onde ascolto con pena e con diletto
8.   d'eco muta e loquace i vivi accenti.
      Talor taccio le note, e 'n dolce errore
— Amo — le dico, ed — Amo — ella risponde.
11.   Ah, rispondesse in un la lingua e 'l core!
      Fingo in lei tardo ingegno, e minacciante
tocco sul volto suo le chiome bionde,
14.   maestro ardito e rispettoso amante.

II. — 5-6. È lo strumento per distillare, il lambicco.
III. — 1. *per sua vaghezza eletto*: scelto per suo desiderio.
2. i segni dell'alfabeto, le lettere.
8. *eco muta e loquace* in relazione a quanto è detto al v. 6 e al v. 5.
9. *note*: le singole lettere.

IV

Bella donna che stende la mano ad un'amica.

Stendea Fillide mia la man cortese
a Clori amica, e balenar fe' un riso:
la bianca man, ch'a me giammai non stese
4. se non armata, onde ne caddi anciso.
E volte in bel seren le luci accese,
vide il pallor che mi dipinse il viso;
anzi in più parti entro il mio sen comprese
8. per due destre congiunte il cor diviso.
Con gli scherzi leggiadri, ond'esse ardite
stringonsi dolcemente, Amor m'afferra,
11. e le dolcezze lor son mie ferite.
In un languido « oimè », che il cor disserra,
dissi: — Oh stupor! due belle destre unite
14. simboleggian la pace, e a me fan guerra.

V

Per bella donna che vivendo in continua malinconia
perde le sue bellezze.

Ne la tempesta de le cure ascose,
ond'è il tuo cor miseramente involto,
la bellezza ch'il cielo in te ripose,
4. naufragante si mira entro al tuo volto.
Pietà dei labri, a cui mancan le rose!
pietà del sen, ch'è senza gigli incolto!
pietà degli occhi, in cui l'alme amorose
8. piangon de la lor vita il sol sepolto!
Erran d'intorno a te le Grazie e il Riso,
le Gioie e i Vezzi; ed esuli innocenti,

IV. — 7-8. comprese che il cuore mi si era spezzato in petto per causa
di quel gesto d'amore delle due mani congiunte.

11. braman che li richiami al tuo bel viso.
     Prenda eterni un augel vivi alimenti
     da un cor dannato: il bel del paradiso
14. non sia preda agli affanni, esca ai tormenti.

VI

Alla Maddalena.

Venite a rimirar la gloria vostra,
o già di Maddalena accesi amanti;
venite a rimirar come i sembianti,
4. con novello artificio, ella s'inostra.
    Oh d'eccelsa beltà leggiadra mostra!
cangia le ricche vesti in rozzi manti,
il riso insidioso in tristi pianti,
8. i superbi palagi in umil chiostra.
    Quel biondo crin, ch'in dolci nodi accolto
fregiò di perle, or fra le brine e 'l gelo
11. sovra gli omeri porta ispido, incolto.
    E così, armata di verace zelo,
serena il core e nubilosa il volto,
14. se già l'alme rapia, rapisce il cielo.

VII

Alla Santità di Nostro Signore.
Per occasione della prima pietra gettata da S. B.
per la fabbrica del nuovo convento dei Padri Cappuccini.

Picciolo è 'l sasso ond'or tu, grand'Urbano,
di sacro tempio il fondamento appresti;

V. — 12. Allusione all'avvoltoio divorante il fegato di Prometeo incatenato
sul Caucaso.

VI. — 4. si invermiglia le guance con nuovo artificio, cioè col sangue della
penitenza.

    e pur terrore immenso entro il cor désti
4. de l'ombre eterne al regnator insano;
    ché ben tra 'l cieco orror già di lontano
    mira prodi guerrieri in sacre vesti
    mover contra i suoi campi armi celesti,
8. qui dove architettrice è santa mano.
    Davide generoso, a cui bastante
    sola è una pietra a dar con dardo eterno
11. fiera percossa a l'infernal gigante,
    che non farà tuo giusto sdegno interno,
    se, mentre il getti in placido sembiante,
14. va picciol sasso a lapidar l'inferno?

VIII

Per una bellissima dama spagnuola.

    Là dove more il sole
    nata è costei: ned è stupor se accolto
    quanto ha di bello il sol porta nel volto.
    Egli, pria che la sera
5. giunga a la tomba ibera,
    per non lasciar senza splendor quei campi,
    nel bel volto di lei lascia i suoi lampi.

VII. — 4. Satana, Chiamato poi, al v. 11, *infernal gigante* cioè infernale
Golia, in quanto *Davide* sarebbe Urbano VIII.

VIII. — 5. *tomba ibera*: la Spagna dove per noi sembra tramontare, e
cioè morire, il sole.

AGOSTINO AUGUSTINI

I

Fa vedere a bella donna nell'iride la vanità delle sue bellezze.

Mira l'arcobalen, nunzio di pace,
ch'a questo nostro ciel si curva intorno:
quel semigiro suo che tanto piace
4. immago è, Filli, del tuo viso adorno.
Pere questi del sole a l'aurea pace
a pena nato, e più non mira il giorno:
così de la tua guancia il don fugace
8. tosto svanisce, e più non fa ritorno.
Non creder gioco il mio: volgiti a quelle
che di poch'ore ti passaro avante,
11. e difformi vedrai quanto fur belle.
Piangi, non superbir del tuo sembiante:
un'ombra di beltà ti dier le stelle,
14. che con l'iride more ad un istante.

II

In lode del persico.

O di bel orto saporito oggetto,
prima delizia de la dea Pomona,
cui, poco dopo al fior, nobil corona
4. la verde fronda ha di compor diletto,
se di te pria l'inamorato aspetto

carco d'odori il mandorlo sprigiona,
tutt'è tua gloria; tal virtù li dona
8. il ciel perché alba sia del tuo concetto.
    Io mi rido qualor il pomo ascolto
dir fosse d'oro, ch'a la saggia dea
11. accese d'ira, ed a Giunone il volto.
    Uopo d'oro non ha l'alta assemblea.
Un persico egli fu tra brine involto
14. che diè il frigio pastore a Citerea.

III

Servitor giustiziato per avere con un trincetto scannata la padrona.

    Da foci acherontee perfido mostro
sotto umane sembianze al mondo venne,
e tanto fra' mortali ei si tratenne
4. che il latte d'un bel sen converse in ostro.
    Armato il traditor di ferreo rostro
s'avventa contro lei che lo sostenne;
e rinovando al crudo acciar le penne,
8. la fa morta cader nel proprio chiostro.
    A l'eccesso crudele armato il cielo
già curvo l'arco avea contro l'indegno,
11. per iscoccar de la vendetta il telo.
    Ma Dio l'ire sospese in quel gran regno,
che se tosco nutrì sotto uman velo
14. qual serpe il volse strangolato a un legno.

IV

La bella sartora.

    Lunga una striscia di congiunte carte
nella destra il mio ben prender si vede;

con questa, e in questa tutte a parte a parte
4. le distanze del corpo al corpo chiede;
    poscia che quivi aver quelle s'avvede
ben ordinate, al panno le comparte,
e segnato che l'ha, dal capo al piede,
8. in cento pezzi lo divide e sparte.
    Ond'il mio cor, che di sua man desia
vestir felice i fabricati ammanti
11. all'artefice bella ognor s'invia.
    Ma la crudel, che sempre afflitto avanti
veder se 'l gode alla stagion più ria,
14. sorda fassi a' suoi lai, cieca a' suoi pianti.

V

La bella pollarola.

    Nude di spirto, e insieme nude ancora
delle lor piume a mercantar si vede
Filli del cacciator le varie prede,
4. Filli cui l'alma mia per nume adora.
    Di tante grazie la sua merce infiora,
che sempre il compratore o parte o riede;
di chi pollami, e di chi caccie chiede
8. un vario suono ha su l'orecchio ognora.
    Fra tanti ch'al mio ben volgon le piante,
allettato pur'io da vaghi rai,
11. corsi a mercar la bella preda, amante.
    Ma udite prezzo, non più inteso mai:
alla man dispensiera altr'il contante,
14. per morto augello il vivo cor lasciai.

VI

Bella donna che per tema di cadere si abbandona su 'l bracciere.

Filli a cader da picciol sasso astretta,
che duro intoppo al molle piè propose,
per non pestar del sen le vive rose
4. tutta tremante in su 'l braccier si getta.
  Servo felice: or chi di te più eletta
sorte vantar può mai, se rovinose
per sostegno puoi dir ch'a due vezzose
8. sfere d'amor servì tua man negletta?
  Ma che negletta! per un novo segno
degna è d'alzarsi allo stellato velo,
11. ché diè cadente alla beltà sostegno.
  Lo stato tuo, benché di servo, anelo;
ché mi terrei d'Atlante ancor più degno
14. se potessi addossarmi un sì bel cielo.

VI. — 4. *braccier*: il famiglio al cui braccio si appoggia la signora.

MARCELLO GIOVANETTI

I

Per la miseria umana.

 Filli d'aspro dolor pungente vespa
al tuo fastoso cor Morte minaccia,
che mentre del tuo piè segue la traccia
4. per sì torto sentier mai non incespa.
 Il crin, ch'in onda d'oro l'aura increspa
e che lascivo il tuo bel collo abbraccia,
ne cadrà tosto; e fia la rosea faccia
8. di rughe e di pallor livida e crespa.
 E se l'età ridente ora t'invita
ai lusinghieri amori, ai vezzi, ai canti,
11. fuggi: ché l'empia il precipizio addita.
 Son le dolcezze sue fallaci incanti
e la tragedia de l'umana vita
14. comincia da' piacer, termina in pianti.

II

Donna ch'innaffiava i fiori di mattina.

 Vedi Nice colà su 'l verde stelo
que' languidetti fiori

I. — 2. *fastoso*: altero.

Marcello Giovanetti

(Da *Le glorie degl'Incogniti*, Venezia, 1647).

che fatti pria di sue bellezze avari
entro i notturni orrori
5. eransi ascosi in tenebroso velo,
or mentre scarsi umori
tu de la gelid'urna
sovra lor versi con la mano eburna
apron le foglie e 'l vago stel s'infiora
10. imaginando che sii tu l'Aurora.

III

Alla signora Rosana.

Hai di rosa il bel nome:
la tua candida gota, il molle labro
sparse di rose Amore industre fabro
e d'ogni altra bellezza peregrina,
5. quasi rosa tra fior, la rosa sei.
Or di sì bella rosa,
già che serbo nel cor l'acuta spina,
io volentier torrei
pria che languisca in su la siepe ombrosa
10. esser l'ape amorosa.

IV

Loda una chioma nera.

Chiome, qualor disciolte in foschi errori
da la fronte vi miro in giù cadenti

II. — 7. dal vaso contenente acqua fresca.

III. — 4-5. sei la regina, la più bella, di tutte le altre singolari bellezze,
come la rosa è la più bella, la regina, dei fiori.

e velate al mio Sol gli aurei splendori,
4.   siete nubi importune, ombre nocenti.
     Ma s'in groppo accogliete i vostri orrori,
nera cote sembrate, ove pungenti
rende Amor le saette; e l'ambre e gli ori
8.   vincete d'ogni crin, chiome lucenti.
     Escon da' vostri torbidi volumi,
come lampo talor da nube impura,
11.   verso il mio cor d'accese fiamme i fiumi;
     ch'arte fu, non error, se diè natura,
quasi pittor che mesce l'ombre ai lumi,
14.   de la fronte al candor la chioma oscura.

V

Bella donna ridendo fa due pozzette nelle guance.

     Qualor Cilla vezzosa i lumi gira,
e s'avvien che ridente il guardo ruote,
forma vaghe pozzette in su le gote,
4.   ove quasi in suo centro il cor s'aggira.
     Quivi Amor certo ad alte prede aspira,
ed indi l'alme semplici e devote
con saette invisibili percuote,
8.   e poi colà, furtivo, ei si ritira.
     Direi valli di gigli in campo alpino,
direi cave di nevi in mezzo ai fiori
11.   quelle fosse sul volto almo e divino.
     Ma come non si sfanno in larghi umori,
s'hanno di que' begli occhi il Sol vicino
14.   e del mio cor non lunge anco gli ardori?

IV. — 5. *orrori*: tenebre, oscurità, colore nero.

V. — 4. Il cuore dell'uomo, il desiderio dell'amante, non sa staccarsi da queste pozzette ma ruota intorno ad esse come intorno al proprio centro.

VI

Bella donna presente a spettacolo atrocissimo di giustizia.

Là 've la morte in fera pompa ergea
spietata scena di funesto orrore,
vidi colei, che nel tuo regno, Amore,
4. di mille colpe e mille morti è rea.
Fra que' nocenti uccisi, ella uccidea
più d'un'alma innocente e più d'un core;
e pure, intenta al tragico rigore,
8. spettatrice impunita anco sedea.
Quale scampo il mio cor fia che ritrove?
Là fra rigide morti a morte ei langue,
11. qua di dolci ferite un nembo piove.
Resta per doppia strage il petto esangue;
fan bellezza e spavento eguali prove,
14. e nuotano gli amori in mezzo al sangue.

VII

Bella corteggiana frustata.

Era esposta ai flagelli Eurilla mia,
per lieve colpa condennata rea;
ma fra l'ombra del duol che l'avvolgea
4. il sol di sua bellezza anco apparia.
E mentre in lei, da man nocente e ria,
tempesta di percosse aspra piovea,
quanti gigli sugli omeri abbattea
8. quella tempesta, tante rose apria.
Chi sa che, mosso Amor da' miei lamenti,
per punir di costei l'empio rigore,
11. la mia tormentatrice or non tormenti?

VI. — 7. *tragico rigore*: la terribile severità della legge punitrice.

    Ma qual gloria sperar potea maggiore?
Diranno ormai l'innamorate genti:
14.   — Questa è la bella martire d'Amore.

VIII

Bella donna diceva essere una povera serva.

    Se diede al tuo natal, bella mia Clori,
oscure fasce il ciel, povera cuna,
ecco più chiare perle e più fini ori
4.   Amor prodigamente in te raguna.
    E se d'altrui ti fe' serva fortuna,
ch'a la cieca dispensa i suoi tesori,
tu per quella beltà, ch'ogn'altra imbruna,
8.   se' reina bellissima de' cuori.
    Di che ti lagni tu? Sappi che ancora
sono serve di Cintia in ciel le stelle
11.   ed è serva del Sol la bionda Aurora.
    Denno esser sol le voglie tue rubelle
serve d'Amor, come a te sono ognora,
14.   tributarie de' cor, mill'alme ancelle.

VII. — 12. Soggetto è la donna, Eurilla.

VIII. — 7. *imbruna*: oscura.

10. *Cintia*: Diana (dal monte Cinto nell'isola di Delo su cui era nata),
cioè la luna.

GIOVAN LEONE SEMPRONIO

I

Neve caduta d'Aprile.

Nel sen di Flora il pargoletto Aprile
ai nuovi rai del chiaro sol nascea,
e del sereno ciel figlio gentile,
4. latte dal rio, fasce da l'erbe avea;
    quando soffio crudel di vento ostile,
che guerra ai prati, e strage ai fior movea,
acqua rapprese ingiuriosa e vile,
8. neve disciolse impetuosa e rea.
    Forse così con amoroso zelo,
quanto la tua beltà sia frale e lieve
11. volse mostrarti, o cara Lilla, il cielo.
    E qual beltà più vile, età più breve,
se, mentre nasce April, s'indura il gelo,
14. e mentre spunta il fior, fiocca la neve?

II

La bella ballarina.

D'una sonora cetra a' dolci imperi
move Lilla le piante agili e snelle,

I. — 7. *vile*: perché non osa mostrarsi in quanto si trasforma in neve (e
così diventa *ingiuriosa* cioè nociva).
    12. *vile*: che merita poca stima.

e con sembianti umilemente alteri
4. danzando preme ora quest'alme or quelle.
Su quei vasti lassù ricchi emisperi
men vezzose di lei, di lei men belle,
passi movendo or tremoli or leggieri,
8. co' piè d'oro nel ciel danzan le stelle.
Natura la creò, la fece Amore
mobil di corpo, e molto più di fede,
11. lieve di pianta, e molto più di core.
Oh che bei labirinti ordir si vede
con vario stil, ma con eguale onore,
14. Dedalo con la man, Lilla col piede!

III

Chioma rossa di bella donna.

Tutta amor, tutta scherzo e tutta gioco,
il suo vermiglio crin Lidia sciogliea,
e un diluvio di fiamme a poco a poco
4. sovra l'anima mia piover parea.
E con ragion, s'io dal mio cor traea
mille caldi sospir languido e fioco,
succeder finalmente un dì devea
8. a vento di sospir pioggia di foco.
Certo costei nel tuo bel regno, Amore,
scioglie, quasi cometa, il crine ardente,
11. per minacciar la morte a più d'un core;
o pur, per gareggiar col sol lucente,
tinge la chioma sua di quel colore,
14. di cui la tinge il sol ne l'oriente.

II. — 9-11. Le qualità fisiche sono create dalla Natura, quelle morali sono fatte da Amore.

14. A *Dedalo* (il mitico costruttore del labirinto) è indirettamente paragonata Lilla che col piede costruisce i labirinti, come quello li costruiva con la mano.

III. — 14. Il sole sorgente appare di colore rosso.

IV

Capelli posticci di donna infida.
Amanti, alcun non fia che mai s'accenda
di così cieco e così folle ardore,
ch'ami quest'empia, e poco cauto venda
4.   per l'or ch'ell'ha nel crin, l'anima e 'l core.
Chi fia che non ravvisi e non comprenda
di quelle trecce il chimico splendore?
Chi fia che non conosca e non intenda
8.   fatto falsario in quelle chiome Amore?
Falso è quell'oro: e poco dianzi gli era,
l'oscuro albergo e 'l doloroso ostello
11.   d'un putrido sepolcro, arca e miniera.
Falso è quell'or: se ben ei par sì bello,
già per suo paragon fetida e nera
14.   la pietra avea d'un tenebroso avello.

V

Quid est homo?

Oh Dio, che cosa è l'uom? L'uom è pittura
di fugaci colori ornata e cinta,
che in poca tela e in fragil lin dipinta
4.   tosto si rompe, e tosto fassi oscura.
O Dio, che cosa è l'uom? L'uom è figura
dal tempo e da l'età corrotta e vinta,
che in debil vetro effigiata e finta,
8.   a un lieve colpo altrui cade e non dura.

IV. — 6. *chimico*: falso.
13. *paragon*: è la pietra usata per verificare le leghe metalliche, dell'oro e
e dell'argento specialmente.

V. — 6. *corrotta*: fiaccata.
7. *finta*: formata.

È strale, che da l'arco esce e sen passa;
è nebbia, che dal suol sorge e sparisce;
11.   è spuma, che dal mar s'erge e s'abbassa.
È fior, che nell'april nasce e languisce;
è balen, che nell'aria arde e trapassa;
14.   è fumo, che nel ciel s'alza e svanisce.

VI

Bella giovinetta morta di vaiuoli.

Dunque in quel seno, ove con man gentile
tutte le sue dolcezze Amore appresta
morbo s'apprese ingiurioso e vile,
4.   febre s'accese insidiosa e mesta?
Dunque in quel volto, ove con dolce aprile
due rose Amor di propria mano innesta,
mortifera cadeo grandine ostile,
8.   dispietata fioccò dura tempesta?
Ma non fia già stupor, s'oggi il mio bene
qual rosa a punto inaridisce e cade,
11.   così poche vivendo ore serene.
Donna che de la rosa ha la beltade,
per legge di natura, al fin conviene
14.   che della rosa ancor viva l'etade.

VII

In morte d'un grillo.

Qui giace un grillo, o passeggiero, un grillo,
che, de la fiammeggiante e bionda estate
le notturne temprando ore infocate,
4.   infuse agli occhi miei sonno tranquillo.
Già con invidia il rosignuolo udillo;

ma se già n'ebbe invidia or n'ha pietate,
poiché rimira a la futura etate
8. morto il maestro e l'inventor del trillo.
    Al picciol corpicciuol nulla diforme
in questo sassolin duro e scaglioso,
11. chi già mi fe' dormir, sepolto or dorme.
    Sospendi il passo, o peregrin pietoso,
e dando al merto suo premio conforme,
14. lascia posar chi già mi diè riposo.

VIII

Omnia mors aequat
(CLAUD. *De rapt. Proserp.* lib. II).

Morte, dai colpi suoi piagato e colto,
tutto adegua quaggiù, tutto divora,
e fa confuso in breve spazio d'ora
4. quinci il saggio cader, quindi lo stolto.
    Se in poca terra, in umil tomba accolto
Iro, il povero greco, avvien che mora,
in picciol'urna, in breve fossa ancora
8. Crasso, il ricco roman, giace sepolto.
    Confonde la crudel, con tutti eguale,
ne le sue tenebrose urne funeste
11. a rastro pastoral scettro reale.
    Or tolga i teschi a quelle tombe, a queste,
e distingua, se può, cieco mortale
14. da le fronti plebee le regie teste.

VII. — 9. *nulla diforme*: adatto.

VIII. — 6. *Iro*: il mendicante di Itaca messaggero fra i Proci e Penelope.

IX

Carmina proveniunt animo deducta sereno
(Ovid. *Trist.* lib. I).

Ama placido ciel cigno gentile,
e vuol tranquillo cor sacro poeta;
lieti carmi non detta alma non lieta,
4.   né, s'amaro è il pensier, dolce è lo stile.
    Se fiocca in campo amen grandine ostile,
non fia che 'l caro frutto indi si mieta;
destrier non giunge infra gl'intoppi a meta,
8.   né fra le nevi e 'l gel nasce l'aprile.
    Se fra dorate e preziose arene
limpido non trascorre il bel Permesso,
11.   non può le menti altrui render serene.
    E a le cime di Pindo alzar se stesso
non sa giamai saggio cantor, se 'l tiene
14.   stuol di mordaci cure a terra oppresso.

X

Acqua annevata di cedri e di visciole.

Vermiglietti rubin spolpa e disossa,
e ricchi cedri d'or spreme e sminuzza,
e di quel buon liquor l'arte ne spruzza
4.   in ampi vetri onda agitata e scossa.
    Indi l'attuffa in gel, che in cava fossa
quasi in gran rocca i rai del sol rintuzza,
e mentre l'ire il Can celeste aguzza,
8.   acqua ne porge or pallidetta, or rossa.
    Gitene, o fonti, omai; gite, o ruscelli;
se 'l vostro umor cotanto a l'uom già piacque

X. — 1. *Vermiglietti rubin*: sono dette metaforicamente le visciole, le ciliege.
6. *rintuzza*: spunta.

11. or l'apprezzano sol fere ed augelli.
     Qual ne le genti avidità non nacque,
     s'anche a lor pro d'ostri e d'odor novelli
14. vestendo or van la nudità de l'acque?

XI

Rosa in bocca di bellissimo cavaliere.

     O genti, o voi, che per gran lusso insane,
     dai vostri climi e da voi stesse in bando,
     sui giardini d'Europa ite innestando
4.   asiatici fior, piante africane,
         barbare primavere a noi lontane
     con tanto studio a che cercate, or quando
     van di più ricchi onor se stesse ornando
8.   le sì gradite al ciel piagge romane?
         Le meraviglie tue più meraviglia
     non danno, o Spagna; Italia mia fastosa
11. rende d'un più bel fior paghe le ciglia.
         Con peregrino innesto ecco odorosa,
     sol del sangue d'Amor fatta vermiglia,
14. in bocca ad un Narciso arde una rosa.

XI. — 9. « Meraviglia di Spagna » si chiama una specie di amaranto dalle foglie macchiate di verde di rosso e di giallo.

14. *Narciso*: è il nome di un fiore e il nome del bellissimo giovane innamorato della propria immagine di cui racconta la mitologia, usato per indicare, come in questo caso, un giovane di grande bellezza.

XII

Orologi da ruote, da polve e da sole.

Quei che le vite altrui tradisce e fura,
qual reo su cento rote ecco si volve,
e lui, che scioglier suol gli uomini in polve,
4.   con poca polve or l'uom lega e misura.
E se con l'ombre i nostri giorni oscura,
se stesso in ombra ai rai del sol risolve;
quinci apprendi, o mortal, come dissolve
8.   ogni cosa qua giù tempo e natura.
Su quelle rote egli trionfa e regna;
con quella polve ad acciecarti aspira;
11.   e tra quell'ombra ucciderti disegna.
Su quelle rote i tuoi pensier martira;
in quella polve i tuoi diletti ei segna;
14.   e tra quell'ombra ombre di morte aggira.

XIII

Orologio dall'acqua, dai Latini detto *clepsidra*.

Queste, che in due cristalli il Tempo serra,
prigioniere de l'arte, onde inquiete,
acque di Stige son, stille di Lete,
4.   che i dì sommerge e le memorie atterra.
Son sudori di lui, che l'uomo afferra,

XII. — 1. *Quei* ecc.: è il tempo.
2. *su cento rote*: si allude al supplizio della ruota.
14. *aggira*: muove intorno.

XIII. — 2. *prigioniere de l'arte*: l'acqua è chiusa nei due cristalli della clessidra con artificio.
3-4. Le acque dello *Stige* (fiume d'Averno) fanno morire i giorni, come quelle di *Lete* (altro fiume d'Inferno le cui acque avevano la proprietà di far dimenticare il passato) distruggono le memorie.

nel suo merigge, e con la falce il miete;
son lacrime di noi, ch'ore non liete
8. viviam qua giù, sempre morendo in terra.
    Quindi apprendiamo omai ch'a stilla a stilla,
e non a pioggia, al sitibondo core
11. ne dà l'avara età gioia tranquilla.
    Né si speri più mai triegua al dolore,
se in duo vetri per noi chiude e distilla,
14. fabricati di pianto, i giorni e l'ore.

XIV

La sua donna se ne stava pensosa.

    Con immoto ti stai ciglio severo
in te raccolta e nel bel velo ascosa;
ond'io, nascendo il mio dal tuo pensiero,
4. penso a che pensi, o mia bella pensosa.
    Pensi forse donar pegno più vero
e più dolce al mio cor gioia amorosa?
O pur pensi trovar strazio più fero
8. e più cruda al mio sen pena angosciosa?
    S'al mio novo gioir, Lidia, si pensa,
si pensi pur, ché farsi ben maggiore
11. può quel piacer, ch'avara man dispensa.
    Ma s'a novo si pensa aspro dolore,
si pensa invan; ché divenuta immensa,
14. più oltre non può gir pena d'amore.

XIV. — 5. *pegno più vero*: prova, garanzia più sicura di semplici parole.

XV

La sua donna lavatisi i capelli, si era fasciata la fronte.

    Sembra Eurilla gentil vaga turchetta,
quanto barbara più, tanto più bella:
porta il turco sul fianco arco e saetta,
4. porta Eurilla negli occhi archi e quadrella.
    Ei di nemici, ella d'amanti ha stretta
in catena servil gran turba ancella;
egli i corpi, ella i cori arde e saetta;
8. egli del cielo, ella d'amor rubella.
    Ciascun di veli ha la sua chioma attorta:
egli ha più d'una benda al crin contesta,
11. ell'ha più d'una fascia al crin ritorta.
    Ma differente è sol quello da questa,
ch'ella duo Soli interi in fronte porta,
14. e mezza Luna a lui riluce in testa.

XVI

Capelli che pendevano sugli occhi di bella donna.

    Cari lacci de l'alme aurati e belli,
ch'a ciocca a ciocca in su la fronte errate,
e lascivi e sottili e serpentelli
4. con solchi d'or le vive nevi arate;
    oh quanto, oh quanto ben lievi scherzate
su due stelle d'amor torti in anelli,
e di voi stessi ad or ad or sembrate
8. preziosi formar ricchi flagelli!
    Ecco, vostra mercé, non più sospiro,
ché se gran tempo io sospirai d'amore,
11. quanto già sospirai, tanto respiro.

XV. — 9. *Ciascun*: ognuno dei due, entrambi, Eurilla e il turco.

Meco fa tregua il mio mortal dolore,
poi ch'a vendetta mia sferzar vi miro
14. quegli occhi bei che m'han piagato il core.

XVII

Bella donna insegnava a far lavori a varie fanciulle.

Stuol di varie fanciulle in giro accolte
davanti a la mia Clori un dì sedea,
ed ella molte in tesser tele e molte
4. in far trapunti ad instruir prendea.
Là de le fila a l'arcolaio avvolte
un bianco e picciol globo altra facea;
qua con le sete or annodate or sciolte
8. preziose orditure altra tessea.
— O tenere — diss'io — vaghe donzelle,
ch'or questi ite annodando or quei lavori,
11. ch'ite pungendo or queste tele or quelle;
guardate ancor non imparar da Clori,
nemiche di pietà, d'amor rubelle,
14. a punger l'alme, ed annodare i cori.

XVIII

Nulla est sincera voluptas
(OVID. *Metam*. lib. VIII).

Non dona il mondo mai, né mai destina
sincera gioia a noi, piacer perfetto:
coetaneo al dolor nasce il diletto,
4. e gemella col fior spunta la spina.
Grand'altezza è congiunta a gran ruina,

XVII. — 6. *un... picciol globo*: un piccolo gomitolo.

in grand'odio si volge un grande affetto,
gran riso è con gran pianto unito e stretto,
8.   e gran gioir con gran martir confina.
    Turba placida calma atra tempesta,
ecclissa chiaro sol nebbia importuna,
11.   e bel seren torbida nube infesta.
    E la nemica a l'uom cruda Fortuna
soave sonno al fanciullin non presta,
14.   se non l'agita ancor dentro la cuna.

XVIII. — 14. Il sonno non viene al fanciullo se non con il dondolio della
culla.

GIAMBATTISTA PUCCI

I

De la pallida morte oscura imago.

De la pallida morte oscura imago,
sonno, che spesso entro al silenzio e l'ombra,
quando l'orror notturno i sensi ingombra,
4.   fai di futura gioia un cor presago;
     fatto, credo a mio pro, pittore o mago,
pinto hai quel volto, cui non sdegno adombra,
finto hai quel bel, che gli orror ciechi sgombra
8.   e reso il cor di tanta luce hai pago.
     Ne l'immagin di morte ombra di vita
scorsi in mirar quel simulacro pio,
11.   ch'ora sol mi tien l'alma al petto unita.
     Beata vita avrò se sia mai ch'io,
qual lo scoperse al cor l'ombra gradita,
14.   veggia nel chiaro dì l'idolo mio.

II

Oimè quel viso, amore, oimè quel petto.

Oimè quel viso, amore, oimè quel petto,
da cui pendea già l'anima bramosa,

I. — 6. *cui non sdegno adombra*: che lo sdegno non offusca, senza che lo
turbi lo sdegno.
    9. *Ne l'immagin di morte*: nel sonno (si cfr. il v. 1).

che rassembrava l'un verginia rosa,
4.   l'altro animata neve e avorio schietto;
     cangiato al fin quel vago altero aspetto,
     ha la porpora l'un tra l'ombre ascosa,
     di livido pallor l'altro non osa
8.   agli occhi altrui far disprezzato obietto.
     Già nel labro la rosa è impallidita,
     la fiamma tua che da' begli occhi uscio
11. resta spenta non pur, ma incenerita.
     Sono i fasti e i trofei sparsi d'oblio,
     né degli antichi pregi omai s'addita
14. altra memoria che l'incendio mio.

III

Dentro al candido sen, tra le mammelle.

Dentro al candido sen, tra le mammelle,
stese madonna la man bianca al core,
e da' giri lucenti il vivo ardore
4.   rivolse a un punto istesso in questa e in quelle.
     Biancheggiar, lampeggiar nevi e fiammelle,
     de' begli occhi e del sen foco e rigore,
     fatto un misto di luce e di candore,
8.   qual tra 'l latte del ciel fanno le stelle.
     De le mamme e del sen la candidezza,
     emula al latte, unita allor splendea
11. dei luminosi giri a la chiarezza.
     Questa in quella a vicenda in guisa ardea,
     che un confuso di luce e di bianchezza
14. quinci i begli occhi e quindi il sen parea.

II. — 8. mostrarsi senza ricevere lode.
III. — 3. *giri lucenti*: gli occhi.

GIOVANNI ANDREA ROVETTI

I

Per Arno agghiacciato.

Mentre, pien di stupore,
stava pensoso il famos'Arno e volto
a vagheggiar, o Donna, il tuo bel volto,
il mostro del rigore
5. ch'è sempre teco e le nostr'alme impetra,
cangiò de l'onde sparse il chiaro umore
in cristallina pietra:
perché troppo superbo ai lunghi pianti
crescea di mille amanti.

II

Pastorella che ride al pianto del figliuolo.

Un picciol cane, un ghiro ed un augello
del tuo caro fanciullo
sono, bella Lisetta, ognor trastullo.
Ruzza col ghiro il cane,
5. ne brilla il putto in vista;
ma l'augel, che non tresca e becca il pane,

I. — 6. *onde sparse*: onde sciolte, libere, come non sono quando si cambiano in ghiaccio.

infranto ne rimane.
Tu ne ridi, io ne godo, ei se n'attrista,
e scaccia stizzosetto
10. il ghiro e 'l cane e piagne l'augelletto.
    Se ridi, o cruda, del tuo figlio ai guai,
al mio duol che farai?

III

Piede premuto.

    Tu chiedi quel ch'io voglio,
quando a mensa talor ti premo il piede?
Ah, che negli occhi ogni tuo sguardo il vede!
Lusingando t'infingi
5. e 'l bianco volto in bel rossor dipingi.
Vorrei, dolce ben mio...
Lasso, ch'a dirlo m'arrossisco anch'io!

IV

Giorno lieto per aver la sua donna ricuperata la sanità.

    Ecco l'Alba rugiadosa
che gioiosa
assai più ch'ella non sole
apre l'uscio d'oriente,
tutta ardente,
6. coronata di viole.
    Ecco il Sol su rote aurate,
ingemmate,
saettar fulgidi lampi;

II. — 7. *infranto*: schiacciato.
III. — 3. ogni volta che mi guardi.

e con pompa in bel decoro,
pennel d'oro,
12. pennelleggia d'oro i campi.
  Ecco Progne e Filomena
l'ore mena
carolando in sugli albori:
di Tereo spiega l'inganno,
e l'affanno
18. che soffrio ne' ciechi amori.
  Ride l'alba, il sol, gli augelli
lieti e snelli,
con dolcezza d'ogn'intorno:
queta è l'aria, Borea tace,
Teti è in pace;
24. loda ognun sì lieto giorno.
  Ond'è, Amor, che 'n mesi algenti
sì ridenti
mostri 'l ciel suoi vari aspetti?
Deh com'è che s'odon tanti
dolci canti
30. tra le piagge e nei boschetti?
  Io me 'l so, cortese Amore:
caro ardore
del mio Sol, ch'ammira il cielo,
spira or senso d'alta gioia,
e la noia
36. riman sol nei cor di gelo.
  Se ne vien tra questi poggi
per far oggi
vaga pompa del suo volto,
che pur dianzi ne languia:

IV. — 13. Progne, sposa di Tereo e sorella di Filomela, fu mutata in rondine (e Tereo in sparviero e Filomela in usignolo) mentre fuggiva l'ira del marito, a cui aveva imbandito le carni del figlio Iti per vendicare la violenza usata
da Tereo a Filomela (Tereo, innamorato di Filomela, dopo averla oltraggiata le
aveva tagliato la lingua per impedirle di accusarlo; senonché Filomela ricamò
su di un panno, che inviò alla sorella, quanto era accaduto). *Ciechi* sono gli amori
di Tereo perché non ragionevoli e perché tenuti nascosti.

febbre ria
42. lo teneva in pene avvolto.
        Onde Morte col suo strale
funerale
la traea nel cieco oblio;
ma poi scorto il Paradiso
nel suo viso
48. ruppe il dardo e ne stupìo.

BERNARDO MORANDO

I

Amante vagheggiator con gli occhiali.

 Per vagheggiarti, Ermilla, a mio diletto,
di sferici cristalli i lumi armai;
ché se per te mancò già spirto al petto,
4. or luce agli occhi, ecco, mi manca omai.
 Fui lince pria, ma poi che gli occhi alzai
de' tuoi begli occhi al troppo chiaro oggetto,
quasi gufo dal sol vinto restai:
8. nacque da la tua copia il mio difetto.
 Indi per tua fierezza io piansi tanto,
che questi umori incristalliti in giro
11. da le vene del cor trassi col pianto.
 Ma che pro, s'a me l'alma onde t'adoro
manca, non che la luce onde ti miro?
14. Se miro, abbaglio, e se non miro, i' moro.

II

Bellezza fugace.

 A che tumida sì, tronfia e superba
di cotesta beltà, Lidia, ne vai?

I. — 8. dalla tua troppa luce derivò la mia cecità.

E che pensi che sia? Folle, non sai
4. ch'ella è qual'erba in prato, o fiore in erba?
A fior di gioventù fede non serba
aspro giel di vecchiezza: or or vedrai
cader neve sul capo, ombra sui rai,
8. matura infracidir l'etade acerba.
Dannoso cambio, o Bella: ahi quelle brine
avrai tosto nel crin, ch'or hai nel seno,
11. e le crespe nel sen, ch'or hai nel crine.
Ben or di tua beltà splenda il sereno:
ma qual ne lo splendor tal anco al fine
14. beltà nel trapassar sembra un baleno.

III

Dono di rosa già illanguidita.

Questa, ch'or or fioria su verde spina
rosa superba di nascente onore,
or, colta a pena, illanguidisce e muore,
4. Lidia, a te viene, a la tua man s'inchina.
Non per ornarti il crine, a cui destina
del suo bel regno la corona Amore;
se ben d'ogni reina è degno fiore
8. com'anco è d'ogni fior degna reina!
Non vien per far dei pallidi ostri suoi
con le porpore tue gara pomposa
11. o farsi bella al sol degli occhi tuoi.
Maestra a te ne vien, Lidia fastosa,
per insegnar ch'ogni beltà tra noi,
14. se qual rosa spuntò, langue qual rosa.

II. — 5. non ha riguardo.
III. — 2. *onore*: bellezza.

IV

Amante ad un ruscello.

Fuggitivo cristallo, amico rio
che serpeggiando vai tra l'erba e i sassi,
ferma, deh ferma a la mia voce i passi,
4.   accorda al mio lamento il mormorio.
Tu piangerai per me pietoso; e io
farò ch'il pianto mio teco unirassi:
e poi gonfio n'andrai là dove stassi
8.   la bella, ove ha sua fonte il pianger mio.
Se fia ch'ella in te fermi il guardo e il piede,
misto ne l'acque tue scorga il mio pianto,
11. e nel mio pianto il duol, ch'ella non crede.
Poi le insegna a deporre il fasto e il vanto;
ché, se tu sei fugace, anco fai fede
14. che bellezza mortal fugge altretanto.

V

Bellissima filatrice di seta.

China il sen, nuda il braccio, accesa il volto,
sottilissime fila Egle traea
da ricchi vermi, ove bollendo ardea
4.   breve laghetto in cavo rame accolto.
Vago de la sua man, semplice e stolto,
il mio cor tra quei vermi arder godea,
e la ruota volubile avvolgea
8.   lo spirto mio tra quelle sete involto.
Ella con l'empia man, ch'ardor non teme,
nudi rendea fra i gorgoglianti umori
11. i bombici di spoglie e me di speme;

IV. — 8. Nella donna, nella sua bellezza altera, ha origine il pianto del poeta.

V. — 11. *bombici* sono, come i *ricchi vermi* prima nominati, i bachi da seta.

ed agghiacciata il cor fra tanti ardori,
bella parca d'amor, filava insieme
14. ricche spoglie a le membra e lacci ai cori.

VI

A bella ninfa che coglieva castagne.

Lascia di coglier più ricci pungenti
con quella man sì delicata, o Fille,
e a goder ombre amene, aure tranquille,
4. qui sotto ai tronchi lor meco trattienti.
Tante punte spinose, ah, non paventi,
che traggon da la man purpuree stille?
No, ché d'Amore a mille strali e mille
8. anco resisti e i colpi lor non senti.
Ma il mio cor da quei strali è a tal ridutto
(tanti per te già ve n'infisse Amore),
11. ch'un riccio appunto ei rassomiglia in tutto.
Nol somigli già tu; ch'egli di fuore
aspro è ben sì, ma dentro molle ha il frutto;
14. tu sei molle nel volto, aspra nel cuore.

VII

Ardore estivo e amoroso.

Rugge in ciel la nemea rabida fera,
che il cor sente da febre oppresso e vinto;
e di torride fascie intorno cinto

VI. — 13. *molle*: piacevole.

VII. — 1. *la nemea rabida fera*: il leone ucciso da Ercole nella sua prima
fatica e posto in cielo come quinto segno dello Zodiaco, in cui il sole splende
dal luglio all'agosto, che è appunto il periodo più caldo dell'anno.

4.　arde il cielo e nel cielo arde ogni stera.
　　　L'aurora aura non ha più messaggera;
　　di foco il volto, e non più d'ostro ha tinto;
　　il sol, se nato sorge o cade estinto,
8.　tra fiamme avvien che nasca e in fiamme pera.
　　　Povero è d'ombra il suolo, il rio d'umore;
　　fatto è d'estinto fior bara ogni stelo;
11.　fatta è un Etna la terra a tanto ardore.
　　　Ma il foco, ond'arde sì la terra e il cielo,
　　Lidia, presso a l'ardor, che pose Amore
14.　a te negli occhi, a me nel petto, è un gielo.

VIII

Bellissima natatrice.

　　Specchio del ciel sereno il mar ridea,
　　e s'abbellian le stelle in quei cristalli,
　　allor che nuda entro l'algose valli
4.　natatrice notturna Egle scendea.
　　　Il premuto ocean ricco ella fea
　　di flutti d'or, di perle e di coralli,
　　pari a cui fra i più ricchi algosi calli
8.　non ne vide indo gorgo, onda eritrea.
　　　Ma mentre ella ne l'onde il sen rinfresca,
　　il mar, gelido prima, acceso giacque
11.　di quei begli occhi ai caldi rai fatto esca.
　　　O del fanciul che di Ciprigna nacque
　　sommo poter! Chi fia che salvo n'esca,
14.　se s'appliglia il suo foco anco nell'acque?

VIII. — 8. i gorghi dell'oceano Indiano e le onde del mar Rosso.

IX

Bella pescatrice crudele.

Sovra scoglio ch'in mar scosceso s'alza,
là dove il musco serpe e s'attorciglia,
Egle, d'Alceo la bella e cruda figlia,
4.   conche pescando gia succinta e scalza.
Vi giunge Eurillo, e ver lo scoglio innalza
dietro al volo d'Amor l'avida ciglia:
la vede, la ravvisa; indi s'appiglia
8.   furtivo a sormontar l'orrida balza.
Là con le voci a intenerir più destre
apre a lei del suo cor l'alto cordoglio.
11.   Ma non puote ammollir l'alma silvestre.
Grida allor disperato: — O fiero orgoglio!
o più del sasso, ove or dimori, alpestre!
14.   Questo è scoglio nel mar, tu scoglio in scoglio.

X

Il bacio appaga.

O coralli animati, o vive rose,
caldi rubini e porpore spiranti,
de l'orto de le Grazie usci fragranti,
4.   de l'amoroso ciel porte odorose;
o del diletto uman mete gioiose,
de l'erario d'Amore arche gemmanti,
o soavi prigion d'anime amanti,
8.   o fonti del piacer, labra amorose;
s'in voi l'anima mia gli spirti suoi
raccoglie mai, qual fia di me più pago?

IX. — 4. *conche*: conchiglie.
11. *silvestre*: selvatica, dura.

X. — 6. *erario*: tesoro.

11. qual fia ch'altro piacer più brami io poi?
    Di men puri diletti altri sia vago;
    io più non chero, o dolci labra, e in voi,
14. quasi in mio centro, ogni desire appago.

XI

Il bacio non appaga.

Ecco pur, labra mie, rompeste al fine
l'amoroso digiun nel cibo amato;
avete pur il nettare libato
4. da l'animate rose porporine.
    Or che più bramo? Ahi, che non giunge a fine
il desio sitibondo innamorato:
bevver le labra e il cor resta assetato,
8. baciai le rose e sento al cor le spine.
    Bevvi, assaggiai non so s'ambrosia o fiamma;
so ben ch'il fiero ardor più sempre abbonda,
11. né de la sete mia manca pur dramma.
    Come ad egro talor sete profonda
breve sorso non tempra, anzi l'infiamma,
14. così io bevvi gran foco in picciol'onda.

XII

Nulla in amore appaga.

Ben veggo, Amor, che il cibo tuo non pasce,
o pur pascendo accresce fame al core;
a pena un tuo desio tramonta e muore,
4. ch'un altro sorge e pargoleggia in fasce.
    Un sol desio che muore avvien che lasce

XI. — 11. Neppure di una minima particella è diminuita la mia sete.

ben cento eredi, ognun di sé maggiore:
Idra se' tu di mille capi, Amore,
8. a cui più d'uno, al troncar d'un, rinasce.
Sei di Tantali mille un lago Averno,
una ruota immortal d'alme meschine,
11. dei cori umani un avoltoio eterno.
Sei mar che non ha termine o confine,
confin di questa vita e de l'inferno,
14. inferno in cui l'ardor mai non ha fine.

XIII

Il primo giorno di maggio.

Ecco a noi riede giovanetto il maggio
coronato di fior, cinto di foglie:
e rivestendo le perdute spoglie,
4. seco ringiovenisce il mirto, il faggio.
Il sol, che il gielo distemprò col raggio,
anco ne' petti ogni rigor discioglie:
e sembra che d'amor tutto s'invoglie,
8. non ch'ogni alma ogni tronco aspro e selvaggio.
Arido è sol del mio sperar lo stelo:
sola, se ben il sole ha nel sembiante,
11. serba Filli nel cor l'antico gielo.
Maggio, ch'oggi del mondo è trionfante,
mentre allegra e innamora e terra e cielo,
14. sol non può far me lieto e Filli amante.

XII. — 7. L'Idra di Lerna, uccisa da Ercole, era un mostro con sette teste le quali appena tagliate si ricongiungevano al tronco.

9. Tantalo non poteva dissetarsi con l'acqua del lago infernale perché non appena egli si abbassava per berne, l'acqua fuggiva.

10. La ruota in perpetuo movimento su cui fu legato Issione nel Tartaro.

11. L'avvoltoio che dilania Prometeo incatenato, per condanna di Giove, sul Caucaso.

XIV

Che alle vicende delle stagioni dell'anno
non corrispondono le vicende delle etadi dell'uomo.

Rotto del verno antico il fosco velo
di nuova gioventù l'anno si vanta,
si riveste di frondi ignuda pianta,
4. si rinnova di fiori arido stelo.
Uscito il rio dalla prigion del gielo
lieto di libertà gorgheggia e canta:
dei perduti smeraldi il suol s'ammanta;
8. di novelli zaffir s'adorna il cielo.
Così col variar di giro alterno
sempre a l'una stagion l'altra succede
11. e i rigor di dicembre ha il maggio a scherno.
Ma se, nevoso il crin, tremolo il piede,
arriva a noi della vecchiezza il verno,
14. maggio di gioventù mai più riede.

XV

Invito alla poesia nel principio della estate ad amici.

Su la cetra del ciel poeta il sole
muove già de' suoi raggi il plettro ardente,
e de le sfere al suon con piè lucente
4. guidan stelle brillanti alte carole.
Mille nel regno suo musiche gole
apre Giuno a cantar soavemente,
e fin l'arsa cicada il suon stridente
8. spiega in vece di canti e di parole.
A lieti versi in dolce mormorio,
tra dipinte pietrucce e bianchi marmi,
11. la voce di cristallo apre ogni rio.

XIV. — 1. *antico*: vecchio. Perché l'inverno è come la vecchiezza dell'anno.

Chi fia dunque di noi che più risparmi,
amici, il canto ad incantar l'oblio,
14.   se il tutto in terra e in ciel c'invita ai carmi?

XVI

Rimedio negli estivi ardori.

Non più benigni raggi, amici lampi
sparge, ma vibra il sol dardi nocenti:
tacciono in mare i flutti, in aria i venti,
4.   manca il rio, secca il prato, ardono i campi.
Perché da tanto ardor s'involi e scampi,
cerca ogni fera indarno ombre e torrenti;
par che diluvi il cielo influssi ardenti
8.   e in pelago di fiamme il mondo avvampi.
Arsiccio il suol con tante bocche e tante
quant'apre in lui caverne il fiero ardore,
11.   chiede invan refrigerio al ciel fiammante.
Or chi dunque sarà che ne ristore?
Amor no, ch'ei non meno arde ogni amante:
14.   Bacco, sia nostro scampo il tuo liquore.

XVII

Al signor Giovan Vincenzo Imperiale
per la sua villa di S. Pier d'Arena
in occasione del suo sposalizio con la signora Brigida Spinola.

Quanto la terra e l'acque han di gentile,
quanto natura ed arte han di diletto,
Clizio, quasi in compendio hai tu ristretto
4.   ne le tue ville, appo cui Pesto è vile.

XVI. — 4. Il ruscello vien meno, non scorre più, privo d'acque.
XVII. — 4. *Pesto*: la città della Lucania celebre per le sue rose.

Qui stagna più d'un lago al mar simile,
qui scorre più d'un rio ch'erboso ha il letto,
e del verno crudel quivi al dispetto,
8. coronato di fior s'eterna aprile.
   L'acqua ne' fonti in vari scherzi ondeggia,
   gode la terra in villa, e ricca mole
11. sostien sul dorso, imperial tua reggia.
    Le bellezze del ciel mancavan sole:
    or non più no, poiché fra lor lampeggia
14. Brigida tua, ch'ha ne' begli occhi il sole.

XVIII

La visitazione.

Luminosa stendea l'aurora in cielo
de' primi raggi il suo vermiglio ammanto;
altra Aurora spargea più chiari intanto
4. ne' monti di Giudea raggi di zelo.
   Quella d'un breve fuggitivo sole
   al mondo promettea povera luce;
   questa del Sole onde quel sol riluce
8. chiudea nel sen meravigliosa prole.
   Che non può santo zelo? Ecco vagante
   quella ch'a noi del ciel le strade addita,
   peregrina d'amor per via romita,
12. ver' la cognata umil move le piante.
    Gran merto, e che non può? Gli angeli a schiere
    ecco, per addolcire a la gran diva
    de l'alpestre camin la noia estiva,
16. scendon qua giù da le celesti sfere.
    Sospende altri di lor serico tetto
    sul regio capo a riparar gli ardori;

XVIII. — 7. *del Sole onde quel sol riluce*: di Dio che è creatore e origine dello splendore del sole.

   altri d'Arabia i più pregiati odori
20. versa d'intorno al virginal cospetto;
   altri onor trionfale in più d'un arco
   inalza, ove la dea sue glorie scorge;
   evvi intanto chi umile il braccio porge
24. del divin braccio a l'onorato incarco;
    parte di passo in passo, a coro a coro,
   temprando a vario suon musiche note,
   rinovan là de le celesti rote
28. il concento dolcissimo canoro;
    molti di rose non caduche e frali,
   ch'ebber stelle per stelo e rai per spine,
   vanno intrecciando al sacrosanto crine
32. ghirlande incorrottibili, immortali;
    parte col ventilar di leggier volo
   le spira intorno zeffiri celesti;
   parte, ov'avvien ch'il sacro piè calpesti,
36. di rari fior va lastricando il suolo.
    Il suolo istesso, ov'ella i passi move,
   si fa di fiori in mille guise adorno;
   l'aura che spira, a lei sospira intorno;
40. il ciel nembo di grazie in sen le piove.
    S'alza ogni basso fior, quasi che brami
   de la veste real baciare il lembo,
   e per fioccarle i dolci frutti in grembo
44. ogni pianta sublime inchina i rami.
    Che dico? Anco ogni sfera in ciel s'atterra
   a riverire, ad adorar tal nume;
   e per farsi più chiaro a sì gran lume
48. il ciel desia di tragittarsi in terra.
    Che meraviglia è ciò, s'ebbe desio
   di farsi il sommo Verbo anch'ei terreno?
   Ma un ciel pur anco è quel vergineo seno,
52. ché quivi è il ciel dove sua stanza ha Dio.
    Vanne, animato Ciel, vanne felice,
   ché la felicità teco s'annida:
   Dio ti sia scorta, anzi tu a Dio sii guida,
56. poiché Dio stesso oggi portar ti lice.

ANTON GIULIO BRIGNOLE SALE

I

La man che ne le dita ha le quadrella.

  La man che ne le dita ha le quadrella
con duro laccio al molle tergo è avvolta.
L'onta a celar ch'è ne le guance accolta,
4. spande il confuso crin ricca procella.
  Sul dorso, ove la sferza empia flagella,
grandine di rubini appar disciolta;
già dal livor la candidezza è tolta,
8. ma men candida ancor non è men bella.
  Su quel tergo il mio cor spiega le piume
e per pietà di lui già tutto esangue,
11. ricever le ferite in sé presume.
  In quelle piaghe agonizzando ei langue;
ma nel languir non è il primier costume
14. che il sangue corra al cor: ei corre al sangue.

II

Troppo tenero cor, perché, commosso.

  Troppo tenero cor, perché, commosso
di questa cruda a la vermiglia vista,

I. — 1. *le quadrella*: le armi d'amore.
3. il rossore.

      mandi avvolta in « oimè » l'anima trista,
4.   a insanguinarsi in quel purpureo dosso?
      Che sovra lei brutto flagel sia mosso,
      più dèi goder quanto ella più s'attrista:
      nostro sperar quindi vigore acquista,
8.   è nel suo tergo il suo rigor percosso.
      Ché se finor con l'amorosa fronte
      negò dare al languir dolce soccorso,
11.   anzi le piante ebbe al fuggir sì pronte,
      or freneralla di vergogna il morso;
      poiché per non mostrar le livid'onte
14.   non oserà volgere in fuga il dorso.

III

Per qual sua colpa esaminata e vinta.

      Per qual sua colpa esaminata e vinta
      costei, che al bel candor sembra innocente,
      sotto le scosse di flagel pungente
4.   il molle dorso a insanguinare è spinta?
      Se del mio cor furato appar convinta,
      si castighi il suo crin, ch'egli è nocente;
      se di mia vita ancisa, il ciglio ardente
8.   paghine il fio: fu da' suoi dardi estinta
      Ah, non è questo il fallo! Ella è punita
      perché allor che io le apersi il mio martire
11.   voltommi il tergo e fe' da me partita.
      E 'l tergo ha duol. Donne, or da voi si mire,
      che non ver' voi giusto rigor s'irrita
14.   pel furare o 'l ferir, ma pel fuggire.

II. — 13. *le livid'onte*: le lividure lasciate dall'ontoso supplizio.
III. — 1. interrogata e convinta di colpa.

IV

Verso i giardin di Cipro a vol sciogliete.

Verso i giardin di Cipro a vol sciogliete,
vezzosetti Amorini, ali odorose;
dolci viole, morbidette rose
4. con la tenera man quivi cogliete.
  Tra mille e mille quelle sol scegliete
che nelle foglie appariran pietose;
segno ne fia se molli e rugiadose
8. per lagrime d'amanti le vedrete.
  Quindi un flagel ne fate, onde ferita
de l'anime la bella feritrice,
11. lacerata non sia, ma rabbellita.
  Ah, se tardate più, quest'infelice
avrà i colpi da sferza incrudelita!
14. E sapete chi sia: v'è genitrice.

V

Lagrime per la morte della signora Emilia Adorni Raggi.

De l'arrabbiato can sotto i latrati,
sotto il ruggir de l'anelante fiera,
io t'ho visto esalare, o primavera,
4. di moribondo odor gli ultimi fiati.
  E pur sorgi di nuovo e i pregi usati
teco hai di molli fior, d'aura leggiera;
rinascer tosto entro la guancia altera

IV. — 1. *i giardin di Cipro*: presso l'isola di Cipro si credeva che fosse
nata Venere e in Cipro si pensava che avesse la sua dimora.

V. — 1-2. All'avvicinarsi della costellazione del Cane Maggiore (che sorge
e tramonta col sole dal 21 luglio) e di quella zodiacale del Leone (nella quale
il sole entra nel mese di luglio) cioè all'avvicinarsi dell'estate.

8. miro di rose iblee gli ostri beati.
    Ma d'Emilia gentil che si morio
    più non vedrò le belle guance e i rai,
11. dove un april rilusse, un sol fiorio.
    Degli anni tuoi, mia vita, or che farai?
    Vengan pur rose, escan pur gigli, oh Dio,
14. ch'un aprile per me non fia più mai!

8. *iblee*: di Ibla, in Sicilia.

CLAUDIO TRIVULZIO

I

Pastorella paragonata alle stagioni dell'anno.

Ne' begli occhi e nel crin dorato e folto
voi sembrate un'ardente e bionda state;
ma nel rigido cor par che raccolto
4. del verno, Eurilla, il duro ghiaccio abbiate;
ne' coloriti fior del fresco volto
le vaghezze d'aprile a noi mostrate;
e nel bel seno in molle velo involto,
8. le poma de l'autunno al fin celate.
Ben le sembianze istesse a me natura
diede, ma 'n vario sito: ond'io nel petto
11. porto, colpa d'Amor, l'estiva arsura,
negli occhi al crudo verno io do ricetto,
d'april ne le speranze ha la verdura;
14. e qual Tantalo, i frutti indarno aspetto.

II

Pastorella cava acqua da un pozzo.

Un muro sol che due magion divide
forma tra sassi alpestri un alto giro

I. — 14. I frutti dell'autunno rimangono lontani da lui come i frutti da
Tantalo.

II. — 2. *alpestri*: rozzi, grezzi.

sovra una cupa fonte, ove rimiro
4. Eurilla mia ch'in lei si specchia e ride.
Qui mentre l'urna sua scendendo stride,
anch'io gemo al mio grave aspro martiro;
onde dico talor con un sospiro:
8. E chi sa che ne l'acque il foco annide?
L'onda che suol recar conforto al petto
or m'accende la sete, e a poco a poco
11. mi consuma, in vertù d'un vago aspetto?
Sì, ché poter cangiar albergo e loco
agli elementi, e variar l'effetto,
14. è del possente Amore usato gioco.

III

Pastorella è per inviarsi verso la città.

Dimani al novo sol pien di vaghezza
sorgere insieme il mio bel Sol vedrassi,
e là drizzando i leggiadretti passi,
4. far mostra a la città di sua bellezza.
Ella, a gir tra i pastor tra l'erbe avvezza,
tra genti astute andrà tra duri sassi;
8. ma voi, pietre, ov'avvien ch'ella trapassi,
deponete al bel piè l'usata asprezza.
E ben di varie man l'arti e i lavori
intenta mirerà per meraviglia:
11. larghe vie, gran palagi, ampi tesori.
Ma de la guancia sua bianca e vermiglia
recheran più stupore i vivi fiori,
14. e 'l semplice girar de le sue ciglia.

---

5. *l'urna*: la secchia.

Anton Giulio Brignole Sale

(Da *Le glorie degl'Incogniti*, Venezia, 1647).

IV

Per un lampo di notte vien veduta bella donna che stava al buio.

Giacean negli antri lor le fere in pace,
tacean gli augei sotto frondoso stelo,
solo io men gia sotto notturno velo,
4. di cui sovente Amor benda si face;
quando per fiamma estiva aureo, vivace,
un lampo aprì, pur come un occhio, il cielo,
tal che da la beltà, ch'altrui rivelo,
8. improvviso rubbai guardo fugace.
O lampo (lampo no, ma lampa eterna)
sempre tu splenderai dentro al cor mio,
11. quando l'aer s'accende, e quando verna;
e dipinger in carte or ti degg'io,
perché qui lampeggiar quegli occhi scerna,
14. che non sia mai ch'oscuri invido oblio.

ERMES STAMPA

I

Amante che si pregia di non avere alcuna speranza.

Lieto io sempre arderò, benché ti toglia
ogni speranza al mio cocente ardore;
ch'entro a piccioli incendi avvampa un core
4. se in lui verde la speme ancor germoglia.
Sì bella è la cagion de la mia doglia
che dolce è senza speme ogni dolore,
e se tutti i miei spirti ingombra amore,
8. come fia che speranza in lor s'accoglia?
Scemar suoi pregi un nobil cor si crede,
se in lui, per mitigar le fiamme ardenti,
11. ponga speranza lusinghiero il piede.
Ristoro vil delle più basse menti,
vattene pur: chi refrigerio chiede
14. stima poco soavi i suoi tormenti.

II

Loda il verno come stagione più praticata da Celia.

Sia pur chi a sciorre inviti il volo usato
dagli obelischi suoi l'egizia Progne,

II. — 2. *dagli obelischi suoi* ecc.: la rondine sverna nell'Africa setten-
trionale, quindi anche nell'Egitto, la terra degli obelischi.

e degl'indugi zefiro rampogne
4.   in rivestir de le sue stelle il prato.
     Facciasi in lui la violetta bruna
     de la pace de l'aria Iri odorosa,
     e da la siepe sua spunti la rosa,
8.   quasi di verde ciel purpurea luna.
     Sia suo diletto udir de' nidi impiumi
     le voci nove e gl'inesperti accenti,
     e mormorar con moderati argenti
12. chiusi da giusta arena il mare e i fiumi.
     Sotto soli prolissi e corte stelle
     piaccia altrui numerar cocenti l'ore,
     e sien le secche e polverose aurore
16. de l'anno più robusto a lui più belle.
     Nel biondeggiar de le frequenti spiche
     veggia indorarsi al mietitor l'affanno,
     e a' voti ingordi del villan tiranno
20. struggersi in dolce umor le pecchie apriche.
     Di rio stagnante e di tranquilla Teti
     ari col fianco ignudo amabil onda;
     e 'n nero bosco od in opaca sponda
24. beva ne l'arsa fronte euri quieti.
     Altri poi lodi il sol quand'ei sospende
     nella tepida Libra il carro acceso;
     e l'arbor, stanco del maturo peso,
28. scote la chioma e al sol le braccia stende.
     Siagli dolce il mirar le viti amanti,
     quasi prezzo dotal d'uve gemmate,
     colmar gli olmi mariti, indi troncate

5. — *in lui*: nel prato.

13. *soli prolissi*: cioè prolungati, sono quelli dei giorni estivi. L'anno è più robusto nell'estate, che corrisponde alla gioventù dell'uomo.

22. *ari col fianco ignudo*: nel nuoto.

24. *euri*: venti orientali.

26. *Libra*: il sole è in questo segno dello Zodiaco nell'equinozio d'autunno.

28. *scote la chioma*: lascia cadere le foglie.

30. *prezzo dotal*: in riferimento all'espressione metaforica della vite maritata all'olmo.

32.   stillar sott'aspro piè l'ambre spumanti.
       Poi la rustica man co' semi esporre
       le speranze de l'anno al dubbio campo,
       e macerati e tinti al vario lampo
36.   de la pallida pianta i doni côrre.
       Io cedo lor con la sua Flora aprile,
       con sua Cerere luglio i' lascio in pace;
       tengasi autun con lo suo dio bibace,
40.   resti a me con Amor bruma gentile.
       Questo è il tempo onde piace al Sol ch'adoro
       far dei vivi splendor pompa palese,
       ed a ragion, se d'amorose imprese
44.   tutto fiammeggia allor l'etereo foro.
       Di Siringa fugace amante fido
       il semicapro dio lieto riluce;
       d'astri squamosi in ocean di luce
48.   guizzan al par le deità di Gnido.
       Del bel crin d'Arianna il nobil cinto
       fregia d'oro immortal l'etra serena;
       pagar gode Orion fulgida pena
52.   del suo dolce tentar la dea di Cinto.
       Fan le figlie d'Atlante ancor più belli
       brillar fra nembi lor gli antichi ardori;
       e 'n guiderdon de' suoi sublimi amori
56.   porta l'Orsa del pol stellanti i velli.

44. Il cielo fiammeggia in inverno di costellazioni che ricordano fatti d'amore.
45-48. Pane innamorato di Siringa l'inseguì, e questa fu trasformata in
canna. Qui indica il segno dello zodiaco del Capricorno, in cui il sole entra a
metà dicembre. In febbraio il sole entra poi nella dodicesima costellazione zodiacale, quella dei Pesci, gli animali che portarono Venere e Cupido (*le deità di
Gnido*) oltre l'Eufrate.
49-50. Bacco innamorato di Arianna le donò una corona d'oro, che divenne
poi una costellazione che porta appunto il nome di Corona.
51-52. Orione ucciso da Diana (Cintia, dal monte Cinto in Delo dove nacque)
per avere tentato di oltraggiare Opi, una delle sue ninfe, fu trasformato in una
costellazione.
53. *le figlie di Atlante*: sono le Pleiadi, che morirono per il dolore provato
per la morte del fratello Ias.
55-56. Calisto, ninfa di Diana, amata da Giove e trasformata da Giunone
in orsa, fu posta in cielo da Giove a formare la costellazione dell'Orsa Maggiore.

Dunque batta Aquilon l'artiche piume
e di volo nevoso ingombri il cielo,
cresca il monte a le stelle irto di gelo,
60. fissi a la sponda il piè stupito il fiume.
Manchin l'ombre a la selva, e l'elce rompa
sotto incarco canuto il verde fasto;
sia di nubi infeconde amaro pasto
64. del colle il pregio e del giardin la pompa.
A te, bel verno, i miei pensier consacro,
e nel mio cuore i tuoi bei giorni han regno;
a le tue brine incanutir non sdegno,
68. fianmi le piogge tue dolce lavacro.
Pubblichi in tanto il reservato volto
Celia gentil, Celia il seren mio vivo;
e de l'orme adorate il suol festivo
72. stampi da' suoi recessi il piè disciolto.
Se Celia vien, quai più bei dì desio?
Fiorisce a me ne le sue guancie il maggio,
scalda negli occhi suoi mia state il raggio,
76. frutta nel suo bel sen l'autunno mio.

63-64. Sia preda di piogge infeconde l'albero e il fiore.
69. *Pubblichi*: manifesti.

BARTOLOMEO DOTTI

I

Amante che sentiva cantar la sua donna contigua di casa.

    Angelica mia voce, indarno ormai
un muro a le tue gorghe argine fassi,
che già, mentre scoccando al ciel le vai,
4. di dolcissima gioia il sen mi passi.
    Come un tenero sen non passerai,
se le dure pareti anco trapassi?
Stupisco ben come tu possa mai
8. con sì gran tenerezza uscir dai sassi.
    Ah credi a me. Dal tuo confin sicura
non esci tu che Amor robusto e forte
11. di lasciartimi al cor confitta ei giura.
    Ma giuro bene anch'io che se ti porte
coi canti a violar tu le mie mura,
14. coi baci vo' sforzar io le tue porte.

II

Occhi neri.

    Luci caliginose, Ombre stellate,
Luciferi ammorzati, Esperi ardenti,

I. — 2. *gorghe*: gole e anche gorgheggi.

Orioni sereni, Orse turbate,
4. mesti Polluci, e Pleiadi ridenti.
Soli etiopi, e Notti illuminate,
limpidi Occasi, e torbidi Orienti,
Meriggi nuvolosi, Albe infocate,
8. foschi Emisperi, ed Erebi lucenti.
Ottenebrati Lumi, e chiari Ecclissi,
splendide Oscurità, tetri Splendori,
11. Firmamenti in error, Pianeti fissi.
Demoni luminosi, Angioli mori,
tartarei Paradisi, eterei Abissi,
14. Empirei de l'Inferno, Occhi di Clori.

III

Amante che aggiustò alcuni vasi di fiori
per coprirsi dietro di essi nel parlar con la sua donna.

Questa che collocai fiorita schiera,
affinché i furti miei protegga e guardi,
e che soffrir de' tuo' bei rai gli sguardi,
4. bagnata ancor dal pianto mio, dispera,
Filli, racchiuderà ne la sua sfera
quelle fiamme segrete, ond'ardo ed ardi,
e perché l'altrui vista ella ritardi,
8. più che siepe, sarà vaga trinciera.
Api amorose noi de' nostri amori
qui sussurriam le gioie e le querele;
11. ché ci faran da segretari i fiori.
Né romperanno il lor tacer fedele,
se non per consigliarne in stil d'odori
14. a raccoglier fra lor d'amore il miele.

II. — 4. *Polluci*: i Gemelli; che sono una costellazione lieta, perché primaverile.
8. *Emisperi*: orizzonti.
11. Firmamento è la sfera delle stelle fisse.

IV

Al signor Giacopo Grandis fisico eccellentissimo e lettor di anatomia.

      Grandi, tu leggi e i tumoli scoperti
di funesto Liceo t'apron le porte,
dove i feretri in catedre converti,
4. ed hai l'ulive infra i cipressi attorte.
      Uno scheletro è libro. Ivi gl'incerti
arcani osservi de l'umana sorte,
e de l'ossa spolpate i fogli aperti
8. segnan dogmi di vita in faccia a morte.
      Da lingue di coltelli interrogato,
con la bocca di più d'una ferita,
11. ti risponde un cadavere piagato.
      Indi l'egra Natura apprende aita,
indi a farsi più mite impara il Fato.
14. Tue discepole sono e Morte e Vita.

V

Li tre Magi su l'orologio di San Marco al batter dell'ore passano
avanti all'imagine della B. Vergine e le fanno l'inchino.

      De l'arte qui l'industriosa mano
misura i moti de l'età tiranna,
e per ludibrio de l'orgoglio umano,
4. su volubile rota i re condanna.
      Gli aggira il Tempo, ed in quel giro insano
la real gravità pur anche affanna,
e mentre passa, come re sovrano,
8. quei re soggetti ad inchinarsi ei danna.
      O superbo mortal, prendi gli esempi
qui, dove ogn'ora son monarchi egregi

IV. — 4. Sono gli ulivi di Minerva, della scienza, e i cipressi della morte.

11.   ridicoli del tempo e scherzi e scempi.
      Deh scema l'alterigia onde ti pregi,
      mirando al fin che il camminar de' tempi
14.   fa piegar la cervice ancor ai regi.

VI

Amante paragonato ad un alchimista.

    Chimico sventurato, a' tuoi deliri
pareggia i miei severità di fati.
Da mantice fabril tu spremi i fiati,
4.   io le viscere mie sfiato in sospiri.
     Tu, pirausta, nei fochi ognor t'aggiri,
io farfalla al balen d'occhi adorati,
tu contempli i pianeti, io gli astri amati,
8.   tu speranze alimenti, ed io desiri.
     Di Mercurio fermar tu cerchi il piede,
il mio bel Sole io d'abbracciar presumo,
11.   tu sei tutto costanza, io tutto fede.
     Ma più misero io son: ché, se di fumo
messe tu cogli, ed io d'ardor mercede,
14.   tu t'affumichi solo, io mi consumo.

VII

A Sermione.

    Ognor che del Benaco io vengo, e torno
per questa inferior pendice aprica,
in te fiso le luci, o Sirmio antica,

    VI. — 5. *pirausta*: è la favolosa farfalla che si diceva nascesse e vivesse nelle fornaci dove si fondono i metalli.

    VII. — 1. *Benaco*: è il lago di Garda.

4.   già di Catullo mio dolce soggiorno.
       Tu, penisola umil, che sporgi il corno
       da la terra e da l'acque a gran fatica,
       sì nota sei, mercé la Musa amica,
8.   che a più provincie, a più città fai scorno.
       Quel cigno fu di nominarti vago,
       e col nomarti sol fu sì facondo,
11.   che fece del tuo nulla un'ampia imago.
       Così ti pose, per destin secondo,
       una striscia di terra in braccio al lago,
14.   una striscia di penna in faccia al mondo.

VIII

Amante che promette alla sua donna di eternarla nelle sue poesie
se gli sarà pietosa.

       L'età, ben mio, ch'ogni giardin dirama,
       farà pur de' tuoi fior scempio improviso,
       ma ciò che il tempo usurperatti al viso
4.   al nome ti potrà render la fama.
       Di là donde l'aurora il sol richiama,
       fin dove cade al piè d'Atlante ucciso,
       a te sarà da bella gloria arriso,
8.   se arriderai tu pure a la mia brama.
       Già che i begli occhi tuoi luce vitale
       porgon a la mia mente, anch'ella appunto
11.   ad illustrar il nome tuo ben vale.
       Ah dunque non voler ch'egli, nel punto
       che andrà fra i versi miei reso immortale,
14.   giaccia fra i pianti miei come defunto.

9. *Quel cigno*: è Catullo che cantò appunto Sirmione nel celebre carme
« *Paeninsularum, Sirmio, insularumque ocelle...* ».

VIII. — 1. *dirama*: spoglia.

6. *Atlante*: il sistema montuoso del Nord Africa situato nella parte occidentale.

IX

Il molino.

Al signor Camillo Bargnani.

Mole d'un fiume in su le sponde accolta,
cozza in più rote, a l'arietar de l'onda;
la primiera dà moto a la seconda,
4.   e la seconda poi l'altre rivolta.
Indi leva una selce, ove sepolta
con sollecito piè Cerere affonda,
e la granita sua chioma già bionda
8.   in atomi canuti ecco è disciolta.
Tal noi del tempo il vasto gorgo incalza:
la puerizia in gioventù risolve,
11.   la giovinezza in mezza età trabalza.
Questa in vecchiezza, o mio *Camillo*, ei volve;
ed ecco del sepolcro allor c'inalza
14.   la pietra in capo, e ci sfarina in polve.

X

A cantatrice che in scena fingeva l'amante.

Fingi pur meco, idolo mio, se sai,
amor dolce così come il tuo canto:
io di goder da scherzo ancor mi vanto;
4.   che raro in donna io vero amor trovai.
Simula il pianto: i simulati lai
andrò pur io dissimulando intanto.
Ch'importa a me l'esaminar quel pianto?
8.   So che a donna che il vuol non manca mai.

IX. — 2. *arietar*: cozzare.
6. *Cerere*: il grano.
7. *granita*: ridotta in grani.

Si pianta amor anco sul falso; e presto
se precipita poi, non me ne rodo.
11.   Godasi finché puossi, e vada il resto.
L'amor finto non biasmo, e il vero io lodo;
poiché v'è l'uno e l'altro. Il punto è questo:
14.   godasi o l'un o l'altro, è tutto a un modo.

XI

Per un aborto conservato in un'ampolla d'acque artificiali
dal signor Giacopo Grandis fisico anatomico eccellentissimo.

Questo, *Giacopo* mio, sconcio funesto
cui diè morto natale il sen materno,
se maturo nascea, moria ben presto,
4.   e voi d'intempestivo il feste eterno.
Non so se dolce latte o pianto mesto
gli sia di quel cristal l'umore interno;
so ben che l'alvo suo fu come questo;
8.   poiché utero da vetro io non discerno.
Vive quasi per voi chi per sé langue.
Embrione morì, scheletro nacque,
11.   fatto parto immortal d'aborto esangue.
Uomo, impara. Insegnarti al *Grandi* piacque,
che sia ventre di donna, e maschio sangue
14.   più fral del vetro, e men vital de l'acque.

XI. — 1. *sconcio*: aborto.
4. *intempestivo*: fuori tempo.

XII

Prendendo tabacco in fumo dopo lo studio.

    Già che ormai, bella Clio, sovra le sponde
del sacro Dirce inebriato anelo,
lascia che sul mio labro il sacro gelo
4. temprin sorsi di fumo, a sorsi d'onde.
    L'odorato vapor già non confonde
a' tuoi cigni il candor del bianco pelo;
ma sollevato in densi globi al cielo,
8. tesse loro ne l'aria ombre gioconde.
    A queste io mi ricreo: ché, se soffersi
lunghe fatiche, io di premiar presumo
11. con tal ristoro i miei sudor dispersi.
    Così del mondo a l'uso io m'accostumo,
che le vigilie anch'ei de' nostri versi
14. non rimunera mai, se non di fumo.

XIII

Si rassomiglia all'uva la vita dell'uomo.

    Mira, o mortale. Io t'assomiglio a questa,
che d'una madre verde è figlia bruna.
Nasce al nembo soggetta e a la tempesta;
4. turbo di pianti a te diluvia in cuna.
    A lei tenebre dolci il sole appresta,
a te bianche miserie il tempo aduna;
lei tronca di villan forbice infesta,

XII. — 1. *Clio*: è il nome di una delle Muse: era rappresentata con un libro in mano e una tromba e con in capo la corona d'alloro; qui sta ad indicare lo studio che dona gloria.

2. *Dirce*: una sorgente in Beozia a nord di Tebe. Orazio chiama Pindaro « *Dircaeus cygnus* ». Il *sacro Dirce* sarà qui lo studio della poesia.

XIII. — 5. le *tenebre dolci* del colore dell'uva che matura al sole.

8.   te raccoglie d'età falce importuna.
      Per trarne il sangue, a lei l'atra corteccia
rompe rustico piè; morte dissolve
11.   l'alma da te, per indifesa breccia.
      Un torchio lei, e te un feretro involve;
lei preme un legno, e la riduce in feccia;
14.   te preme un sasso, e ti riduce in polve.

XIV

Per un regalo di fraghe.

Al signor D. Antonio Maria Molo, Canonico di Tortona.

      Questi, per cui la primavera or serba
con l'autunno e l'està pari trofei,
su la faccia d'april purpurei nei,
4.   coetanei dei fior, frutti de l'erba,
      tu m'offri, *Antonio*, e d'una sete acerba
l'aridità non solo in me ricrei,
ma che diventi pur cagion tu sei
8.   negli ostri lor la mensa mia superba.
      Chi dirà che le grane (insegne gravi
di chi regna) sien toschi, or che mi esponi
11.   tu di minio real composti i favi?
      Certo d'altro velen non li componi,
se non che, fra le porpore soavi,
14.   fai tiranni dei cor tu gli tuoi doni.

XIV. — 9. *grane*: il colore rosso.

XV

L'orologio nello specchio.

Al signor conte Carlo de' Dottori.

Sovra fulgido specchio aureo metallo
luminose a notar l'ore mi viene;
ma quest'ore, che alfin son di cristallo,
4. quanto poi dureran così serene?
Gira sul gelo ed a mirar mi tiene
che questa vita è pur su l'onde un ballo,
labil così che tutte l'ore avviene
8. d'affogarsi a chi pone il piede in fallo.
Quanto fugga l'età qui si comprende,
poiché striscia sul ghiaccio, e quali artigli
11. porta, mentre agli specchi ancor s'apprende.
O specchio veritier! De' suoi consigli
l'alta prudenza, o *Carlo*, in lui risplende:
14. vuol che nel tempo ad ispecchiarmi io pigli.

XVI

Passando a nuoto il torrente Scrivia nel fuggire dal castello di Tortona.

V'ho pur infranti, o ceppi! Or su l'altare
al dio liberator vi appendo in voto,
e con ardir da Cesare m'arroto
4. nel torrente io così com'ei nel mare.
Tu, monarca roman, legno volgare
scegli per disfidar gli urti di Noto;
io, col flutto infedel cozzando a nuoto,
8. del gorgo assalitor vinco le gare.
Ma quantunque l'instabile sentiero

XVI. — 3. È celebre la traversata del mare in tempesta tentata da Cesare.
6. *Noto*: è un vento meridionale che porta tempeste.

solchiamo, io timoroso e tu iracondo,
11. trofeo maggior del tuo trionfo io spero.
Che se varchiam de l'acque il sen profondo
io per la libertà tu per l'impero,
14. val più la libertà che tutto il mondo.

XVII

Le formiche.

Fissa l'occhio, mortal, qui dove impressa
par di punti animati esser la terra.
D'atomi vivi qua turba indefessa
4. sorge, va, passa, torna, e scorre, ed erra.
Cumuletti di grano, in schiera spessa,
per lunga striscia strascinando afferra,
vi s'affatica intorno, e poi se stessa
8. con la raccolta messe al fin sotterra.
Dunque spècchiati in lor, tu, che persisti
ne l'accoglier ricchezze, alma inquieta,
11. e qual formica in cumular ti attristi.
Ne l'avarizie tue vanne pur lieta,
che son dei sudor tuoi meta gli acquisti:
14. ma degli acquisti poi la tomba è meta.

XVIII

Trattenendosi bella donna su la sera in un giardino a prender aria.

Sorgea la notte e per gli adriaci liti
parea l'aria sgroppar tremoli accenti,
che del sol moribondo eran lamenti,
4. o degli astri nascenti eran vagiti,

XVIII. — 2. *sgroppar*: sciogliere.

quando cercava, entro sentier fioriti,
a l'estivo calor soffi clementi,
e spiriti di gel volea dai venti
8. colei che chiude in petto i ghiacci sciti.
    Ma de l'arida està l'atroce arsura
accresceano quaggiù di Sirio i rai,
11. né de le brame altrui prendeansi cura.
    Allora — O bella, o cruda — io le gridai
— se non ritrovi gel non è sventura.
14. L'aure non l'han; ché tutto in sen tu l'hai.

XIX

La diana, segno dello spuntar del giorno
battuto dalle milizie sul tamburo.

Al signor Enrico Papafava.

In queste mura, dove io mi querelo
de l'infelice mia lunga dimora,
suscitando battaglie anco nel cielo,
4. timpano militar sveglia l'Aurora.
    Sbigottita la Notte, in fosco velo
con le tenebre sue sen fugge alora,
e vincitor in campo il dio di Delo
8. con trionfi di luce il mondo indora.
    Io desto mi rallegro al suon che intorno
la nascita del sol, *Enrico*, addita;
11. ma poi pentito a le mestizie torno.
    Che se ogni giorno vien quando lo invita
un tamburro guerriero, ah che ogni giorno
14. è un assalto del tempo a la mia vita!

---

8. *sciti*: è un nome classico generico per indicare i paesi al nord del mar
Nero e del mar Caspio.

XIX. — 4. *timpano*: tamburo.

XX

Ad uomo ricco senza prole.

O tu che godi aprir nei vasti erari
pompa d'onnipotenze agli altrui cigli,
perché impetrar non puoi dagli astri avari
4. a sì lungo imeneo serie di figli?
A pietose indulgenze invan consigli
con olocausti pii gli dei contrari;
ed implorando prole invan ti appigli
8. con voti inefficaci ai sordi altari.
Riso d'alte speranze adesca e pasce
gli estrani eredi. E da' tuoi lumi gronda
11. un pianto disperato in orbe fasce.
Questa è del tuo grand'or sorte infeconda:
se sterili fa i monti ov'egli nasce,
14. sterili fa le case ov'egli abbonda.

XXI

Non curandomi di riveder la patria.

Addio contrade mie. Di clima esterno
io resto a respirar l'aura benigna.
L'aria materna è una Giunon matrigna,
4. e Saturno dei figli è il ciel paterno.
Verso la patria un non so che d'interno
costante amor so che ne l'alme alligna;
ma la terra natia, quand'è maligna,
8. paga un perpetuo amor con odio eterno.
Vado, e soggiorno universale io spero
dovunque mai con mormorio facondo

XXI. — 3. Giunone, regina dell'aria e del cielo, sta appunto ad indicare l'aria.
4. Saturno divorava i propri figli.

11. la mia fama precorra il mio sentiero.
Questa è la sorte alfin d'uom vagabondo:
ignoto, ancora in patria è forastiero;
14. famoso, è cittadino in tutto il mondo.

XXII

Al signor Don Cesare Pagani, senator di Milano.

Punitis ingeniis gliscit auctoritas
(TACITO, *Annal. 4*).

Ridicolo pensier d'ingegni oscuri,
sciocca credulità di fatua mente,
creder che possa mai rabbia presente
4. abolir le memorie ai dì futuri!
Un tribunal che i fogli altrui censuri,
erga lor co' suoi fasci un rogo ardente,
Cesare, impugni pur togata gente
8. su lo scrittor le consolari scuri,
erra chi ciò consiglia e ciò decreta:
in vece che a l'oblio quell'opra affiga,
11. la publica, volendola segreta.
Tu il foro a tal follia mai non instiga.
Gli scritti fa bramar chi li divieta,
14. accredita l'autor chi lo castiga.

FRANCESCO BRACCIOLINI

I

Che non è stabilità in cosa mortale.

Non sia speme tra noi se non celeste,
ch'ogn'altro verde a breve andar s'imbianca;
volano le giornate a fuggir preste
4. e col tempo fugace il viver manca.
Pungono gli ostri le velate teste
più d'ogni spina; ed ogni man si stanca
che impugni scettro; e chiude una terrestre
8. tomba ogni impero, ogni virtù più franca.
Non basti a prolungar solo un momento,
forsennato mortale, il viver breve,
11. e pensi all'avvenir cent'anni e cento.
Tornerà il maggio, e tornerà la neve;
ma non tornerà più quando sia spento
14. l'uman calore a dileguar sì lieve.

II

La morte esser inevitabile.

Alzi pur d'oro e cinga il letto intorno
scolpito argento, e le cortine intessa
nube di gemma a meraviglia espressa
4. di fregio illustre oltr'ogni stile adorno,

pur vi morrai, superbo, e pur d'un giorno
non fia dimora al tuo pregar concessa,
che nulla val, quando la morte appressa,
8. della ricca Amaltea versare il corno.
 Crescere un palmo alla statura umana
chi può vivendo? E cerchi pur d'alzarsi
11. fasto terren, ch'ogni sua prova è vana.
 Né la morte un sol dì lontana farsi
può per tesoro, e non fu mai lontana
14. più d'un momento; ahi dì fugaci e scarsi!

III

Del desiderio della fama.

Poco giova il mirar ch'ad ogni passo
m'additi il cenno, e le dovute lodi
suonino in mormorio concorde e basso
4. fuor di sospetto di mentite frodi;
 che ove giunge la fin del viver lasso
la fama è un vento, e son mentite frodi,
che vaglion nulla a chi di vita è casso,
8. che dell'opere estinte altri si lodi.
 E quando anche di me qualcun ragioni
dopo la morte, al cener freddo e fosco
11. che varrà ch'alto o basso il grido suoni
 s'io non odo, non sento, e non conosco?
Non giungon anco entro le tombe i tuoni,
14. non che latino favellare o tosco.

II. — 8. Il corno dell'abbondanza già stato della capra-nutrice di Giove Amaltea.

IV

Campane del mattino.

Squilla, de' pigri cuor tromba canora,
ch'all'opere diurne il mondo desti,
e con accenti solitari e mesti
4.   batti e rammenti il dileguar dell'ora,
     prima che sorga la vermiglia aurora
a colorir le region celesti,
tu le tenebre mie scoti tra questi
8.   gravi sospiri, ond'io non sorgo ancora.
     Riconosco ben io nelle tue note,
che mi giungono al cor pietose e lente,
11.   lo stimolo del ciel che mi percote.
      E mi ricorda come al sonno algente
presso è la morte, e più 'ndugiar non puote,
14.   ché 'l varco inevitabile è presente.

V

Fiume.

Lucido rio, che per l'alpestre vena
onde tu nasci, mormorando parti,
e scorrendo ne vai di rena in rena
4.   senza la notte e 'l dì giammai fermarti,
     come l'umido corso a te non frena
sterpo né sasso, e son disciolti e sparti
dal sovrastar della sonante piena
8.   che non si torce in disviate parti!
     E fin che tu non giungi ove t'accoglia
l'ampia origine tua nel molle seno,
11.   non è diversion che ti distoglia.
      Insegna a me ch'entro l'uman terreno
mai fermar non si dee la nostra voglia,
14.   sin ch'ella in Dio non si contenta a pieno.

VI

Difficoltà e lode del sonetto.

Come più ferve in chiusa parte il foco
dove le sue rovine ardon più strette,
calor di Febo in circoscritto loco
4. fulmina più da sette carmi e sette.
  Ma non suoni qual corno ottuso e roco,
qual tromba acuta i cuor punga e saette,
e quanto il campo alla contesa è poco
8. tanto sieno al ferir l'armi perfette.
  Ché segue in breve piazza agon feroce,
dove per conseguir trionfo intero
11. la man vuole e l'ingegno esser veloce.
  E superar con l'ali del pensiero
l'opposte rime; e fuor d'oscura foce
14. lucido trar con la menzogna il vero.

FABIO LEONIDA

I

Col variar de le stagioni alterno.

 Col variar de le stagioni alterno
venuta è quella, il cui rigore hai tolto
ad imitar, crudele: il freddo verno
4. comparso è già di bianca neve involto.
 Odi dal carcer suo fremer disciolto
lo stuolo, di cui prende Eolo il governo;
mira di pioggie e di vapori il volto
8. scolorito e bagnato al ciel superno.
 Così di neve il core ancor tu cingi;
così d'umidi pianti, e d'angosciosi
11. sospir m'ingombri, e di pallor mi tingi.
 Ma 'l verno avien che ceda e si riposi;
dura eterna l'asprezza onde m'astringi
14. a passar tristi giorni e travagliosi.

II

Vedi come nevoso ispido vello.

 Vedi come nevoso ispido vello
i monti intorno e le campagne imbianchi?

I. — 6. lo stuolo dei venti di cui Eolo e il re.

e spogliato di fronde ogn'arboscello
4. ignude mostri al ciel le braccia e' fianchi?
    Tosto ancor fia che i giorni freddi e manchi
cedan del verno; e di color più bello
si vesta 'l mondo; e fior vermigli e bianchi
8. ridan fra l'erbe in questo poggio e 'n quello.
    Così, stagion mutando, or nevi e ghiacci
Borea n'adduce; or di fioretti e foglie
11. smalta Zefiro i prati e i boschi adorna.
    Ma tu nel male eternamente agghiacci,
alma indurata, e di fiorite voglie
14. primavera per te mai non ritorna.

III

Non già perché degli anni il primo fiore.

    Non già perché degli anni il primo fiore
t'abbia tolto l'etade invida e ria,
donna, sei tu men bella o men che pria
4. degna per cui sospir tragga ogni core.
    Ancor le membra tue spiran di fore
l'usata lor vaghezza e leggiadria;
anzi col tempo avien che 'l volto sia
8. cresciuto in maestà, l'alma in valore.
    Più tranquillo e sereno anco risplende,
senz'alterezza e con misura ardente,
11. il raggio che negli occhi amor t'accende.
    Così riluce 'l sol più dolcemente
e meglio si vagheggia allor che scende,
passato 'l mezzo dì, verso occidente.

II. — 5. *manchi*: manchevoli, brevi.
10. — *Borea*: vento di tramontana, freddo dunque.

GHERARDO SARACINI

I

Questo fulgor che scorgi in grembo al fiume.

    Questo fulgor che scorgi in grembo al fiume,
qualor trattando amo fallace vai
e 'l pesce predator tua preda fai,
4. raggio è di sole, o de' tuoi Soli il lume?
    Del sol non già, ch'ha di schivar costume
il paragon de' tuoi sereni rai;
né meno è il lume tuo, ch'avrebbe omai
8. diseccate del rio l'algenti brume.
    Lasso, è il mio cor, ch'o per temprar l'ardore,
o per farsi a tua man novello gioco,
11. corse preda fatal nel freddo umore.
    Ma ben vegg'io che per cangiar di loco
non può cangiar del fato empio il rigore,
14. esposto in acqua al ferro, e in terra al foco.

I. — 2. *amo fallace*: perché l'amo trae in inganno il pesce.

MAFFEO BARBERINI

I

Il diletto terreno è momentaneo.

    Acqua limpida sorge e si diffonde
in verde prato tra l'erbette e i fiori;
spira l'aura e n'invola i cari odori
4.   e fra le nubi il sol più non s'asconde.
    Ride il suol, ride l'aria e ridon l'onde,
e gli augei, dell'aurora ai primi albori,
con note argute e sibili canori
8.   gioia stillan ch'al cor dolce s'infonde.
    Tal di felice stato il bel sembiante
qui sembra al senso che non mira al fine;
11.   ahi! che quaggiù il diletto in un momento
    da noi sen fugge con alate piante;
qui l'alme albergan come pellegrine,
14.   stabil sol hanno in ciel vero contento.

II

Dalla vaghezza della villa di Castel Gandolfo s'innalza la mente
a contemplare l'eterne bellezze.

    Qui dove il lago Alban le limpide onde
in vago giro accoglie, e 'l mar Tirreno

I. — 3. *n'invola*: porta via dai fiori.

      lo sguardo alletta col ceruleo seno,
4. il sol per l'aria i raggi d'or diffonde,
      s'ammantan gli arboscei di verdi fronde,
      di fiori il prato e 'l ciel di bel sereno,
      dolce mormora l'aura, a cui non meno
8. in dolci note il rosignuol risponde,
      chi non rinvigorisce? e al cor non sente
      gioia stillar? Oh s'erga pronta e ascenda
11. per questi gradi al Gran Fattor la mente;
      deh squarci omai del van desio la benda
      drizzando al vero ben le voglie intente,
14. e nel bel ch'è lassù d'amor s'accenda.

III

Quanto sia vano il pensiero d'acquistar fama col mezzo della poesia

      Che fai Maffeo, che pensi? a che con arte
      emula all'età prisca, sì ti cale
      formar inni canori? a che ti vale
4. vegliar la notte per vergar le carte?
      La fama è suon, ch'in un viene e si parte;
      e di fugace rio qual bolla frale
      dà Permesso l'onor finto immortale,
8. e in vano altrui quel che non ha comparte.
      E pur ami l'inganno e 'l dolce errore.
      Eternar credi le cose passate
11. con cetra armoniosa, e fuggir morte?
      Folle speranza ti lusinga il core:
      non alla pompa di parole ornate,
14. al ben oprar del Ciel s'apron le porte.

II. — 9. *rinvigorisce*: riprende vigore.

III. — 7. *Permesso*: il fiume che sgorga alle falde del monte Elicona, sacro ad Apollo e alle Muse.

IV

Sopra le stimmate di S. Francesco.

In quest'orror dove di gelid'ombra
cuopron abeti e faggi intorno il suolo,
mentre Francesco nella mente il duolo
4. di Cristo in croce agonizzante adombra,
 lo strazio atroce sì l'alma gl'ingombra,
fatto de' suoi pensieri oggetto solo,
ch'ella, d'ogn'altro uman incarco sgombra,
8. per unirsi a Giesù s'inalza a volo.
 Ed ecco che dal Cielo in non più udite
maniere sente esser ferito, e langue
11. acceso il petto dal divino ardore.
 Queste, che fan temer ch'ei resti esangue,
benché sembrin non son però ferite,
14. ma spiragli onde fiamme esala il core.

V

In morte della signora Camilla Barbadora madre.

 Come il duol non m'ancise allor che morte
t'estinse, o cara Genitrice? In ombra
s'è cangiata mia luce, e 'l cuor m'ingombra
4. angoscia ch'a' sospiri apre le porte.
 Ahi che cosa esser può che mi conforte,
s'in parte l'amarezza non mi sgombra
speme, ch'al mio pensier sovente adombra
8. il tuo gioir, la tua beata sorte?
 Di te penso e ragiono, o nobil alma,
e 'l sonno a te venir talor m'insegna;

IV. — 1. *In quest'orror* ecc.: è indicato il sasso e la foresta della Verna.

V. — 3-4. l'angoscia mi occupa il cuore e se ne impossessa.

11.   onde bramo le notti ed odio i giorni.
         Deh chi m'impetra che, la mortal salma
       deposta in terra, rivederti io vegna
14.   fra spirti eletti, e quindi più non torni?

VI

Sopra una fonte di bell'artificio.

       Qui, dove sorge la volubil onda,
       arresta i passi, o pellegrino, e intento
       in mille guise il bel limpido argento
4.   mira cader del fonte in sulla sponda.
         S'erge altronde l'umor ch'in copia abbonda,
       in stille altronde piove; indi non lento
       vibrasi in giuso, e quivi in un momento
8.   sale e in sé torna ond'è ch'in sé s'asconda.
         E mentre or poggia or cade o in sé si rota,
       talor si spande, or se medesmo fiede,
11.   sì d'uno in altro moto si trasforma
         che sebben nel cristal mobile immota
       sua sembianza abbia il fonte, l'occhio crede
14.   ch'ognor si cangi in varia e nuova forma.

VI. — 9. *poggia*: sale; *in sé si rota*: gira su se stessa.

ALESSANDRO ADIMARI

I

Folle è colui che d'innalzar suo vanto.

    Folle è colui che d'innalzar suo vanto
crede eterno co' fogli al ciel sereno;
che cosa è carta? un velo, un'erba, un fieno
4.   ch'uno straccio anco fu fracido e franto.
    L'inchiostro? altro non è ch'un fosco ammanto
opposto al giorno, e con la notte in seno.
La penna? un vol ci mostra, anzi un baleno,
8.   che se ne va co' venti all'ombre accanto.
    E su perno sì fral con tanta cura
e la vita e l'onor si fonda e volve,
11. ch'un foco ce l'avvampa, un'acqua il fura?
    In che termina al fine o si risolve?
Ahi, che quell'opra a gran ragion s'oscura
14. che si cuopre di negro, e poi di polve.

II

Oh miser uom, ch'in sostener sua vita.

    Oh miser uom, ch'in sostener sua vita
cosa non ha che non gli annunzi affanno!

I. — 14. *polve*: è la polvere che si mette sullo scritto fresco perché asciughi.

Ei nasce nudo, e s'a vestir s'aita
4. verme è la seta e morta spoglia il panno;
se da Cerer procura esca gradita,
corrotti pria sotterra i semi stanno;
s'augelli o fere alla sua mensa invita,
8. condotti a forza e lacerati vanno.
L'uve al suo ber calpesta un piè villano,
e quasi ch'il cibarsi oltraggio apporte,
11. di forcine e di ferro arma la mano.
Ahi, come può, meschin, trovar mai sorte?
se, nato appena, il suo gran padre umano
14. nel primiero boccon mangiò la morte?

III

O voi, ch'in sen della Città del Fiore.

O voi, ch'in sen della Città del Fiore
nel suol ch'ha suon di Croce e di tormento
volgete un otro ove è rinchiuso a stento
4. un fiato, che vi sembra aura d'onore,
questo globo, entro informe e bel di fuore,
è del mondo il model voto al contento:
seguiam tutti un pallon, ch'è pien di vento,
8. da cui si tragge sol polve e sudore.
Ecco un avido il cerca, altri l'attende,
un lo spinge, un l'inalza, altri l'atterra,
11. poscia offeso è quei più che più lo prende.
Oh giuoco orma del vero! Ognun fa guerra
con quest'orbe mortal; ma chi l'intende
14. li dà de' calci e via lo caccia in terra.

II. — 13-14. Adamo mangiando il frutto proibito mangiò la sua condanna, condanna al lavoro e alla morte.

III. — 11. *offeso*: stanco.
12. *fa guerra*: contende.

IV

Balen ch'in un sol punto acceso muore.

Balen ch'in un sol punto acceso muore,
polve ch'in alto si disperde al vento,
paglia che si dilegua in un momento,
4. fumo che via sen va sciolto in vapore,
    erba che manca in sull'aprir del fiore,
lume ch'ad un soffiar si resta spento,
voce che si vien men dietro all'accento,
8. neve al sol, nebbia al dì, cera all'ardore,
    ombra di scura notte all'alba accanto,
sogno di chi con febbre in letto giace,
11. seren d'inverno, e di sirena il canto,
    di rapido torrente acqua vorace,
o donne (e pur v'insuperbite tanto)
14. della vostra bellezza è men fugace.

IV. — 7. *accento*: parola.

ANTON MARIA NARDUCCI

I

Sul fiorito balcon lieta splendea.

Sul fiorito balcon lieta splendea
la bella e vezzosissima Licori,
e l'alba, allor ch'esce ridente fuori
4. sul fiorito balcon del ciel, parea.
    Quasi de l'erbe un novo sol facea
pullular l'erbe a' suoi vitali ardori,
ed Atropo crudel de' più bei fiori
8. con sue forbici crude i fior metea.
    Spargea di quei cadaveri odorati,
mentre io mirava lei, sopra il mio lembo
11. pioggia dipinta dagli aerei prati.
    Così conversi in quel leggiadro nembo
avessi io pure i cari membri amati,
14. felicissima Danae, accolto in grembo.

I. — 7. *Atropo*: una delle tre Parche, rappresentata nell'atto di tagliare con le forbici il filo della vita.

12-14. Danae accolse in grembo Giove trasformato in una pioggia d'oro: il poeta, come Danae, vorrebbe accogliere *i cari membri amati*, la persona della donna amata, trasformati nei fiori che piovevano su di lui (*quel leggiadro nembo*).

II

Sembran fere d'avorio in bosco d'oro.

Sembran fere d'avorio in bosco d'oro
le fere erranti onde sì ricca siete;
anzi, gemme son pur che voi scotete
4. da l'aureo del bel crin natio tesoro;
   o pure, intenti a nobile lavoro,
   così cangiati gli Amoretti avete,
   perché tessano al cor la bella rete
8. con l'auree fila ond'io beato moro.
   O fra bei rami d'or volanti Amori,
   gemme nate d'un crin fra l'onde aurate,
11. fere pasciute di nettarei umori;
    deh, s'avete desio d'eterni onori,
    esser preda talor non isdegnate
14. di quella preda onde son preda i cori!

II. — 13-14. Lasciatevi qualche volta prendere da colei che è vostra preda,
e per la quale sono preda i cuori.

FILIPPO MASSINI

I

Vagheggiamento amoroso.

Da' tuoi lumi al mio core,
dal mio core a' tuoi lumi,
perché tu più risplenda, io mi consumi,
vola e rivola Amore.
Un muto, ignoto affetto
5. varia a te, varia a me sovente aspetto;
te di vermiglia rosa orna e dipinge,
me di viola pallidetta tinge;
tu mi guardi, io ti miro:
10. ma tu ridi, io sospiro.

II

Bella donna fatta bruna dal sole divien più vaga.

Viva neve, cui tinge e non disface
il sol, mentre fra 'l bianco il bruno acquista,
fassi legiadra sì, ch'a mortal vista
4. più che pria non facea diletta e piace.
Vibra pur, Febo, in lei l'ardente face,
quanto più invidia il cor t'ange ed attrista,
ché sua bianchezza, in parte ombrata e mista,
8. più vezzosetta e cara altrui si face.

Il bel candido suo d'oscur non tinge,
che tal non have in lei forza 'l tuo raggio,
11. ma col candor confuso ostro dipinge.
    Onde chi mira con dritt'occhio e saggio,
veder può ch'oggi in lei s'unisce e stringe
14. a le rose genar, la neve a maggio.

III

Bevendo a tazza segnata dalle labra della sua donna
maggiormente s'accende.

    Dafne, mentre bevea,
col dolce labro e rugiadoso impressa
soave nota in bel cristallo avea.
Da quella parte istessa
5. anch'io, mentre credea
libar spumante e prezioso vino,
trassi nettar divino,
ch'allor che sete in me d'umore spense,
sete d'amore accense.

IV

Petto rosso.

    Dolce augellin che piume oscure veste,
e 'l petto ha rosso, onde 'l suo nome ha preso,
obliando se stesso e 'l cibo, in queste
4. piante tutto 'l mattin cantando ha speso.
    Ben è simile a me, che 'n bruna veste
di rosseggianti fiamme ho 'l petto acceso,
ed a note cantar or liete or meste,

III. — 3. *nota*: segno.

8.   tutto 'l mattin fui di mia etate inteso.
  Egli il volare, egli il cantare apprezza;
de' miei pensieri il volo io pregio e 'l canto,
11.   che ad altro ben non ho la mente avezza.
  Siam dissimil'in un: negletto io canto;
le selve e le campagne ei di dolcezza
14.   empiendo, ha del suo stile e loda e vanto.

V

Nuovo Elicona e nuovo Parnaso.

Questo di puro vin spumante vaso,
che scintillando esala a mille a mille
vive saltanti e spiritose stille
4.   onde gli occhi mi punga e ingemmi il naso,
  è 'l mio Elicona; e sono il mio Parnaso,
ove l'ore men'io liete e tranquille,
di Bacco i colli e queste amene ville,
8.   orto degli ozi e de le cure occaso.
  Mentre la lingua il buon Lieo m'inonda,
oh come dolce mormorar si sente
11.   e fra i rami e fra i sassi e l'aura e l'onda!
  O soave liquor dolce e pungente,
se mai fortuna i miei desir seconda,
14.   terrò le muse a le tue lodi intente.

V. — 5. *Elicona*: montagna della Beozia consacrata alle Muse da cui sgor-
gava la fontana d'Ippocrene; *Parnaso*: monte sacro ad Apollo e alle Muse. Elicona e Parnaso sono dunque simboli dell'ispirazione poetica.
  9. *Lieo*: epiteto di Bacco: il vino dunque.

VI

Veglia rustica.

Poi che cenato avrai, vien con le suore
tue pargolette e con tua madre, Orsella,
là 've mia madre e schiera amica e bella
4. fugge, al foco filando, ozio ed algore.
  Fra suoni e danze in giochi e 'n risi l'ore
trarrem notturne; udrem la vecchiarella
favoleggiar sovente, e questa e quella
8. sfogar cantando l'amoroso ardore.
  Al fin de' balli e de' soavi accenti,
per ristorarne poi mancar non ponno
11. molli castagne e saporiti vini.
  Così la notte vegghiarem contenti,
fin ch'altrui gravi farà i lumi il sonno,
14. le palpebre cadenti, e i capi chini.

VII

Il lucherino si specchia.

Nuovo Narciso mio volante e vago,
ch'entro a soave lume
di lusinghier cristallo,
miri de le tue piume
5. il nero, il verde, il giallo;
troppo, ah troppo se' vago
de la picciola tua dipinta imago.
Già vederti mi par converso in fiore,
foglie farsi le penne, e 'l canto odore.

FRANCESCO MELOSIO

I

Bella donna udita, ma non veduta cantare.

  Occhi non lagrimate; ah vostro errore
non fu già no, s'io pur divenni amante!
L'alma non m'involò vago sembiante;
4. mi trafissero il sen voci canore.
  E giusto è ben che mentre è cieco Amore,
non sempre il guardo suo ferir si vante;
e che, sola mercé d'aura volante,
8. ciò che l'occhio non vide adori il core.
  Non sapendo qual sia l'oggetto amato,
entro l'idea mille beltà mi stampo,
11. lasso, non scorgo il ferro, e son piagato!
  Né fia stupor se in fiamma ignota avvampo,
ché può strali scoccare arco celato:
14. e fulmine cader prima del lampo.

II

Occhi neri lodati.

  Occhi, che vi dirò? Due mori arcieri,
cui forma vago ciglio arco nocente,
cui serve il guardo di saetta ardente,
4. e gite ognor di mille prede alteri.

Occhi, che vi dirò? Bruni emisferi,
che date all'ombre un gemino oriente:
faci, che sempre ardete, e siete spente;
8. astri, che il sol vincete, e siete neri.
Occhi, che vi dirò? Notti gradite;
paragon di beltà lucido e puro;
11. d'ogni alma e d'ogni cor le calamite.
Ah che dir quel che siete in van procuro,
s'anco allor che più chiari a me vi aprite,
14. negli abissi di luce erro all'oscuro!

III

Bella bocca lodata.

Bocca, dimmi: che sei? Conca gemmata,
che celi nel tuo sen perle ed argenti;
ricco tesoro di piropi ardenti;
4. vivo corallo, e porpora animata.
Bocca, dimmi: che sei? Stanza odorata
ove albergano ognor grazie ridenti;
fabra di dolci armoniosi accenti;
8. dai giardini del ciel rosa rubata.
Bocca, sei forse tu d'ostri eritrei
leggiadra coppa, e di rubin vivaci,
11. ove il nettare lor bevon gli dei?
Bella bocca crudele, ancora taci?
Ah diresti ben tu quel che tu sei,
14. se ti potessi tormentar coi baci!

IV

La cantata non cantata

Una canterina richiesta a cantare, non avendone voglia,
rivolge il suo libro di villanelle,
e secondo che le vengono avanti, così le motteggia.

La mia bella pargoletta
del mio mal non ha pietà,
ma, ma, ma,
dice mamma e dice ma,
5.   ma se avvien che amor la punga...
Non è più lunga.
      Era nell'ora appunto,
che dal lungo cammino il sol già stanco
pallido e semivivo...
10.   Ohimè: recitativo;
Do re mi do re fa.
Le parole chi le sa.
      Lo dissi, e lo dirò
voglio morir per te...
15.   Questa non fa per me.
      Scelle qui mos tui sirit de mon tripas...
Andiam tre passi avanti,
se volete ch'io canti.
      Due fieri nemici
20.   hanno fatto la pace...
N'ho gusto, mi spiace.
      Di crinita cometa
il temuto splendore
squarciava l'aer caliginoso e fosco...
25.   Deh, signor, non lo conosco.
      Ti sfido a battaglia
arciero Cupido,
ti sfido, ti sfido,
accendi tua face,
30.   arrota i tuoi dardi...
Questa non canto,

il cielo me ne guardi.
    Stanco è de tormientarmi lo tormientu...
Se dico che me piaccia io me ne mientu.
35.   Calde lacrime amare...
Questo pianger sarebbe, e non cantare.
    È più d'un lustro già,
che si sdegnò con me
una gentil beltà,
40. e la cagione or vi dirò qual fu...
Io non mi curo di saperla più.
    Una speranza all'improvviso è morta...
Questo poco m'importa.
    Era la notte tenebrosa intorno...
45. S'era di notte, a che cantarla il giorno?
    La dea di mille cori
morta dunque sen giace...
Requiescat in pace.
    Io dissi un giorno alla bizzarra Jole,
50. tu sei bella così,
che se più volte il dì
non ti facesse nel cervel la luna
vorrei chiamarti un sole...
Del signor N. musical parole.
55.   La crudel che mi sprezzò
mille vezzi ora mi fa,
ma so ben io quello che dessa brama...
Parole del... come si chiama.
    Dovea morir Bertoldo
60. per man del manigoldo
di commission del re...
Questa la canto a fé.
    Dovea morir Bertoldo
per man del manigoldo
65. di commission del re:
l'astuto allor che fe'?
In grazia chiese che gli fosse il collo
stretto solo in mortal nodo
ad un albero a suo modo,

70.   questo chiese ed impetrollo:
      ma dentro un bosco intiero
      l'albero a modo suo mai non trovò,
      e così la scampò.
      Ho fatto anch'io così,
75.   che in questo libro qui,
      non volendo cantar, nulla ho trovato,
      ma cantar non volendo ho pur cantato.

SCIPIONE CAETANO

I

Alta città ch'in mezzo a l'onde hai nido.

Alta città ch'in mezzo a l'onde hai nido,
adorna e ricca di bellezze tante
ch'Amor per te fatto d'Amore amante
4. lasciato ha Pafo e derelitto ha Gnido,
    quand'io l'orgoglio di fortuna infido
fuggia scacciato peregrino errante,
tu fosti a me, ch'in te fermai le piante,
8. dolce albergo non sol, ma dolce e fido.
    Non posso io no quel che poter desio;
voglio almen quel che posso, e viva e fresca
11. di te memoria entro al mio cor si serra.
    Piaccia or voler quel ch'io non posso a Dio;
e col crescer degli anni a te s'accresca
14. grazia in ciel, forza in mar, potenza in terra.

II

Che giova, ahi lasso, o desiata e cara.

Che giova, ahi lasso, o desiata e cara
donna ben che infedel ben che incostante,

---

1. — 4. Nelle due città di Pafo, in Cipro, e di Gnido, nella Doride, sorgevano celebri templi di Venere.

        sparger sempre per voi lagrime tante,
4. e viver vita dolorosa, amara,
        se de' rai del bel volto e de la chiara
luce, che splende ne le luci sante,
sete ad infido ed importuno amante
8. più liberal ch'a me non sete avara.
        Un ardor finto, un amator indegno,
un ch'ha diviso in mille parti il core,
11. e scherne alor che più d'amar fa segno,
        puote dunque in voi più ch'un vero ardore,
d'un amante fedel fatto è più degno?
14. O giustizia ingiustissima d'amore!

III

Io, ch'esser morto al mio partir devrei.

        Io, ch'esser morto al mio partir devrei,
Corinna, or vivo, e non so come io viva,
se la vita dà vita, e senza lei
4. cosa mortal morta riman, non viva.
        Ma l'imagine tua dai pensier miei
de l'intelletto a la virtù visiva
rappresentata, il corpo in guisa aviva,
8. che spira e parla, e tu lontana sei.
        Sì che s'io vivo e non m'ha morte oppresso,
è sol virtù del tuo sembiante umano,
11. ch'è spirto a me, lunge da lui, concesso.
        Vivo per te, benché da te lontano;
anzi or a te più col pensier m'appresso,
14. che col corpo da te più m'allontano.

IV

Corinna, i rai de le tue luci belle.

Corinna, i rai de le tue luci belle
m'aumentan fiamme di sì dolci ardori,
che non fia mai che dal mio petto fuori
4.   le spinga, o ch'altre in me desii che quelle.
     Rimarrà prima Amor senza facelle,
Iri senza i suoi soliti colori,
primavera senza erbe e senza fiori,
8.   e la notte senza ombre e senza stelle;
     rimarrà pria privo de l'onde il mare,
di stelle il ciel, d'erbe e di fior la terra,
11. ch'io senza fiamme sì soavi e care.
     Mort'io, vivrà l'ardor ch'in me si serra;
ché s'alcun può dopo la morte amare,
14. ne le ceneri mie vivrà sotterra.

PAOLO GIORDANO ORSINO

I

Tal cosa ha un'apparenza vista col lume del senso,
che è contraria vista col lume della ragione.

Apria bocca vermiglia un vago riso,
occhio azzurro vibrava aureo splendore,
guance rosa spargea del suo colore
4. dove più dove meno in un bel viso.
    Nel mirar quel seren, da sé diviso
per l'estremo diletto era ogni core;
questo potea ben dirsi il dì d'amore,
8. d'amor la primavera, il paradiso.
    Chiuse gli occhi il mio volto, aprigli il seno:
era (oh stupor!) la primavera inverno,
11. la rosa spina, lo splendor baleno;
    il breve riso, esca di pianto eterno;
notte il giorno, tempesta era il sereno,
14. duolo il diletto, il paradiso inferno.

II

La città.

Ne le cittadi ove i monarchi han sede,
disusato è pel tristo il bon sentiero;
fassi solo apparir per bianco il nero,
4. oprar fortuna e non virtù si vede.

Quivi al torto ragion soggiace e cede,
il doppio cor conculca il cor sincero,
l'interesse l'onore, il falso il vero,
8. l'odio l'amor, l'infedeltà la fede.
Teco piange il tuo mal chi gusto n'ebbe,
ti promette favor chi vòl vendetta,
11. arride a te chi 'l pianto tuo vorrebbe.
Ti dà il buon dì chi il tuo mal anno aspetta
e ti saluta chi ti caverebbe
14. più volentieri il cor che la berretta.

III

Dopo molti viaggi ed aver dimorato alcun tempo in Roma
si era l'autore fermato a riseder nello stato suo.

Varcato ho mari adusti e freddi, ho visto
del franco regnatore e de l'ibero
province immense, e del romano impero,
4. e parte ancor de l'ottomano acquisto.
Ho dimorato ove il potere ha misto
sacro e profano il successor di Piero;
ma di smarrir desio, guardo e pensiero
8. in tante vastitadi alfin ravvisto,
fermato ho il piè dove dal ciel il freno
regger de la Sabazia è a me concesso,
11. che giunge al mare e ha cinque laghi in seno.
Angusto spazio ai nominati appresso;
ma il debito in che nacqui adempio appieno
14. verso i popoli miei, verso me stesso.

III. — 10. *Sabazia*: Bracciano (latinamente detto Sabate).

19. MARINO E MARINISTI, II.

IV

La vita.

    Esalare e raccor poc'aria è vita.
Fugace come in foco il vivo argento,
dal nascer al morire è un sol momento,
4.   attaccata a l'arrivo è la partita.
    Scena ch'or incomincia, ed è finita;
lume ch'ora s'accende, ed è già spento;
fumo, che si dilegua a picciol vento;
8.   pianta, secca talor pria che fiorita.
    E quel ch'opriamo in questo breve volo,
o di bene o di mal, ci segue: il resto
11. rimane agli altri abitator del suolo;
    fuor che la fama: e questa è manifesto
ch'è figlia a l'opre: esse son nostre solo.
14. Le ricchezze e gli onor son dati in presto.

V

La verità.

    Schietta è la verità: non vestimenti,
non coda o compagnia, non ha difetto;
e pure è in odio. Il più leggiadro aspetto
4.   il più orrido sembra oggi a' viventi.
    Sta più che puote ascosa, e de le genti
fugge la bocca ed ha nel cor ricetto;
ma la fanno talora uscir dal petto
8.   tempo, semplicità, vino, e tormenti.
    La verità dovria crescere il bene,
scemare il male, e illustrar la vita:
11. e causa solo inimicizie e pene.
    Non sua, di nostra età colpa infinita.
Si chiama indiscrezione! e così viene
14. da pochi detta e da nissuno udita.

VI

Le grandezze umane esser simili a quelle de' rappresentanti su le scene.

> Su scena appare aver negli altri impero,
> e di lor volontà disporre a pieno,
> uom che finga tener provincie a freno,
> 4. come lor rege naturale e vero.
>   Ma l'uditor comprende col pensiero
> ch'è re da burla; e che, spogliato il seno
> del manto, è come gli altri. Ah, che non meno
> 8. da burla è quel che sembr'a noi da vero.
>   In augusto palagio, in regia soglia,
> in ducal tetto, altri ha la briglia in mano
> 11. de le altrui, e la regge egli a sua voglia,
>   ch'arrivato a la meta il corso umano,
> de la corporea veste si dispoglia;
> 14. e resta eguale a quel che fu villano.

VI. — 11. *altrui*: delle volontà degli altri.

TOMMASO STIGLIANI

I

Fior donato.

    Splendea d'alta finestra il viso adorno,
in cui natura ogni sua grazia pose,
qual, coronata di celesti rose,
4. appar l'Aurora dal balcon del giorno.
    Io, che sempr'erro al car'albergo intorno
qual fanno intorno ad urna ombre dogliose,
fermo era, quando, avvista, ella s'ascose
8. tutta vermiglia d'amoroso scorno.
    E gettommi in ritrarsi un fior dal seno,
in atto che fu studio e parve errore;
11. di che augurio prend'io felice appieno
    che, forse, appresso al picciolo favore
verrà l'intera grazia un dì, non meno
14. che venir soglia il frutto appresso al fiore.

II

Zingara pregata.

    O maga egizia che sì audace e franca,
benché ravvolta in povere divise,

I. — 6. come spiriti in pena intorno alla tomba.
8. *scorno*: vergogna.

vai su le mani altrui, con varie guise,
4. presagendo ventura or destra or manca;
    vanne alla donna mia, di cui la bianca
palma mirando e le sue righe incise:
— Questa mano — le di' — già si promise
8. ad un amante in fede, ed or gli manca.
    Poi soggiungi che 'l ciel di ciò minaccia
grave vendetta. Ché, s'a sorte crede
11. tant'ella a l'arti tue che pia si faccia,
    dirò che i fiati suoi Febo ti diede;
e quel che forse a te fia che più piaccia,
14. la man ti colmerò d'aurea mercede.

III

Cagnolino accarezzato.

    Quella candida man, che sempre scocca
nel misero mio cor faci e quadrella,
or un vil can, ch'ebbe più amica stella,
4. teneramente lusingando tocca.
    E quella amorosetta e dolce bocca,
ov'ha per me 'l silenzio eterna cella,
a lui non ride pur, non pur favella,
8. ma in lui di baci una tempesta fiocca.
    Deh, perché questi agli amator dovuti
soavissimi vezzi, or da te sono
11. concessi, ingrata donna, ai rozzi bruti?
    Tu sai che chi Zerbin donotti, io sono:
or perché a lui tu baci i membri irsuti?
14. Si premia il donatore e non il dono.

II. — 4. *manca*: sinistra, avversa.
12. Apollo, in Delfo, per bocca della Pizia emetteva i suoi oracoli.
III. — 11. *bruti*: animali, esseri senza ragione.

IV

La primavera.

    — Ripigliate, augelletti,
i vostri dolci canti.
Già vien co' zefiretti
la stagion degli amanti;
e ne' prati è rinata
6. la famiglia odorata.
    Ride il fresco giacinto,
il gelsomin nevoso;
ride il ligustro, tinto
di pallore amoroso;
ride il narciso in sponda,
12. ride la calta in fronda,
    il soave amaranto,
le pallide viole,
il pieghevol acanto,
Clizia amante del sole,
il giglio che biancheggia,
18. la rosa che rosseggia...
    Mancava a tanti fiori
solo il fior di beltade.
Ma eccol, che vien fuori,
o Po, di tue contrade.
Questa è l'alma mia diva,
24. ch'è Primavera viva.
    Così Tirsi cantava
a suon d'arguta canna,
mentre Lidia menava
gli agni fuor di capanna.
E quella volse il viso
30. e 'l premiò d'un sorriso.

IV. — 26. *arguta canna*: armoniosa siringa (lo strumento musicale pastorale composto di sette canne di diversa lunghezza).

V

Bidello di Studio che chiede la mancia.

Sono il vostro bidel, che m'appresento
per la colletta a voi, larghi scolari.
Non appiattate sotto 'l manto il mento,
non vi mostrate dell'avere avari.
5.   Questo ch'ho in mano è un bacil d'argento;
però convien che d'or siano i danari.
Su dunque, se larghezza in voi s'aduna,
gettate alcuna stella in questa luna.

VI

Lode del vino.

Vin, sangue de la Terra,
via più caro a' mortai che 'l sangue vero;
benedetto il primiero
che ti trovò. Per te s'ardisce in guerra,
5.   e si sta lieto in pace.
Discacciator verace
de l'umana tristezza,
e tesor d'allegrezza,
liquefatto rubin, tenera gioia,
10.   ch'entrata a' nostri seni
altra gioia invisibile divieni.

V. -– 2. *larghi*: generosi.

VII

Scherzo d'imagini.

Mentre ch'assisa Nice
del mare a la pendice
stava a specchiarsi in un piombato vetro,
io, ch'essendole dietro
5. affisati i miei sguardi a l'acqua avea,
l'ombra sua vi vedea
con la sinistra man di specchio ingombra:
e ne lo specchio ancor l'ombra de l'ombra.

VIII

Amore scoverto con arguzia.

Tu vuoi sapere, o Nice,
e mel chiedi a tutt'ore
qual sia la Pescatrice
bella, a ch'io porto amore.
5. Io mostrar te la voglio,
poi che tanto desio veggio che n'hai:
mira dentro a quel fonte, e la vedrai.

IX

Bacio dato astutamente.

Vedi tu Nice alla chet'acqua in fondo
quelle due vaghe imagini d'amanti
tanto a noi somiglianti?
Che sì, ch'io fo baciarle
5. senza punto toccarle?
Che no? diss'ella. Ed io, baciando lei,
baciar le due figure iv'entro fei.

MARCELLO MACEDONIO

I

Disfida dell'Acque e dell'Aure.

ACQUE

Cedete, Aure volanti,
cedete a l'Acque belle,
che vi son pur sorelle,
4. gli alteri vostri vanti.

AURE

V'adornan molti fregi,
Acque, ma quando ardite
entrar con l'Aure in lite,
8. pèrdono i vostri pregi.

ACQUE

Noi siam tesor del prato,
argento fuggitivo,
zaffiro molle e vivo,
12. diamante distillato.
In petto a le montagne
filze di perle fine
e serpi cristalline
16. sembriam per le campagne.

I. — 12. *distillato*: liquefatto.

AURE

E noi, spirti vitali,
che scorriam gli elementi,
quasi angeliche menti,
20.   con invisibil ali,
        figlie de l'aria pura
e nunzie de l'aurora,
e compagne di Flora
24.   e sospir di natura.

ACQUE

Noi degne che ne rubi
il Sol di man dal Mare,
e n'alzi a trionfare
28.   sul carro de le nubi.

AURE

Noi possiam da' suoi raggi
i corpi altrui schermire,
quand'ei più scalda l'ire
32.   nei lunghi suoi viaggi.

ACQUE

Noi, sangue dei terreni,
latte che nutre l'elci,
nettare de le selci,
36.   manna degli orti ameni;
        noi, vita d'ogni stelo
e specchio ai boschi folti
e pittrici dei volti
40.   e ritratti del cielo.

AURE

Noi, penne degli odori
e linguaggio d'aprile

30. *schermire*: difendere.
34. *elci*: lecci.

e musica gentile
44. a cui ballano i fiori;
    e noi, fiato del mondo,
    che spira al spirar nostro:
    che più? flagello vostro,
48. che vi scote dal fondo.

ACQUE

Ben sète ingiuriose,
Aure mormoratrici,
Aure vendicatrici;
52. ben sète ingiuriose.

AURE

Deh, garrule, tacete,
voi che già cominciaste,
voi che ne provocaste,
56. temerarie ben sète!

ACQUE e AURE

Or cessino gli sdegni,
né si cerchi vittoria;
ma sia pari la gloria
60. di sì congiunti regni.

II

Niso chiama l'Aurora sollecitandola ad uscire.

Niso, a cui già la greggia
chiedea belando i rugiadosi paschi,
vedendo tutto ancor d'ebeno il cielo,
se non che già d'avorio
5. si facea l'orizzonte,
   or premea la sampogna
   onde con soavissimo lamento

　　　　fuggia musico vento,
　　　　or l'alba ch'indugiava
10.　　con tai voci invitava:
　　　　— Pastorella celeste,
　　　　sonnacchiosa ti stai fuor del tuo stile;
　　　　raccogli omai ne l'infiorato ovile
　　　　dai torti suoi viaggi
15.　　la greggia de le stelle
　　　　lucide pecorelle,
　　　　a cui son ricca lana i folti raggi.
　　　　Tutta notte han pasciuto
　　　　per li sereni campi
20.　　che germogliano lampi,
　　　　ed assai ruminato han per le valli
　　　　dei concavi cristalli,
　　　　in fonti di rugiada
　　　　ed in laghi di manna
25.　　sommergendo la sete,
　　　　e ne la via di latte,
　　　　quasi in fresco ruscello,
　　　　lavando a gara il fiammeggiante vello.
　　　　Deh, guarda ben di non smarrirne alcuna
30.　　per la contrada bruna.
　　　　Tosto verran le vagabonde al fischio
　　　　de l'Aura tua bifolca,
　　　　e tu l'indrizza al solito camino
　　　　col baston corallino,
35.　　e tosandole poi, di quel tesoro
　　　　fa' per te gonne d'oro.
　　　　Mentre ch'ei favellava,
　　　　tra colline di rosa,
　　　　in campagna di gigli,
40.　　la ninfa oriental vide apparire;
　　　　ond'ei sospinse la sua mandra ai prati
　　　　e la fistola empì di novi fiati.

II. — 11. *Pastorella celeste*: è l'Aurora.

III

Ritratto della Primavera.

Tirsi, pastor de l'arcadi montagne,
mentre l'orme seguia
di sì candida greggia
ch'i suoi fiocchi lanosi
5. parean velli nevosi,
dal selvaggio balcon d'un verde poggio
gittando in sen d'un prato
lo sguardo a l'improviso,
conobbe in lui di Primavera il viso.
10. E disse: — O maraviglia!
un pittor ingegnoso è fatto Aprile.
Ei componendo i fiori
ha temprati i colori,
e quasi in rozza tela,
15. Primavera sua figlia in questa riva
pennelleggiata ha sì che sembra viva.
Quei purpurei giacinti
freschi non men che belli,
parte in fila disposti e parte accolti,
20. pingono i suoi capelli,
parte in treccia annodati e parte sciolti.
Son degni poi quei candidi ligustri
ch'a ritratto sì bel servan di fronte.
Ma quanto son vivaci
25. quei rugiadosi fasci
d'azzurre violette
sparse di nere stille;
ed a chi non parranno occhi e pupille?
Che dirò poi de l'infiammate rose?
30. O rosseggian distinte in due pratelli
confondendosi ai gigli,
e figuran due guancie;

III. — 1. *arcadi*: d'Arcadia, la classica regione pastorale.

o ristrette in un cespo,
che 'l sol non anco tocca,
35.   a l'imago gentil forman la bocca.
E perché magistero
più grande in lei si scopra,
l'Autor di sì bell'opra
co 'l bruno verde de le folte erbette
40.   fra tanti lumi suoi l'ombre vi mette.
O mirabil pittura:
quando feo te si fece arte natura.

GIAMBATTISTA MANSO

I

Raggi della luna e de' capelli della sua donna.

O del sol vaga e sola alma sorella,
a l'alternar de la cui face il mondo
in mezzo de la notte un dì secondo
4. gode, e 'l rotar d'ogni più chiara stella,
    s'adori ogni pastor tua luce bella,
né la turbi sermon tessalo immondo,
ma de' suoi crini aurati il più giocondo
8. per coronarne te Febo si svella,
    deh ferma il carro, ed al tuo puro argento
lampeggi l'or di bionda chioma errante,
11. che 'n notturno trionfo or qui mi lega.
    E pur ch'altri nol vegga, il cielo intento
si fermi, né qui s'apra altro levante,
14. e tuoi taciti rai soli a noi spiega.

II

Primavera che soleva prima giovare ora annoia l'amante.

Questi fior, queste erbette e queste fronde,
di novella stagion pompa superba,

I. — 6. *tessalo*: magico (la Tessaglia era ricca di erbe medicinali impiegate nella magia).

      e questi, che serpeggiano tra l'erba,
4.   o liquidi cristalli o lucid'onde;
      pria che d'aspre catene e di profonde
      piaghe pena sentissi ardente acerba,
      che né state né verno or disacerba,
8.   trovai sovente a' miei desir seconde.
      Ma poscia che cangiar m'ha fatto Amore,
      che mi lega il voler e 'l cor mi sface,
11.   libertate in prigion, gioia in ardore,
      fuggo frond'erba fiore onda fugace,
      e bramo sempre un tempestoso orrore,
14.   ché quando orrido è il mondo allor mi piace.

III

Solfanaria di Pozzuoli.

      Nuda erma valle, ai cui taciti orrori
      accrescon tema ombre solinghe oscure;
      sulfuree rupi, acque bollenti impure,
4.   sanguigni fumi e tenebrosi ardori;
      voi ch'in parte apprendeste i miei dolori
      dagli accesi sospiri, e l'aspre cure
      dal largo pianto che disfar le dure
8.   selci poté co' suoi continui umori;
      ditemi pur se nel penace seno
      del vostro cieco, afflitto, orrido regno,
11.   ove 'l pianger non ha conforto o freno,
      venne uom giamai d'in voi penar sì degno
      e di tanti martir l'alma ripieno,
14.   che d'un sol de' miei strazi ei giunga al segno!

II. — 11. *libertate* e *gioia* dipendono da *cangiar*.
III. — 9. *penace*: infuocato, infernale.

IV

Pentimento insegnato da Narciso invaghito della sua ombra.

A D. Emanuel Gesualdo principe di Venosa.

Folle garzon, ch'a le chiare onde intento
se stesso no, ma l'ombra sua rimira,
e beltà frale in frale specchio ammira,
4. specchio, che del suo lume il raggio ha spento,
dietro al suo vaneggiar già stanco e lento,
pria che ne men s'appressi ov'egli aspira,
si dilegua ne l'aure onde sospira,
8. e nel pianto che turba il molle argento.
Tal l'alma, *Emanuel,* qual larva errante
del ben che 'n sé figura, ombrata e tinta,
11. segue l'imago e se medesma strugge.
Di vano accesa ardor, d'umor stillante,
come fior ch'onda ed ombra ingrata adugge,
14. ognor va presso a rimanerne estinta.

FRANCESCO BALDUCCI

I

Che la speranza conosciuta per menzogniera,
non però si sbandisce da un animo innamorato.

    Oggi averrà che 'n queste braccia io stringa
quella ond'Amor ne' lacci suoi mi strinse;
e di lei, che sì stretto il cor mi cinse,
4. d'animate catene il sen ricinga.
    Così talor la mente egra lusinga
la falsa speme ch'ad amar mi spinse;
ed al desio, che la ragione estinse,
8. vien che gioie non vere ombri e dipinga.
    Giungon l'ore bramate, e pur non giunge
l'attesa al mio servir giusta mercede:
11. e duolo in me deluso a duol s'aggiunge.
    Ben de l'inganno allor l'alma s'avede
ma tal gioia l'error seco congiunge
14. che 'l vero abborre e al suo contrario crede.

I. — 4. *animate catene*: le braccia.
8. *ombri*: rappresenti.
13. L'errore porta con sé tal gioia.

II

Pianta di gelsomini a fenestra di bella donna.

O cari a l'Alba mia candidi fiori,
cura de la sua man, fregio del crine;
de le cui luci angeliche e divine
4. venturosi godete i primi albori,
    quante rose apre mai Favonio o Clori
in cipria piaggia od in sabeo confine,
quante ne bagnan mai rugiade o brine
8. cedano a voi le porpore e gli odori.
    Voi di puro candor fregiate il manto,
per un sol due begli occhi il ciel vi diede;
11. per aura i miei sospir, per acque il pianto.
    Deh se mai d'aspro verno avare prede
non siate, dite a lei ch'io piango e canto
14. la sua beltà fugace e la mia fede.

III

In morte della signora Flaminia Gualtieri, morta gravida.

Quasi ben nata pianta al ciel ergea
de' suoi santi pensier l'eccelse cime
gran Donna; e quanto in vista era sublime
4. tanto profonde le radici avea.
    Fondata era in valor; né in lei potea
turbo ch'i saldi tronchi abbatte e opprime;
né in queste valli paludose ed ime
8. stelo sorger più bello il sol vedea.

II. — 5. *Favonio*: vento di ponente, primaverile, Zefiro; *Clori*: la dea dei fiori, sposa a Zefiro.
6. *sabeo confine*: nella regione arabica.

III. — 1. *ben nata*: diritta.
5. *valor*: virtù.

Già promettea di sé frutto felice
di progenie gentil l'arbor fecondo,
11.   quando svelto cadeo da la radice.
Ahi fato! e i pomi suoi col proprio pondo
acerbi oppresse: ah, che sperar più lice?
14.   Già perde in lei quant'ha di bello il mondo.

IV

Nelle Ceneri.

A Filippo III Re Cattolico suo natural signore.

Questa pallida polve, ond'oggi asperso
ne porti tu per sacra mano il crine,
il tuo principio addita, e 'nsieme il fine:
4.   se' polve, e sarai 'n polvere converso.
Or che pro soggiogar l'Arabo e 'l Perso,
e regno in terra aver senza confine?
Fa de' regni e de' regi alte rapine
8.   Morte, e fia 'l nome in Lete anche sommerso.
Ne la pugna inegual degli elementi,
che 'l mondo tutto di ruine involve,
11.   cadiam noi frali, o variati o spenti.
E mentre il tempo rapido si volve
in giro, sotto a le sue rote ardenti
14.   freddo cener ne lascia e poca polve.

11. *svelto*: divelto

FRANCESCO DELLA VALLE

I

Amante timido.

Quando del mio soffrir giunto a l'estremo,
narrar le pene a chi le fa m'accingo,
un non so che mi corre al cor, che tremo,
4. e d'un vermiglio insolito mi tingo.
    Di finte forme il vero adombro, e fingo
ch'altri avvampi in quel foco ond'io sol gemo;
spiego l'altrui sembianze, e lei dipingo;
8. sì di scovrir l'amato nome io temo.
    Lodo spesso in altrui quel ch'amo in lei,
chiamo d'altri splendor quel ch'è sua lode,
11. e dico altri voler quel ch'io vorrei.
    Ma, lasso, per schernir frode con frode,
benché ella veggia il ver negli occhi miei,
14. ode sol per altrui, per me non ode.

II

Andata per veder la sua donna.

Qual famelico augello ove rimira
custodito il suo cibo avido vola,

I. — 12-14. Per deridere la mia finzione con una finzione, la donna, che pur comprende la verità che è sotto il mio fingere, intende riferite ad altri e non a me stesso le mie parole.

or di quel poca parte ardito invola,
4.   ora di ramo in ramo erra e s'aggira,
    come d'amor lungo digiun mi tira,
    corro a colei che di beltade è sola,
    ed un guardo, un sorriso, una parola
8.   involando talor, l'alma respira.
    Al felice di lei caro soggiorno
    giungo a pena che parto, e parto a pena,
11.   ch'odiando il partir, faccio ritorno.
    Se m'è tolta di lei l'aria serena,
    almen beato a quelle mura intorno
14.   ha qualche tregua il cor con la mia pena.

III

Si compiace del suo amore.

    Raddoppia al core il dolce laccio e duro,
    interna più lo stral, cresci il mio foco,
    Amor, ch'altro diletto ed altro gioco,
4.   ch'il mio languire e incenerir, non curo.
    Ché se le pene e la cagion misuro,
    lieve è il mal, lento il laccio, e l'ardor poco;
    onde non mutar fé col tempo o loco,
8.   per que' begli occhi ond'ho sol luce, io giuro.
    E ben convien ch'ogn'amator secondo
    mi resti e ne le pene e ne l'ardore,
11.   com'ella è di beltade unica al mondo.
    E s'ardendo avverrà che manchi il core,
    vivo io terrò, dopo il morir giocondo,
14.   ne le ceneri mie foco d'amore.

III. — 5. La cagione delle pene d'amore è la bellezza della donna.

IV

Effetti del suo amore.

Servir fedele e riverir sommesso,
stimar i cenni tuoi fatali imperi,
udir con umil volto i detti alteri,
4. pregiar un guardo tuo più che me stesso,
portar ne l'alma il tuo sembiante impresso,
coprir con finti risi affanni veri,
menar in te pensando i giorni interi,
8. scriver e dir di te lodi in eccesso,
non far altrui gli affanni miei palesi,
e sempre sospirar, non gioir mai,
11. son l'opre in che per te la vita io spesi.
Se quest'errar si appella, il dico, errai;
e s'amor chiami offesa, assai t'offesi,
14. che quant'amar si può, tanto t'amai.

V

Particolari bellezze della sua donna.

O chioma bionda, o fronte ampia serena,
o neri occhi lucenti, anzi o due stelle,
o guancie d'ostro e neve e fresche e belle,
4. o aria modestissima ed amena,
o bocca di rubin, di gemme piena,
o riso, o soavissime favelle,
o man di latte, o vaghe membra e snelle,
8. o figura in beltà più che terrena,
o nobil portamento e pellegrino,
o accorte maniere, o gran decoro,
11. o moto, o caminar quasi divino,
o novo spirto de l'empireo coro,
o nome dolce, o nume a cui m'inchino,
14. che dirò mai di voi? Taccio e v'adoro.

VI

Nobil città, ch'al chiaro Crati in sponda.

    Nobil città, ch'al chiaro Crati in sponda
siedi e superba all'aure ergi le mura,
de l'errante virtù stanza sicura
4. e di cigni e d'eroi madre feconda;
    non lodo io te perché il tuo seno abbonda
di ciò che parca altrui dona natura:
ch'il cielo hai temperato e l'aria pura
8. e cospira a tuo ben la terra e l'onda;
    ma perché degno sei nido e soggiorno
di pellegrini ingegni, e in te s'aduna
11. d'armi Marte e di lauro Apollo adorno.
    Lunge da' colli tuoi, prego fortuna
ch'in te tomba mi dia l'ultimo giorno,
14. come presso al tuo seggio ebbi la cuna.

VI. — 1. Il fiume Crati bagna Cosenza.
    9-11. Sei culla e dimora di ingegni eccellenti e in te si raccolgono guerrieri
(Marte adorno d'armi) e poeti (Apollo adorno di lauro): i cigni e gli eroi di cui
si parla al v. 4.

GIAN FRANCESCO MAIA MATERDONA

I

Dona alla sua donna l'« Adone ».

Queste carte che Pindo ammira e cole
e ch'io supplice umìle a te presento,
quant'hanno in sé d'amore e di lamento
4. tutte menzogne son, tutte son fole.
Sol verace è l'amor, vago mio Sole,
sol verace è 'l martir ch'io nel cor sento;
là pinto è 'l duolo e qui vivo 'l tormento,
8. qui traboccano affetti e là parole.
Leggi pur, leggi, e la mia vita amara
d'amara morte apprendi; e ad esser pia
11. dalla pietà di bella diva impara.
Leggi, e se 'l tutto è finto, a te pur sia
scorta il finto del ver e fiati chiara
14. ne le favole altrui l'istoria mia.

II

Ad una zanzara.

Animato rumor, tromba vagante,
che solo per ferir talor ti posi,

I. — 1. *Pindo*: monte della Tessaglia sacro alle Muse e ad Apollo.
10. *d'amara morte*: dalla dolorosa morte di Adone.

  turbamento de l'ombre e de' riposi,
4. fremito alato e mormorio volante;
   per ciel notturno animaletto errante,
  pon freno ai tuoi susurri aspri e noiosi;
  invan ti sforzi tu ch'io non riposi:
8. basta a non riposar l'esser amante.
   Vattene a chi non ama, a chi mi sprezza
  vattene; e incontro a lei quanto più sai
11. desta il suono, arma gli aghi, usa fierezza.
   D'aver punta vantar sì ti potrai
  colei ch'Amor con sua dorata frezza
14. pungere ed impiagar non poté mai.

III

Alla sua lucerna.

  O nelle mie vigilie amico lume
  testimonio fedel de' miei martiri,
  io scaldo il freddo ciel co' miei sospiri
4. tu il bruno ciel con le tue vampe allume.
   Io sempre al mio bel foco ergo le piume,
  tu sempre in alto a la tua sfera aspiri;
  per altrui gioco Amor vuol ch'io sospiri,
8. e per servizio altrui tu ti consume.
   Esca hai tu di tenace e caldo umore,
  io di lacrime calde; hai ne l'esterno
11. tu le tue fiamme, ed io le mie nel core.
   Sola tra noi tal differenza i' scerno,
  che 'l foco tuo, già nata l'alba, more,
14. e l'ardor del mio petto è sempre eterno.

IV

Ai pappagalli di bella dama.

Concordi in parte al mio doglioso stato
indici augei, discordi in parte siete:
voi nomar nostra donna ognor solete,
4. io sempre in bocca ho il suo bel nome amato;
carcere a voi di sottil ferro è dato,
un crine a me, ch'ha d'or le fila, è rete;
voi di molli smeraldi il manto avete,
8. io di verdi speranze ho il cor fasciato.
In ciò poi nostra sorte è disuguale:
voi l'ali avete e non volate, ed io
11. volo co' miei pensier senz'aver ale;
nullo è tra voi di cinguettar restio,
ed io, tanto timor quest'alma assale,
14. son muto in discovrir l'incendio mio.

V

Sdegno.

Qual uom talora in alta notte suole,
mentre i sensi ha sopiti, ebra la mente,
scorgere assalti di perduta gente,
4. e fugge e teme e si contrista e duole;
se poi vien desto a l'apparir del sole
ogn'affanno da sé fuga repente,
e 'l ciel loda e ringrazia immantinente
8. che i passati timor fur ombre e fole:
tal io, mentre t'amai, spietati morsi
d'amore e gelosia provar mi parve,

V. — 1. *in alta notte*: nel cuore della notte.
2. *ebra*: ebra di sonno, inebetita.
3. *perduta gente*: gente disperata, malvagia.

11.   onde sentia dal cor l'alma disciorsi;
      ma poi che sdegno a risvegliarmi apparve,
      giubilai tosto e al cielo grazie porsi
14.   che fe' da me sparir fantasmi e larve.

VI

Scambievolezza di amori.

La ninfa sua d'orgoglio amica e d'ira
altri pur chiami e rigida e ribella:
s'io miro la mia ninfa, ella mi mira;
4.   s'io d'amor parlo, essa d'amor favella.
      S'io rido o scherzo, e scherza e ride anch'ella;
piange ai miei pianti, ai miei sospir sospira;
s'io lei mia gioia, essa suo ben m'appella;
8.   vuol ciò ch'io vo', ciò ch'io desio desira.
      Ella è ver' me pietosa, i' ver' lei pio;
de' suoi cenni io fo legge, ella de' miei;
11.   ella a me cara e caro a lei son io.
      Ella tutta in me vive, io tutto in lei;
io spiro col suo spirto, ella col mio;
14.   e s'a lei do tre baci, ella a me sei.

VII

Cantano le piante i venti e l'acque.

RAMILLO, EURINO e IDRINO

RAMILLO

Compagni cari, or che siam qui soletti,
e venti ed acque e piante abbiam presenti,
cantiam su, lodiam su, con tre versetti,
4.   io le piante, Idrin l'acque, Eurino i venti.
Canti Eurin, segua Idrin.

EURINO *e* IDRINO

Sì, siam contenti.

EURINO

Sospir voi siete onde gli antichi affetti
scopre a la terra il ciel, voi siete accenti
8. d'innamorato cor, venti diletti.

IDRINO

Lagrime di Natura, acque, voi siete,
ch'ad Amor, di cui visse eterna amante,
11. a palesare il bel desio correte.

RAMILLO

Siete figlie del Sol, tenere piante;
le fasce da l'April, da l'Alba avete
14. il latte, e i vezzi da l'Auretta errante.

VIII

Giuoco di neve.

Cilla di bianco umor massa gelata
coglie e preme e ne forma un globo breve;
n'arma poscia la mano, a fredda neve
4. calda neve aggiungendo ed animata.
Al mio sen poi l'avventa, amante amata;
ma se finto è il pugnar, se 'l danno è lieve,
tragge pur da que' scherzi offesa greve
8. l'alma, a provar gli antichi assalti usata.
Porta amico sfidar battaglia vera,
nascer dal riso il lagrimar si mira,
11. fa verace impiagar mentita arcera;

VII. — 13-14. *le fasce*: l'erba; *il latte*: la rugiada; *i vezzi*: le carezze.
VIII. — 4. *calda neve*: quella metaforica della candida mano.

mirasi il duol uscir di grembo al gioco,
da nuvoli d'amor saette d'ira
14. e da strali di giel piaghe di foco.

IX

Bella libraia.

Costei ch'altero esempio è di beltate,
oh con che leggiadria, con che bell'arte
troncar le fila, adeguar sa le carte
4. ch'io con logiche penne avea vergate!
　　Poscia di greve acciar le mani armate,
le batte e le ribatte a parte a parte,
e tra pelli sottil, tratta in disparte,
8. le rende in mille nodi incatenate.
　　Lasso, e questa è d'amor frode novella,
inganno, oimè, che in atto umile e pio
11. scopre il fero tenor de la mia stella.
　　Tronca il filo, ed è il fil del viver mio;
martella i fogli, ed il mio cor martella;
14. legagli, e son tra lor legato anch'io.

X

La bella frustata.

Ah deponi il rigor, deponi omai
col vil rigore il canape ritorto;
a torto, ahi lasso, empio ministro, a torto,
4. l'innocente beltà sferzando vai.
　　Sferzi un Sol de la terra, i cui be' rai

IX. — 3. Sono indicate le prime operazioni della rilegatura.
X. — 2. *il canape ritorto*: la frusta.

guidâr mille e mill'alme a dolce porto:
per quel livido tergo e viso smorto
8. Natura irata, irato Amor vedrai.

Ma forse il ciel, poich'è di fé rubella,
poiché mille e mill'alme anco rapio,
11. col mezzo del tuo braccio or la flagella.

O forse ai gigli del candor natio,
per farne agli occhi altrui mostra più bella,
14. mesce rose sanguigne il picciol dio.

XI

Bella donna per bel giovane che gioca alla palla.

Ignudo il petto alabastrino e bello
se non quanto il copriva un lino adorno,
per temprar con bel gioco il lungo giorno
4. formava Ascanio mio nobil duello.

Battea con picciol globo i sassi, e quello
scacciava al salto, e s'a lui fea ritorno,
correa, lo dibattea, lo fea d'intorno
8. girar, volar, quasi fugato augello.

Assai più che la palla, il cor feriva;
largo, più che 'l sudor dal bel sembiante,
11. dagli occhi de l'amanti il pianto usciva.

Premean, più che 'l terren, l'alma le piante,
e la vampa d'amor, più che l'estiva,
14. fean cocente provar le luci sante.

---

14. — *il picciol dio*: Amore, rappresentato come un fanciullo.
XI. — 3. *temprar... il lungo giorno*: ridurre la lunghezza soverchia del giorno.
4. *duello*: gara.
6. *scacciava al salto*: lanciava lontano percuotendolo mentre rimbalzava.
7. *dibattea*: percuoteva.
14. *sante*: divine, belle.

XII

Alla signora Isabella Chiesa comica per averla veduta rappresentare
la persona di una regina.

> Questi, o bella istriona, onde tu cingi
> fianco e crin, regi ammanti, aurati serti,
> mostrano ai guardi alteri, agli atti esperti,
> 4. ch'esser devresti tal qual ti dipingi.
>   Stringer con quella mano, onde tu stringi
> un finto scettro, un vero scettro merti;
> t'ammirano i teatri e stanno incerti
> 8. se vanti i veri regni o se li fingi.
>   Sii pur finta reina: or se le vere
> cangiasser col tuo stato i regi onori,
> 11. quanto gir ne porian ricche ed altere!
>   Ch'è gloria assai maggior d'alme e di cori
> reggere il fren, che in testa e 'n braccio avere
> 14. cerchio e verga real di gemme e d'ori.

XIII

Bellezze viniziane.

> Voi che de l'Adria a le famose sponde
> sovra l'ali de' remi il volo ergete,
> meraviglia ben fia se là vedrete
> 4. moli eccelse e superbe uscir de l'onde.
>   Ma se candide membra e trecce bionde
> vedransi, che de' cor son fiamma e rete,
> — Maggior beltà, stupor maggior — direte
> 8. — mai non si vide altrove, e forse altronde.
>   — Qui — direte — è d'ardor più che d'umore
> ricca ogni riva, e fare al ciel qui piacque,
> 11. più che libero il piè, prigione il core.

XIII. — 8. in altro luogo e in altro modo.

Direte al fine: — In mar Venere nacque:
Veneri belle, ond'oggi nasce Amore,
14.   nascono a mille a mille entro quest'acque.

XIV

Mirtillo dona a Clori una rosa.

To' questa rosa, onor di primavera,
del popolo de' fior donna verace:
vedi pur com'è bella e come face
4.   di sé pompa superba e mostra altera.
    Dirai dimani: — Or non è più qual era,
ella ha perduto il bel color vivace;
anzi il dirai, se in petto o in man ti piace
8.   per poch'ore serbarla, innanzi sera.
    Così in breve diran ninfe e pastori:
— Va oggi abietta e ier n'andò fastosa;
11.   ier fu leggiadra, oggi difforme è Clori.
    Lascia dunque raccor, ninfa ritrosa,
pria che del viso tuo caggiano i fiori,
14.   dal giardino d'amor la bella rosa.

XV

Amor travestito.

La bella Elisa arava
con terso eburneo vomere dentato
campi d'oro animato.
L'era un garzone a canto,
5.   che i rotti stami ad uno ad un cogliea

XIV. — 2. *donna*: signora.
XV. — 2. il pettine.

e in sen gli nascondea.
Rise ella e disse: — Inutili capegli
a che tu serbi? Ed egli:
— Quinci ordisco le corde a l'arco mio,
10. quinci le reti ond'io
impiago l'alme ed imprigiono il core.
Sappi ch'io sono Amore.

XVI

Per la fontana di ponte Sisto in Roma.

Vedi, non che cader, precipitare
piogge d'immensi umor quasi d'un cielo,
che ne pungono il cor di dolce telo,
4. agli orecchi sonore, agli occhi chiare.
    Liquida è l'onda e pur gelata appare,
né di lassù trabocca altro che gelo;
poi se ne forma un curvo e crespo velo,
8. che si frange in sui marmi e cangia in mare.
    Vedi quel mar di quante spume abonda;
par che bolla anco il giel, fumi e faville
11. par che surgano ancor da gelid'onda.
    Vedi come concordi anco le stille,
a l'armonia di quegli umor gioconda,
14. ballano a cento a cento, a mille a mille.

XVII

Loda la verdea di Fiorenza.

Ai labri miei, quando più gela il verno,
l'alma città, cui danno il nome i fiori,

offre un sacro licor che tra i licori
4. serba vanto superbo e pregio eterno.
    Nei suoi color le liquid'ambre scerno,
cedono agli odor suoi gli arabi odori,
sembran tasso ed assenzio ai suoi sapori
8. chiarello, albano, asprin, greco o falerno.
    Ben questa esser dovea l'ambrosia eletta
che 'l cor di Giove e degli dèi pascea,
11. poi ch'ella tanto inebriando alletta;
    o questa del piacer la « vera idea »,
d'Arno o la « vera dea », che poi fu detta
14. di « ver'idea », di « vera dea », « verdea ».

XVIII

Per un gran numero d'infermi visto negli Incurabili di Napoli.

    Ahi mondo, ahi senso! or ve' qui tanti e tanti
in tende anguste, ancorché auguste, accolti!
Di profana beltà fur tutti amanti,
4. tanto or tristi e meschin quanto pria stolti.
    Per picciol riso hann'or continui pianti,
portan l'inferno ai cor, la morte ai volti,
vita speranti no, vita spiranti,
8. morti vivi e cadaveri insepolti.
    Questi è in preda al martir, quegli al furore,
un suda, un gela, un stride, un grida, un freme,
11. un piange, un langue, un spasma, un cade, un more.
    Quinci impara, o mortal: dolce è l'errore,
breve è 'l gioir; ma pene amare estreme
14. dà spesso al corpo, eterne sempre al core.

XVII. — 3. *un sacro licor*: un divino liquore, cioè la verdea, il vino bianco ricavato dall'uva così chiamata per il suo colore pendente al verde.
    7. *tasso*: è il liquore velenoso ricavato dalla pianta dallo stesso nome.
    XVIII. — 7. *vita spiranti*: moribondi.

XIX

Sospira la sua patria.

O se dopo i miei error vari e diversi,
Marin, qual diede a te, darammi Dio
ch'ivi il mio dì si chiuda ove s'aprio;
4.   ch'ove accolsi lo spirto ivi lo versi.
O se fia ch'ivi caggia ove in piè m'ersi;
ch'ivi, ov'ebbi il principio, abbia il fin mio;
ch'ivi abbia l'urna ove la culla ebbi io;
8.   ch'ivi serri le luci ove l'apersi.
Fortunato destin, sorte gradita,
ben spesi lustri, avventurosi errori,
11.   ricco ritorno onde già fei partita!
Mi fien fresch'onde i gelidi sudori,
dolci aure i fiati estremi, il morir vita
14.   e gioie immense gli ultimi dolori.

XX

Per aver vedute l'ossa intiere di un morto.

Ben di cieca follia nebbia t'adombra
se 'l ver non scorgi, or che t'è sì da presso.
Or qui lo spirto, o misero, disgombra
4.   de' malnati pensieri, ond'è sì oppresso.
L'obbietto che d'orrore oggi t'ingombra,
ieri, o mortal, fu simile a te stesso;
ieri carne e splendore, oggi ossa e ombra;
8.   e tu diman sarai simile ad esso.
Pensa, pensa al tuo fine: ogni vivente
torna al principio antico e si risolve
11.   per fato inevitabile in niente.
E mentre rapidissimo si volve
in giro il ciel, sotto la rota ardente
14.   ti cangia in cener nudo e in fredda polve.

ANTONIO BRUNI

I

Rimembranza de' passati piaceri.

Sotto l'ombra di quelle edre tenaci,
che l'olmo han con più viti avvolto e cinto,
la mia vita al mio cor temprò le faci,
4. con lei seno con sen, qual edra, avvinto.
    Di due guance godei l'ostro non finto
qui dove aprono i fior gli ostri veraci;
s'udì confuso almeno, ov'or distinto
8. è 'l suon de l'aure, il mormorio de' baci.
    Rimembro ancor, con amorosa arsura,
il guardo e 'l riso altrui molle e lascivo,
11. nel tremolo seren de l'aria pura;
    lasso, e mentre son io vedovo e privo
de le gioie d'Amore, al cor figura
14. il fugace mio ben fugace il rivo.

II

Prega il Sonno a rappresentargli bella donna.

Or che da le native orride porte
esce la notte tacita e romita,
e trapunta di stelle, il mondo invita

I. — 3. *la mia vita* : la mia donna.

4. ad albergar oblio tenace e forte;
   oh se fia che tu in sogno almen mi porte
donna che piace al cor, benché mentita,
per goder finta almen lei, ch'è mia vita,
8. fra le tue vere imagini di morte!
   Dirò, Sonno gentil, se dritto io miro,
ch'a te grotta cimmeria albergo eletto
11. non sia, la 've il mio cor piango e sospiro;
   ma che la tua magion d'avorio schietto
l'uscio vanti, e 'l balcon di bel zaffiro,
14. di diamante le mura, e d'oro il tetto.

III

Invito boschereccio.

   Clori, guidiam la mandra ove il poggetto
ne la valle de' mirti al ciel verdeggia:
qui 'l pratello di fragole rosseggia,
4. là fa pompa di corgnoli il boschetto.
   Là vedrem saltellare il cervo eletto,
a cui la fronte d'ebeno frondeggia;
qui cavriol giulivo infra la greggia,
8. ch'ha di turbini d'or macchiato il petto.
   Là sotto l'odorifero mirteto,
con sampogne dolcissime e canore,
11. sfideremo di Pindo il bel laureto.
   E qui poi stringeremo, ebri d'amore,
sotto il verde amenissimo querceto,
14. seno a sen, labro a labro, e core a core.

II. — 6. La donna amata dà conforto al cuore anche se falsamente presente, anche se solo presente in sogno.

III. — 5. *eletto*: nobile.

IV

Cava argomento di moralità dall'orologio d'acqua
e dall'altro da polvere.

Già nel secol primier Roma, ed Atene,
con ingegnoso e regolato umore
per due vetri cadente, il tempo e l'ore
4. misurava, ora torbide or serene.
Or le misura con fatale errore
rapido filo di minute arene,
e sempre nel cader serba un tenore,
8. per cristalline foci, anguste vene.
Sì misurando anch'io l'ore fatali,
più che 'l fugace umor fugaci e corte,
11. crescono in me, più che l'arene, i mali.
Lasso, e mirar mi fa quinci la sorte
una imagin di noi miseri e frali;
14. che siam lagrime in vita, e polve in morte.

V

Dalla girandola prende occasione di discorrere delle vanità
delle grandezze umane.

Quella che va con tante fiamme e tante
stracciando l'ombre e sibilando intorno,
mole di stelle intesta, emola al giorno,
4. che rassembra ne l'aria Etna volante;
or par ch'erga le faci al ciel stellante,
de le stelle e del ciel con onta e scorno,
or ruina dal nobile soggiorno
8. in un lucido turbine ondeggiante.

IV. — 5. *errore*: andare.
V. — 3. *mole di stelle intesta*: opera costruita di stelle.

Così svanisce il tutto, e le ruine
si veggion sol de le fiammelle d'oro,
11. né resta altro che fumo ed ombra al fine.
Quanti cinser di porpora e d'alloro
già qui sul Tebro il glorioso crine,
14. ch'or son ombra e son fumo i fasti loro!

SCIPIONE ERRICO

I

Bella natatrice.

Nuotava Filli, e i tremoli candori
per le liquide vie dolce spingea,
e dispersi arricchian l'onda nerea
4. de l'umidetto crin gli aurei fulgori.
Or tuffavasi audace, ed or s'ergea,
sparsa di perle i tumidetti avori:
era a veder fra gli spumanti umori
8. di più rara beltà nascente dea.
Ridean gli orridi scogli, e d'amor piena
quelle tenere sue nevi guizzanti
11. correa dolce a baciar l'onda tirrena.
Stavansi in contemplar vaghi e tremanti
a stuolo a stuol su la depinta arena
14. la remora gradita i caldi amanti.

I. — 1. *tremolì*: tali apparivano le candide membra attraverso l'acqua in movimento.

3. *dispersi*: sparsi; *nerea*: marina (da Nereo l'antico dio del mare).

8. *di più rara beltà*: rispetto a quella di Venere nata dalle spume del mare.

14. *remora* è detta la donna perché, come il favoloso pesce che si credeva fosse capace di fermare una nave, rende immobili gli amanti sulla spiaggia.

II

Bella balbuziente.

Del tuo mozzo parlare ai mozzi detti
mozzar mi sento, alta fanciulla, il core.
Lasso, con qual dolcezza e qual valore
4. quella annodata lingua annoda i petti!
Tu tronco, io tronco il suon mando pur fuore,
ma fan varie cagioni eguali effetti,
ché gli accenti a formar tronchi e imperfetti
8. te insegnò la natura e me l'amore.
Or la beltà de la leggiadra imago,
oimè, qual fia, se delle tue parole
11. il difetto gentil pur è sì vago?
Eco sei di bellezza? o la favella
tra' labri appunta e abbandonar non vuole
14. di coralli d'amor porta sì bella?

III

Al signor Giovanni Antonio Arrigoni.

Poggia al monte di Pindo e ardito e snello,
Arrigoni, trascorri a ogn'altro innante,
e de l'invidia il guardo atroce e fello
4. prendi a calcar con l'onorate piante.
Tra' cigni di Parnaso altero e bello
apparirà tuo giovenil sembiante,
come fiorito e nobile arboscello
8. talor verdeggia entro l'annose piante.

II. — 3. *valore*: forza.
III. — 3. *fello*: malvagio.

Fia che prenda per te dolce martoro,
d'amorosi legami il core involto,
11.   de le vergini muse il sacro coro.

L'alta corona ond'egli ha il capo avvolto,
Febo a te sol darà di sacro alloro,
14.   perché l'altra, di raggi, hai nel bel volto.

GIAMBATTISTA BASILE

I

Stagioni imperfette.

Tre stagioni in costei
miro che 'l cor m'ha tolto:
pomi al sen, neve al core, e fior al volto.
Deh fa tu Amor in lei
5. un bel giro di tempo omai perfetto:
poni arsura al suo petto.

II

Donna ornata.

Di lei, che di diamante
ha 'l duro petto armato,
vidi ondeggiare a l'aura il crin aurato;
vidi al bel collo intorno
5. aureo monil adorno;
d'aurea spoglia vidi anco
cinto il candido fianco.
Io dissi allor mirando il bel tesoro:
— O Dio, che bella pietra accolta in oro!

III

Mal guiderdone.

Con bel serico velo
tra bianchi avori in mille pieghe accolto
l'aure accoglio io per rinfrescarti il volto;
ma in questo tu m'incendi,
5.   cruda, e qual premio rendi
a chi 'l tuo ardor restaura?
Per refrigerio duol, foco per aura.

IV

Bellezza mentita.
Scherzo al signor Girolamo Arena.

Tinge il crin, finge il volto
costei: tutta è mentita
quella beltà che addita.
Or tu, Pittor altero,
5.   ch'agguagliar cerchi il vero,
potrai costei dipinta
finger vera e non finta?
Colpa de l'arte no; di lei difetto:
far non puoi se non finto il finto aspetto.

BIAGIO CUSANO

I

Tre belle.

O belle Parche al mio stame vitale,
o separato Gerion d'amore,
o tridente gentil che nel mio core
4. puoi con tre punte aprir piaga immortale!
Ecco, nuove sirene Amor fatale
ne dà, che non i corpi in salso umore,
ma sommergono l'alme in dolce ardore,
8. né canto sol, ma sguardo hanno mortale.
Ecco quelle tre dee, che scorse in Ida
del più bel re troian la bella prole,
11. più de la greca fede al greco infida.
Ecco già da la terza eterea mole
discese le tre Grazie, ove s'annida
14. mirabilmente triplicato il sole.

I. — 1-2. Tre erano le Parche e triplice il corpo di Gerione, il mitico fortissimo gigante. Dunque le tre donne hanno nelle loro mani la vita del poeta e sono tre imbattibili potenze d'amore (*separato Gerion*: tre corpi distinti, non uniti e confusi come in Gerione).

9-10. Paride (*bella prole* di Priamo, il *più bel re troian*) scorse sul monte Ida Giunone Minerva e Venere presentatesi a lui per il famoso giudizio.

II

Musica notturna.

Tu che fra le caligini profonde
spiri armonia, de la tranquilla notte
le dolci pose dolcemente rotte
4. che del fiume leteo stillano l'onde,
 ben sembri chi di Lete in su le sponde
fra l'ombre già de le tartaree grotte,
per trarne le bellezze ivi condotte,
8. sciolse dal mesto cor note gioconde.
 Quindi ben io l'orride pene intanto
di questo scorgo invisitato inferno
11. a sì placido suon temprarsi alquanto.
 Ecco arresta la luna il moto eterno;
stupisce forse, poich'un simil canto
14. fra gli orrori ascoltò del nero Averno.

III

Il mare tempestoso gli s'oppone al ritorno.

Lasso, che debbo far? Se varco l'onde,
sommerso andrò fra gli ondeggianti umori,
ma se rimango in queste secche sponde,
4. arso morrò tra i fiammeggianti amori.
 Ahi, non parmi che tanto il mare inonde
e del Plaustro e dell'Austro ai gran furori,

II. — 5-8. Orfeo discese nei regni della morte, e con il suono della sua lira persuase Plutone e Proserpina a rendergli Euridice.
 10. *invisitato inferno*: la dimora del poeta innamorato a cui non si reca la donna.
 12-14. La luna ascoltò un simil canto nell'inferno, quello appunto di Orfeo (la luna, Diana e Proserpina furono considerate come una stessa divinità).

 III. — 6. *Plaustro*: la costellazione del Carro, che sta ad indicare il nord (come *Austro* indica la parte meridionale).

com'io tra le mie cure aspre e profonde
8.   là tempesta di flutti e qua d'ardori.
    Così tra l'onde o tra le fiamme ardenti,
con due sembianze spaventevoli e adre,
11.   morte vuol trarmi agli ultimi lamenti.
    O del mar bella figlia, o bella madre
d'Amor, deh per pietà de' miei tormenti,
14.   o placa il figlio o raddolcisci il padre.

IV

Infelicità dell'avaro.

    Non così già negli aurei letti loro
ed Ebro, e Gange mai, Pattolo, e Tago
come tu di ricchezze animo vago
4.   ondeggi ancor nel letto in pensier d'oro.
    Vigilante dragon per valor mago
stava co' frutti d'or nell'orto moro:
così col tuo s'unisce aureo tesoro
8.   d'aspra inquiete un sempre desto drago.
    Se per la dea, ch'ha dall'argento i rai,
altri dorme fra rupi alpestri e sole,
11.   tu col raggio dell'or non dormi mai.
    Il sol, ch'è d'or, corcarsi anch'egli suole,
perch'abbia notte il mondo e posi i guai;
14.   ma per tuo sempre dì l'oro t'è sole.

12. Venere nata dal mare.

IV. — 2. Sono tutti fiumi celebri per l'oro che contengono nelle loro sabbie.
    5-6. È il drago dalle cento teste che custodiva l'albero dai pomi d'oro nel giardino delle Esperidi, situato ai piedi del monte Atlante nell'Africa settentrionale.
    9. per la dea Diana, cioè per la caccia.

GIOVANNI PALMA

1

La bella parlatrice.

     Né con sì vaghi ed amorosi accenti
narra Progne a voi, selve, i suoi dolori;
né Filomena i suoi secreti amori
4. con sì facondo dir commette ai venti;
     né sì rotto fra' sassi i piè lucenti
mormora il rio lungo il pratel de' fiori,
come la bionda mia leggiadra Clori,
8. mentre a l'amica sua spiega i tormenti.
     Un fiume d'or, che di rubini ha sponde,
scogli di perle il suo parlar simiglia;
11. ma come arciero il cor punge e saetta.
     Deh, qual veggio d'amor gran meraviglia!
Lingua chi mosse mai sì dolce, o donde,
14. se non forse dal ciel scesa angioletta?

    I. — 2-3. *Progne* e *Filomena*: rispettivamente la moglie di Tereo e la sorella di Progne, violata da Tereo, trasformate in rondine e in usignolo.

II

Le dilettevoli campagne della Puglia ed i vicini luoghi della montagna vaghissimi per le varie doti della natura mossero l'autore a comporre il seguente sonetto.

O felici di Dauno alme contrade
ove ha sede il riposo, o campi lieti,
o folti boschi solitari e queti,
4. che l'ondoso Adrian circonda e rade,
o monti, o valli, o piante onde ognor cade
salubre manna, o fidi antri secreti
ove zefiro ha regno, o querce e abeti
8. il cui rezzo fe' d'or la prisca etade;
ben reo tenor di non amica stella
m'invidia il vostro caro ermo ricetto
11. che la mia vita ai suoi diporti appella.
Ma siami il voi goder dal ciel disdetto,
e' non potrà l'imagin vostra bella
14. tòrre al pensier, ch'è suo continuo obbietto.

III

Desiderio di solitudine.

Sacri e fidi silenzi, amici orrori,
grata stanza d'eroi, seggio romito,
ove lo spirto al suo Fattore unito
4. se stesso inalza in sempiterni amori:
in voi d'opre celesti eterni odori
spiran l'aure le piante il mare e 'l lito,
e quasi un cielo, o poggio al ciel gradito,
8. l'acque parlan di Dio le frondi e i fiori.

II. — 1. *Dauno*: il mitico principe che, in fuga dalla patria Illiria, si stanziò in una parte dell'Apulia, che si chiamò Apulia Daunia.
4. *Adrian*: Adriatico.

O come volentier mia vita stanca
con voi trarrei per non macchiar la diva
11.   parte a chi la mi diè sì pura e bianca.
     Ma 'l proprio mal del vostro ben mi priva,
e mi tira per via fallace e manca;
14.   onde convien che lacrimando io viva.

III. — 10-11. *la diva parte*: l'anima.

GIACOMO D'AQUINO

I

Cor stillato in specchio.

Stillò questo mio cor con lenta face
Amore, in lagrimoso umor cadente;
qual, poi, gielo e cristallo il fe' lucente
4.   la fredda Gelosia, cruda e fallace.
       Io poi, ben mio, spinto d'Amor vivace
per specchio il diedi a te, perché l'ardente
mia fiamma in lui mirassi e 'l risplendente
8.   tuo vago volto, e la mia fé verace.
       Lo ruppe in pezzi poi lo Sdegno fiero,
ma per mio peggio, ché la tua figura
11.   era una e sola nel mio core intiero,
       or ne' pezzi del cor tua imago pura
mille volte riluce; ond'io ne pero,
14.   e mille volte più cresce l'arsura.

II

Comparazione tra l'Amante e Amore.

Nudo sei vago Amore, e nudo anch'io:
tu di panni, io di speme; hai tu l'ardore,
io chiudo un vivo foco entro il mio core;
4.   tu voli, io volo ancor col pensier mio.
       Sei tu privo degli occhi un cieco dio,

me fe' cieco di lei l'almo splendore;
sei tu immortale, il mio martir non muore;
8.   error te guida, e me folle desio.
     Gravi tu di quadrella i fianchi tui,
e porti teco la catena e il laccio,
11.   ed io son cinto e oppresso d'ambidui.
     Ma i cori tu col pargoletto braccio
ferisci (in questo è differenza in nui),
14.   ed io sempre ferito ardo e mi sfaccio.

III

Garofano dato da bella donna nomata Vittoria.

     De' miei sensi e del core
vincitrice, Vittoria,
come fior de le belle un fior mi dài,
ch'al purpureo colore
5.   ben rassembra la fiamma,
che m'accesero al sen tuoi caldi rai;
ma se fior dar mi vuoi
(ch'altro sperar m'è tolto)
de' dolci labbri tuoi
10.   dammi le rose, e i gigli del bel volto.
Ah, conosco tue frodi,
di pietà priva in tutto,
mi doni il fior, per denegarmi il frutto.

ANTONIO DE ROSSI

I

Masaniello d'Amalfi vil pescatore fatto capo della plebe sediziosa
nelle rivoluzioni di Napoli sotto li 7 di luglio 1647.

Marin guerriero anzi ai squamosi armenti
guerra eccitò coi canapi ritorti;
or di Marte costui rende i men forti,
4. in riva al bel Tirren, seguaci ardenti.
Corron costor, quali in ebbrezza absorti,
di faci armati a divorar gli argenti;
resi d'alto furor sciolti torrenti,
8. fan per tutto inondar ruine e morti.
In se stessa sconvolta e in sé divisa,
Partenope, non più festosa e vaga,
11. or tutta è duol nel proprio sangue intrisa.
E di più scempi omai fatta presaga.
su meste arene in brutta spoglia assisa,
14. il suo grembo gentil di pianto allaga.

I. — 1. *anzi*: avanti, prima.
2. *coi canapi ritorti*: con le reti.

II

All'istessa città di Napoli agitata dalle rivoluzioni.
Paragone tra Venere, dea del gentilesimo, e Masaniello d'Amalfi.

Da le spume del mar Vener già nata,
in te pome fastose un tempo ottenne;
da le spume del mar colui se 'n venne,
4.   ch'or muove in te sedizion malnata.
Quella, al popol di Gnido in pregio e grata,
di culto indegno ai primi onor pervenne;
questi, agli applausi d'una plebe ingrata,
8.   dai tempî violar non si contenne.
A franger legni, ad eccitar tempeste,
dal mar crudele l'una e l'altro apprese,
11.   a far le gioie altrui naufraghe e meste.
Gli erari e gli ori a divorar intese,
nei palaggi e ne' cor fiamme funeste
14.   l'una d'amor, l'altro di sdegno, accese.

III

Descrive l'inondazione del Tevere occorsa a' 4 di novembre 1661.

Gonfio dagli Austri e da alterigia pieno,
già 'l Tebro innalza il crin dal letto algoso;
e da fiume real torrente ondoso
4.   fatto, ei niega il tributo al mar Tirreno.
Al popol di Quirin minaccia il freno
d'impor superbo, e col suo piè fastoso
egli ratto non men che strepitoso,
8.   tenta occupar del Campidoglio il seno.

II. — 2. *pome*: frutti sacri a Venere.

Corrono a depredar l'onde vittrici
dai ricchi alberghi i preziosi arredi
11.   e 'l tutto empion d'orror qual furie ultrici.
Coi venti in lega le procelle or vedi:
mesto il vulgo sospira, asceso in alto,
14.   de la fame e del fiume al doppio assalto.

GIROLAMO FONTANELLA

I

Alla lucciola.

Mira incauto fanciul lucciola errante
di notte balenar tremola e bella,
che di qua che di là lieve e rotante,
4. somiglia in mezzo al bosco aurea fiammella.
Va tra le cupe ed intricate piante,
stende la mano pargoletta e bella,
e credendo involar rubino o stella
8. va de la preda sua ricco e festante.
Ma poi che 'l nostro orror l'alba disgombra,
quel che pria gli parea gemma fatale
11. di viltà, di stupor gli occhi l'ingombra.
Così bella parea cosa mortale!
ma vista poi che si dilegua l'ombra,
14. altro al fine non è ch'un verme frale.

II

Ad un ruscello.

Questo limpido rio, ch'al prato in seno
da una lacera pietra esce tremante

I. — 11. di stupore per la sua misera condizione.

e quasi re di questo campo ameno,
4. s'incorona d'erbette, orna di piante;
    quando il sole col raggio apre il terreno
sul Leone del ciel fiero e stellante,
allor che stanco dal calor vien meno,
8. dolce ristora il peregrino errante.
    Sono i suoi mormorii trilli canori,
al cui suono gentil canta ogni augello,
11. a la cui melodia danzano i fiori.
    Ben si può dir, tanto è suave e bello,
per questi alati e musici cantori,
14. organo de la selva e non ruscello.

III

In una lunga siccità. A Giunone.

    Apri i fonti superni, e larga a queste
sitibonde campagne acque diffondi,
tu che cinta lassù d'arco celeste
4. sopra trono di nubi il capo ascondi.
    Son de la terra i fior bocche funeste,
e sospiri gli odor, lingue le frondi,
che per tante ammorzar vampe moleste
8. pregan che sopra lor prodiga inondi.
    Tragico il bosco; e 'l monte orrido e solo
funestato ha di polve il crine e 'l manto,
11. e campo d'Etiopia appare il suolo.
    Per aver nel calor rifugio alquanto
querulo piangeria l'almo usignuolo,
14. ma gli manca la voce e muore il canto.

II. — 6. scintillante fieramente nella costellazione del Leone.

IV

Al vento.

Alito de la terra e spirto errante,
che da concavi monti in aria esali,
e questi in agitar campi vitali
4.   la natura fai bella e 'l mondo amante;
    tu nel fiato volubile e vagante
le fortune del mar segni ai mortali,
e mentre batti l'invisibil ali
8.   per le liquide vie scorri volante.
    Ogni nube, ogni nembo agiti e giri,
fai volar, fai gonfiar vele ed antenne,
11.   fai che 'l tutto respiri allor che spiri.
    Quanto lieve ritrovi, alzi ed impenne;
di qua voli e di là giri e raggiri,
14.   e veloci alla Fama ergi le penne.

V

Alla Notte.

Muta sì, ma non cieca ognun t'appelle;
muta sì, ch'hai silenzio atro e profondo,
ma cieca no, ch'aprendo occhi di stelle,
4.   un Argo sei che custodisci il mondo.
    Pur così muta ancor parli e favelle,
e pur quel tuo silenzio appar facondo;
quante hai stelle nel ciel ricco e giocondo,
8.   tante sciogli in parlar lingue e favelle.
    E che sono là su quei raggi ardenti,
con quel baleno tremolo e vivace,
11.   a l'orecchio de l'alma, altro ch'accenti?

IV. — 3. *campi vitali*: l'aria da cui traggono vita animali e piante.
12. Alzi e fai volare quanto trovi di leggero.

Tacita dunque a noi parlar ti piace;
e mentre altri racqueti, altri addormenti,
14.   mostri da l'ombre tue dir pace pace.

VI

Al diamante.

Pietra che luminosa ardi tremante,
gemma d'impenetrabile rigore,
ben sei tu fra le gemme occhio maggiore,
4.   ben di candida stella hai tu sembiante.
    Dal tuo splendor, dal tuo valor costante
costanza impari innamorato core,
che memoria esser puoi di saldo amore,
8.   poich'el titolo tuo porti d'amante.
    Da te lampi celesti in terra elice
chi t'imprigiona in or, chi lieto suole
11.   di te le dita imprigionar felice.
    Quando natura a noi produr ti vuole,
altro non fa su la Rifea pendice
14.   ch'in una gemma epilogare il sole.

VII

Alla perla.

Vaga figlia del ciel, ch'eletta e fina
sei di conca eritrea parto lucente,
ricchezza del bellissimo oriente,
4.   nata e concetta in mar d'umida brina;
    tu allumi di candor l'onda marina,

VI. — 2. *rigore*: durezza.
13. *la Rifea pendice*: le propaggini occidentali degli Urali.

uscendo incontra al sol bianca e ridente,
il cui valor, la cui beltà nascente,
8. ogni ninfa, ogni dea pregia ed inchina.
     Tu pullulando fuor d'alma natura,
non prendi qualità di salso gelo,
11. non tingi il tuo splendor di macchia impura;
     ma qual vergine bella in bianco velo
lasci a l'onda l'amaro, e pura pura
14. fai de la tua beltà giudice il cielo.

VIII

Al corallo.

     Collinette fiorite, ombrelle amene
sola al mondo non ha Pomona, e Flora;
ché Teti, e Citerea là giù pur tiene,
4. dentro l'onde del mar giardini ancora.
     Sono l'alghe l'erbette e i fior l'arene,
ove ai pascoli suoi Proteo dimora;
frutti son quelle in mar conche serene,
8. che la luna inargenta e 'l sole indora.
     Purpurino virgulto ivi natura
il ramoso corallo aver si vanta,
11. ch'è di magico sangue alma fattura.
     Dal tronco il nuotator destro la schianta;
la prende molle e la ritrova dura,
14. e dubbioso non sa s'è pietra o pianta.

VII. — 10. *salso gelo*: è il sale.
VIII. — 2. *Pomona e Flora*: le dee dei giardini e dei fiori.
3. *Teti e Citerea*: le dee del mare.
6. *Proteo*: il guardiano della greggia di Nettuno.
11. Il corallo si credeva nato dal sangue di Medusa.

IX

Al garofalo.

Sdegna la plebe de' minuti fiori
e star negli orti abitator non cura
questi ch'ambisce con fastosi onori
4.   ne' supremi balcon aver cultura.
Ivi candida man nobile e pura
la sua maschia virtù nutre d'umori,
per acquistarne poi gemina usura
8.   di molli fronde e di soavi odori.
Tal con fasto e con festa a l'aria uscito,
gode, adobbato di purpuree fasce
11. a la rosa leggiadra esser marito.
Di rogiada o di linfa egli si pasce;
sorge reciso, e pullulando ardito,
14. quasi mostro lerneo, sempre rinasce.

X

Al muschio.

Gradir suol Citerea chi puro e terso
passa amico degli agi il tempo estivo,
ed abito in cangiar sempre diverso,
4.   la delizia e la pompa ama festivo;
ma di soavità nuota in un rivo,
in un placido oblio gode sommerso
chi di te, vago odor ricco e lascivo,
8.   profumata ha la chioma e 'l manto asperso.
Pallida per dolcezza imbianca il volto
bella donna leggiadra, e al tuo vigore

IX. — 7. *gemina usura*: doppio beneficio, frutto, vantaggio.
14. *mostro lerneo*: l'idra di Lerna aveva sette teste che, appena tagliate, si
ricongiungevano al tronco.

11.   soavemente ogni vigor l'è tolto.
      Dove il fumo risorge esce il calore,
      e dal profumo tuo, ne' drappi accolto,
14.   sempre è solito uscir foco d'amore.

XI

Nenia cantata dalla sua donna.

Tremola navicella un dì movea
quella che del mio cor regge la chiave,
e spirando col canto aura soave,
4.   per l'onde de l'oblio lieta scorrea.
      Ubbidia la quiete al moto grave,
che con impeto lento il piè facea,
e l'agitata e pargoletta nave
8.   in braccio a Pasitea lieta correa.
      Placida nube e graziosa intanto
chiuse al fanciullo il delicato ciglio,
11.   ch'umido si vedea di molle pianto.
      Così dentro un bel velo aureo e vermiglio,
il sonno apporta Citerea col canto,
14.   dentro cuna di rose al nudo figlio.

XII

Dona un pappagallo alla sua donna.

Questo de l'indo ciel pomposo augello,
peregrino volante, alato mostro,

X. — 11-14. Come il fumo annunzia il fuoco così il profumo del muschio
precede il fuoco d'amore.

XI. — 1. *Tremola navicella*: culla dondolante.

8. *Pasitea*: è una delle Nereidi, ma anche una delle Grazie. Cfr. CATULLO,
Attis, v. 43, di cui sembra una reminiscenza il verso del Fontanella.

XII. — 2. *mostro*: meraviglia.

che discepolo apprese, accorto e bello,
4. distinto il suon de l'idioma nostro;
    mira com'ha leggiadro il curvo rostro,
come liscia la piuma e terso il vello;
ha manto di smeraldo e bocca d'ostro,
8. che ridice talor quanto io favello.
    In così vaga prigionia raccolto,
miralo com'è vago e come arguto,
11. come a la tua beltà si sta rivolto.
    Ma temo, oimè, ch'in tuo poter venuto,
stupido a lo splendor del tuo bel volto,
14. ove garrulo fu, non torni muto.

XIII

In tempo d'està.

    Già la tremola spica in mezzo i campi
il suo verde color cangia in aurato,
e tendendo là su l'arco infocato
4. vibra il lucido Arcier più forte i lampi.
    Stride la cicaletta e par ch'avvampi,
langue pallido il monte, adusto il prato,
e de' zefiri dolci estinto il fiato,
8. non sa ciascun dove ricovri o scampi.
    Ferve il ciel, bolle il suol, langue ogni fronda,
e qual tomba di foco, urna d'ardore,
11. assetata la terra arde infeconda.
    Spira foco l'erbetta e fiamma il fiore,
arde il fiume, arde il rio, ferve la sponda;
14. solo ha Fillidi mia di ghiaccio il core.

XIII. — 4. *il lucido Arcier*: Apollo, il sole.

XIV

Amorosa vendemmia.

Trionfa Bacco, e di viticci adorno
con allegro tumulto in trono siede,
ed innalzando il pampinoso corno
4.   ogni satiro andar seco si vede.
     Qui vieni, o Filli, or che librato il giorno
ne la lance d'Astrea più fresco riede.
Tralci, pampini ed uve accogli intorno,
8.   e meco sciogli a le carole il piede.
     Scegli nel campo omai l'uve più belle,
che vincendo i topazi al bel colore
11.   su le pergole mie sembrano stelle.
     Io per estinguer poi la sete al core,
a coglier l'uve attenderò; ma quelle
14.   che ne la bocca tua matura Amore.

XV

Paragona la beltà della sua ninfa alla fragilità della rosa.

Sparsa d'ostro la guancia e d'oro il crine,
dal suo tronco la rosa esce fanciulla,
e dentro molle e delicata culla
4.   da le poppe del ciel sugge le brine.
     Scherza e danza con l'aure, e grande al fine
con l'alba ride e con amor trastulla;
e mentre il verno al suo venire annulla
8.   ha qual donna de' fior trono di spine.
     Vedi pur quanto è vaga ella e vermiglia,

XIV. — 5-6. Astrea, venuta in terra durante l'età dell'oro, per i delitti degli uomini tornò in cielo e vive nella costellazione della Vergine: nella quale il sole è tra agosto e settembre. Il sole passa poi nella costellazione della Libra o Bilancia nell'equinozio autunnale. È dunque qui indicato il tempo della vendemmia.

nasce e more col sol, perde i colori
11. quando languido il ciel china le ciglia.
       Or che ti val l'insuperbirti, o Clori?
       Se cade un fior ch'a tua beltà somiglia
14. degli anni tuoi pur caderanno i fiori.

XVI

Bella nuotatrice.

       Lilla vid'io, qual mattutina stella,
       spiccando un salto abbandonar la sponda,
       e le braccia inarcando agile e snella
4.   con la mano e col piè percuoter l'onda.
       La spuma inargentò canuta e bella,
       ch'una perla sembrò che vetro asconda,
       e disciolta nel crin parea fra quella
8.   nova Aurora a veder, candida e bionda.
       L'onda dolce posò, zefiro tacque;
       e dove il nuoto agevolando scorse,
11. tornâr d'argento e di zaffiro l'acque.
       A mirarla ogni dea veloce corse,
       e fu stupor ch'ove Ciprigna nacque,
14. un'altra Citerea dapoi ne sorse.

XVII

Alla Maddalena.

       Cangia in ruvida spoglia, in corda irsuta,
       questa bella pentita il manto adorno,
       pompa di vanità, fregio di scorno,

XVI. — 13-14. *Ciprigna* e *Citerea* sono due epiteti di Venere, derivati dalle
due isole, di Cipro e di Citera, in cui era particolarmente venerata.

4. di caduca ricchezza ombra caduta.
    Prima tra lussi in maestà seduta,
mille ricche vedea cortine intorno;
or mira entro selvaggio ermo soggiorno,
8. con frondosi ricami edra intessuta.
    Trionfa ella del mondo, illustre ed alma,
non più con armi di beltà profana,
11. ed ha sotto una palma oggi la palma.
    Così presso una limpida fontana,
de le lagrime sue purgando l'alma,
14. ov'era Citerea sembra Diana.

XVIII

I piaceri della villa.

Alla signora Isabetta Coreglia.

    Pace a voi, pinti augelli,
delicate pianure, alme colline,
ombre fresche, erbe molli, aure divine,
solitari recessi opachi e belli,
alti monti, ime valli, orti fioriti,
6. rotte balze, erme rupi, antri romiti!
    A voi lieto ritorno,
del mio povero aver contento e pago,
di silenzio e di pace amico e vago.
Deh tumulto non sia dov'io soggiorno;
qui stia sepolto ogni mio lieto accento;
12. a la città non riportarlo, o vento.
    Porti l'occhiuta Fama,
che d'applausi si pasce e d'alti fasti,
a l'orecchio civil pugne e contrasti:

XVII. — 9. *alma*: santa.
11. Vivendo sotto una palma, nel deserto, riporta la palma della santità.
XVIII. — 15. *civil*: del cittadino.

chi fra strepiti avvezzo avido brama
del fiero Marte esaminar gli errori,
18.   legga pugne, oda trombe, ami furori.
    Ma chi, vago de' boschi,
desia d'amica pace intender carmi,
meco venga tra' colli e lasci l'armi:
qui soletto fra rami ombrosi e foschi,
ove l'ombra cader serena io veggio,
24.   riposato nel cor danzo e passeggio.
    Poggio dal piano a l'erto,
e parmi ad ora ad or toccar le stelle
su le cime de' monti altere e belle.
Pendo nel mio piacer dubbio ed incerto,
e dico, asceso in sì sublime loco:
30.   — D'arrivar sopra il ciel mi resta poco.
    Ivi, mentre respiro,
fra due valli mi fermo ombrose e cupe:
ove si sporge fuor diserta rupe,
sorger tempio devoto al ciel rimiro,
aula sacra di Dio, ch'infonde al petto
36.   riverenza, stupor, tema e diletto.
    Santo e romito stuolo,
ch'ha di cenere sparsa ispide vesti,
spira qui con silenzio aure celesti:
ricco di povertà, solingo e solo,
ha d'irsute ritorte il fianco avvolto,
42.   scalzo il piè, rozzo il manto e magro il volto.
    Aer sacro e sereno,
che di dolci pensier m'empie la mente,
ventilando di là spira sovente;
d'usignuoli selvaggi il loco è pieno;
ivi vengono e van gli augelli erranti;
48.   ciascun, dubbio, non sai se pianga o canti.
    In quel tempio sacrato
suona concavo bronzo alto e canoro,
che la sacra famiglia invita al coro:
non da fabbro mortal sembra formato,
ma d'angelica man, ché, mentre suona,

54. come lingua del ciel parla e ragiona.
  Ben composto orticello
di spinosi roseti intorno cinto
godo di vaghi fior smaltato e pinto.
Poi quando spunta il primo albor novello,
lascio le piume e per le siepi ombrose
60. di qua colgo e di là fragole e rose.
  Quante belle farfalle
vagabonde e dipinte aprono i voli,
e quanti arguti e queruli usignuoli
fan qui col canto lor sonar la valle!
Ride il campo ed olezza, e lieto in viso
66. ogni fior che germoglia apre un sorriso.
  Qui porporeggia il melo,
là giallo impallidisce il cedro antico,
e con lacero sen lagrima il fico,
di rubini la vite orna il suo stelo,
e di porpora e d'or pendendo altero
72. miniata ha la scorza il pomo e 'l pero.
  Alzo gli occhi bramoso,
spio tra' rami le frutta e 'l braccio stendo,
e qual più mi diletta avido io prendo:
poi vicino ad un lauro il dì riposo,
e per frutti gustar soavi tanto,
78. ho melata la lingua e dolce il canto.
  Scorre l'ape soave,
e tanto i suoi susurri in aria ponno,
che mi stillano agli occhi un dolce sonno;
scende l'ombra da' monti umida e grave:
ecco stridulo il grillo e in voci rotte
84. par ch'annunzi la pace e dica: — È notte.
  Odo a punto a quest'ora
semplicetto cantor d'incolte rime
il villanel che le sue fiamme esprime;
tratta cava testugine canora,
e con rozzo cantar dolce e concorde,
90. porge grazia a le voci, alma a le corde.
  A quel rustico accento

immerso in un sopor cupo e tenace,
prendo posa tranquilla e dolce pace;
poi de' garruli augelli al bel concento,
salutando de l'alba il novo lampo,
96.   gli occhi desto dal sonno e torno al campo.
     Sotto i piedi l'erbetta
lagrimosa mi ride, e sono i pianti
ch'ella sparge tra' fior, perle e diamanti.
Febo, amico di pace, allor mi detta
mille belli pensier, Febo m'è scorta,
102.   e m'inalza la mente e al ciel mi porta.
     Qui, leggiadra Coreglia,
ove l'ombre più dolci il monte serba,
meco il dì ti vorrei tra' fior e l'erba.
Ecco il lauro, ecco il mirto, ecco la teglia,
che fra mille d'amor zefiri ameni
108.   mormorando ti chiama e dice: — Vieni.
     Vieni, o saggia Nerina,
pastorella gentil, musica ninfa,
ove giubila qui l'aura e la linfa.
Ma tu, nova fra noi musa divina,
degni fai di tue luci oneste e pure
114.   altri colli, altre ripe, altre pianure.
     Tu sotto il clima tosco,
bella italica Saffo, al mondo splendi,
e 'l tuo picciolo Serchio augusto rendi;
di civil maestà si veste il bosco,
qualor prendi la piva e mandi fuora
120.   dal rubino spirante aura canora.
     Mille pinti augelletti
odi intorno cantar dolci e lascivi,
ne le cortecce ove intagliando scrivi.
Riverisce il pastor gl'incisi detti,
e son tanto i caratteri soavi,
126.   che l'ape corre e vi compone i favi.

106. *teglia* : tiglio.

Cangia l'empia fierezza
in costume gentil l'aspido sordo
e porge al tuo cantar l'orecchio ingordo;
e tanta dal tuo dir beve dolcezza,
ch'a l'armonia de la tua bella canna
132.   il veleno ch'avea converte in manna.
L'aria in vista s'allegra,
dal tuo vago splendor resa tranquilla,
e rose e gigli il ciel piove e distilla;
e benché in spoglia vedovile e negra
apparisci colà, tosto al tuo viso
138.   l'ombra in luce si cangia e 'l pianto in riso.
O beata campagna,
felice colle, avventuroso fiume,
che degni fai del tuo cortese lume!
Beato il Serchio ove irrigando bagna,
che nel suo molle e cristallino gelo,
144.   stampando il viso tuo, contiene il cielo.
Io di qua dove seggio
or fra sacri silenzi ombroso e muto,
col cor t'inchino e col pensier saluto;
da quest'occhi non vista io pur ti veggio.
O stupor non udito, o strano gioco!
150.   La tua luce non vedo e sento il foco.

XIX

Alla luna.

Candidissima stella
che 'l silenzio tranquillo apri nel mondo,
e pacifica e bella
rendi il fosco de l'ombre almo e giocondo,
e de l'umido sonno umida sposa,
6.   abbracciando la notte, esci pomposa;
tu con provvida cura
spargi d'alta virtù gravidi effetti;

tu ne la notte oscura,
sagittaria del ciel, l'ombre saetti
e menando là su danze e carole,
12.   scorri i lucidi campi, emula al sole.
         Tu con freno d'argento
reggi in campo d'orror carro di stelle;
tu con vago concento
mille guidi nel ciel musiche ancelle,
e reina de' boschi, in bianca vesta,
18.   coronata di corna ergi la testa.
         Piovi, balia feconda,
su le bocche dei fior manne stillanti,
e soave e gioconda
versi in largo tesor molli diamanti,
e squarciando le nubi intorno intorno,
24.   rendi chiara la notte, emula al giorno.
         Apri e chiudi i canali
de le fonti del ciel puri e giocondi,
e con acque vitali
la crescente virtù nei corpi infondi,
e cortese a le piante, amica ai fiori,
30.   spargi in grembo a la terra ampi tesori.
         Variabile ogn'ora,
fai, mutando color, diverso effetto:
ora pallido ed ora
rosseggiante nel ciel mostri l'aspetto,
e con vario apparir vari figuri
36.   del futuro avvenir segni sicuri;
         or superbo e ripieno
di fecondo licor gonfi il sembiante,
e di Teti nel seno
movi al moto che fai l'onda incostante;
or cornuta hai la fronte e scema i rai,
42.   come parti nel ciel non torni mai;

XIX. — 42. *come parti nel ciel non torni mai*: cioè la parvenza dell'ultimo
quarto, dopo il quale la luna scompare dal cielo, non è simile a quella del primo
quarto, quando la luna ritorna.

or con languido lume
fra le nubi sepolta umida manchi,
or con candide piume
le selve inalbi e le campagne imbianchi,
e risorta fenice alma ed adorna,
48.   rinovando la luce ergi le corna.

XX

All'api.

Verginelle volanti,
peregrine lucenti,
vivi globi minuti, ori spiranti,
spiritelli de l'aria, atomi ardenti,
luminose faville, auree facelle,
6.   del bel cielo d'april correnti stelle.
    Delicate maestre,
che spiate l'interno
de l'erbette e dei fior, veloci e destre,
e con modo sollecito ed alterno
delibando avidette umor soavi,
12.   da le poppe dei fior traete i favi.
    Ingegnose testrici,
fabbre altere ed illustri,
che con aghi pungenti ite felici
tessendo in ricche celle ordini industri,
e con quell'arte che vi diè natura,
18.   fate d'aureo licor bionda testura.
    Garrulette guerriere
che con gradi inequali
nel bel campo de l'aria uscite a schiere,
e per altri ferir d'acuti strali,
de la battaglia al susurrar che fate,
24.   quasi stridula tromba, il segno date.
    Pargolette romite,

che fra taciti monti
e tra valli abitar dolce gradite,
e con murmur soave appresso i fonti,
quasi nuvole d'or rotanti e vaghe,
30.   girate in aria inamorate e vaghe,
voi, che dolce pioveste
ne la tenera bocca
del tebano cantor manna celeste,
(se pur tanto dal ciel sortir mi tocca)
addolcite il mio canto, onde simìle
36.   al bel nettare vostro esca il mio stile.

XXI

Si detestano le delizie del secolo presente.

All'illustrissimo sig. G. B. Manso marchese di Villa.

Giace il mondo fra lussi, e l'uomo insano
rende sudditi a' sensi i propri affetti,
prezza crapole e giochi, amante vano,
4.   veste pompe, usa lisci, ama diletti.
Negli agi immersa effeminata e folle
la pronta gioventù marcir si vede:
regna il sonno e la piuma, e l'ozio molle
8.   su le morbide coltri a l'ombra siede.
Miro l'opre e l'usanze oggi diverse
da quel secolo d'or purgato e casto:
le pelli usò chi nudità coperse,
12.   or di serica pompa orna il suo fasto.
In quel primo vagir del mondo infante
era stanza il tugurio a l'uomo imbelle,
or da la terra emulator gigante
16.   edifici sublimi alza a le stelle.

XX. — 33. Il tebano cantore è Pindaro, nella cui bocca si diceva che le api
avessero fabbricato il miele.

Fa sviscerar da peregrini monti
superbo ingegno i più pregiati marmi,
per farne o logge o preziosi fonti,
20. che del Tempo guerrier durino a l'armi.
Fa ch'i suoi tetti a riguardar sì belli
siano d'arte maestra ultima prova;
novi Dedali chiama, e novi Apelli
24. al suo regio lavor prodigo trova.
L'onda che sprigionata un tempo apriva
da la pomice scabra argentea vena,
che senz'arte correa purgata e viva
28. tra vaghi fior per la campagna amena;
custodita e riposta oggi tra chiavi,
fa per opra de l'arte opre stupende,
con soave rumor dai piombi cavi
32. le reggie illustri ad arricchir discende.
Non più rustiche paglie, aspri fenili,
rozzi e poveri velli, ispidi stami;
ma molli sete e preziosi fili
36. fanno al regio suo tetto ombre e ricami.
Pendono in giù per le sue logge arcate
mille d'aureo lavor tappeti industri,
e ne le mura e ne le travi aurate
40. mille ammiri d'eroi memorie illustri.
Del più famoso e nobile metallo
il suo ricco balcon cerchia sovente,
e dei monti rifei puro cristallo
44. fa ne le sue fenestre ombra lucente.
Ei gonfio il cor d'ambiziose voglie,
calcar povero suol rifiuta e sdegna,
pavimenti gemmati, aurate soglie
48. il suo nobile piè toccar sol degna.
Nel suo morbido letto ombrando il lume
padiglione si leva alto e pomposo,
e fra lini odorosi e bianche piume

XXI. — 29. *chiavi*: gli ordigni metallici che regolano l'afflusso dell'acqua
alle fontane.

52.   presta al languido corpo agio e riposo.
       Vengon a esercitar musiche danze
donzellette lascive in ricca veste;
spirano arabo odor le regie stanze,
56.   e fra dolci armonie s'odono feste.

       Fra cancelli d'argento in aria appeso,
prigioniero giocoso, il verde augello
qui da l'India remota a lui disceso,
60.   mille nomi ridir sa vago e bello.

       Mille d'argento e d'or conche e vasella
sopra candido lin prepara e spande,
ove miri in sua mensa agiata e bella
64.   odorosi fumar cibi e vivande.

       Attuffato nel ghiaccio, esposto a l'oro
generoso Lieo spumante brilla,
che 'n tazza di finissimo lavoro
68.   con soave allegria placido stilla.

       Sontuoso teatro, altera scena
di figure e di lumi erge a suo vanto,
ove ispana leggiadra il ballo mena
72.   e marito del ballo unisce il canto.

       Ahi, ch'onesto rossor più non inostra
in donnesca bellezza il bianco viso,
lascivetta in andar gli abiti mostra,
76.   lussureggia nel petto, arde nel riso.

       De la chioma sua bionda il campo adorno
col rastrello d'avorio ara e coltiva;
poi vi semina odori e sparge intorno
80.   di licori sabei pioggia lasciva.

       A che dentro le pompe alma bellezza,
e tra fregi non suoi giace sepolta?
Schietta e nuda beltà via più si prezza,
84.   tanto meno è gentil quant'è più colta.

       Oh d'umana follia prova superba!
Sa ch'ogni opra de l'arte al fin rovina,

---

80. *licori sabei*: profumi arabici.

sa che sparsa nel Tebro, arena ed erba
88. ricopre ancor la maestà latina.
 Cadde Menfi superba e Caria illustre,
cesse a l'armi del tempo Argo e Micene,
e sepolta in oblio fosco e palustre
92. fra le nottole sue sta cieca Atene.
 Le piramide sue trovi, se puote,
glorioso l'Egitto e 'l Nilo altero;
Troia miri le mura a pena note,
96. che fêr sì grande il suo temuto impero.
 Trovi Rodi il colosso, Efeso il tempio,
miri tumido Creso oggi il suo trono;
contro i colpi del Tempo ingordo ed empio
100. i romani trionfi ove ora sono?
 A che, dunque, inalzar tetti eminenti,
s'ogni fasto mortal rapido piomba?
s'altro non resta a ricettar le genti,
104. ch'un freddo marmo, una funerea tomba?

XXII

La bella ricamatrice.

Al sig. Francesco Sacchi.

Questa Aracne d'amore,
che con dita maestre adopra l'ago
e con industre errore
prende accorta a fregiar drappo sì vago,
l'arteficio e 'l lavor sì ben comparte
6. ch'a natura fa scorno, invidia a l'arte.
 Mentre il lino trapunge,

89-90. *Menfi*: la capitale degli antichi Egizi; *Caria*: la regione più meridionale dell'Asia minore; *Argo e Micene*: le due celebri capitali dell'antica Grecia.

XXII. — 1. *Aracne*: la mitica valentissima ricamatrice che osò sfidare Minerva e la vinse.

d'acute punte il cor ferir mi sento;
mentre insieme congiunge
e sposa a stami d'or fila d'argento,
ne la testura sua pregiata ed alma
12. la prigione d'Amor tesse a quest'alma.
     Su l'ordita ricchezza
move l'agile man tanto spedita,
ch'a quell'alta prestezza
in lei folgori pensi esser le dita,
che fra tremoli rai d'argentei fiori
18. fan con gelidi lampi ardere i cori.
     Su la rosa gentile,
ch'animata di fuor le ride in bocca,
il bell'ago sottile
pensosetta talor leggiadra incocca,
ed in quell'atto insidiosa e vaga,
24. sagittaria d'Amor gli animi impiaga.
     Talor col puro dente,
per aggiungere un fil, l'altro recide,
e qual Parca innocente
lo stame ancor de la mia vita incide,
e con alterni ed ordinati modi
30. mi stringe il cor fra quei minuti nodi.
     Palla forse è costei,
ch'agli atti, a l'arti, a le maniere, al volto
ben somiglia colei,
ch'in bellezza e valor senno ha raccolto,
e qual donna immortal dal ciel venuta,
36. mostra in giovine età mente canuta;
     o la tenera Flora
su le tele a provar viene i suoi pregi,
che ricamando infiora
con groppi d'or, con ingemmati fregi,
e di se stessa imitatrice, gode
42. schernire altrui con ingegnosa frode;

---

37. *Flora*: la dea della primavera e dei fiori; *i suoi pregi*: sono i fiori.

o novella angioletta,
per dimostrar quegli arteficii aurati
ha con industria eletta
i ricami del ciel qua giù traslati;
poich'a far sì bell'opre, ad altri ignote,
48. chi celeste non è, giunger non pote.

XXIII

La bella saltatrice.

Al sig. Fabio Ametrano.

Questa bella d'Amor maga innocente,
che con giri fatali
i balli move inegualmente eguali,
fa d'insolita gioia ebra ogni mente,
e 'l piè sciogliendo ai regolati errori,
6. incatena gli spirti, incanta i cori.
    Prima, accorta ne' moti, alza e misura
col bel suon de le corde
ne la musica danza il piè concorde,
dando al corpo gentil grazia e misura;
indi parte e ritorna, e mentre riede,
12. sopra l'ali d'Amor regge il bel piede.
    Desta e sciolta, in un piè s'attiene e libra,
indi il passo radoppia,
e l'alza in aria e nel cader l'accoppia,
si rota intorno e se medesma vibra,
e ne' suoi modi e ne' suoi moti erranti,
18. fatta rota d'Amor, volge gli amanti.
    China a tempo il ginocchio e l'aurea testa
con bell'atto soave,
e posando la danza ergesi grave;
poi si spicca in un salto agile e desta,
che leggiero nel vol s'erge tant'alto,
24. che dubbioso non sai s'è volo o salto.

Va con breve ed armonico intervallo,
regolato da l'arte,
or da la manca or da la dritta parte;
fugge e rompe la fuga in mezzo al ballo,
e ne l'ordine suo mutando gioco,
30.   la credi in uno ed è ne l'altro loco.
    Mentre fuor dal bel lembo aurato e bello
de la gonna sua vaga
spinge il piè delicato, ogn'alma impiaga;
par la punta del piè strale novello,
che spedito e veloce in mezzo i petti
36.   fuor da l'arco d'Amor l'alme saetti.
    Forse scesa qua giù la bianca Luna
dai volubili calli,
ha traslati fra noi gli eterni balli?
o pur nova d'amor vaga Fortuna,
rendendo altri infelice, altri beato,
42.   volge in vario tenor l'umano stato?
    Da sì belle e sì rapide carole
apprendete voi stelle
a danzar colà su più vaghe e belle.
Ore, ancelle del dì, figlie del Sole,
che danzando là su guidate il giorno,
48.   fermate il ballo ad ammirarla intorno.
    E voi ditemi ancor, nunzi volanti,
che con alto governo
regolate del ciel l'ordine eterno:
da quei zaffiri mobili e rotanti,
ch'han nel danzar sì numerosi corsi,
54.   danzatrice sì bella è scesa forsi?
    Già di là rispondete, e già v'ascolto:
— Dai celesti zaffiri;
donna umana non è costei che miri;
se veder brami il ciel, mira quel volto,
mira quel piè, ch'in maestà reale
60.   ha dagli angeli appreso il moto e l'ale.

XXIII. — 53. *sì numerosi corsi*: moti così armoniosi.

XXIV

Al fiume Sebeto.

Per la fontana del sig. Francesco Nardilli.

Fiumicello vezzoso
che con passo lucente
fuor d'un seno petroso
con bel roco vagir spunti nascente,
e discorrendo in tortuosi errori
6.   stampi in mezzo le piagge orme di fiori.
    Movi il piè susurrante,
peregrin fuggitivo,
e nel corso tremante
sei di posar nel proprio letto schivo,
e girevole e torto in vari modi
12.   col tuo lubrico dente i sassi rodi.
    Qual coppiero gentile,
dentro vaso d'argento
a la corte d'aprile
somministri da ber gelido e lento
e qual musico bel, tra pietra e pietra
18.   del tuo vivo cristal suoni la cetra.
    Sei tu povero d'onde,
ma ben ricco di pregi,
ed angusto di sponde
il nome augusto hai d'onorati fregi,
e benché umil per le campagne corri,
24.   per le penne di Cigni altero scorri.
    Nel bell'orto reale,
che fa scorno a l'Eliso,
per occulto canale
compartito in più rivi entri diviso,
e per opra de l'arte argenti molli,
30.   disdegnando la terra, al cielo estolli.
    Ivi, limpido e bello,
colorando i bei campi

con argenteo pennello,
mille forme di fior dipingi e stampi;
e gorgogliando entro marmoree conche,
36.   par che mostri parlar, ma in voci tronche.
     Passi tacito poi
a le mura beate
ove seggio d'eroi
la Sirena inalzò l'alma cittate,
ed in mezzo le vie più illustri e conte
42.   per diletto d'altrui fai più d'un fonte.
     Giungi al tetto onorato
del mio caro *Nardillo*,
e da piombo forato,
prigioniero vagante esci tranquillo,
e con tremola fuga e dolce suono
48.   fai di specchi cadenti un regio trono.
     Qui tra marmi spiranti
ch'han silenzio facondo,
versi piogge stillanti
d'argentato licor Giove secondo,
e di ricco tesor largo e ripieno
54.   mille pesci guizzar ti vedi in seno.
     Qui con tremole ampolle
par che placido balli
fuor d'un picciolo colle,
che con arte s'incurva entro due valli,
ed in ruvida sì ma vaga cote
60.   formi in dolce cader lubriche rote.
     Qui son musiche corde
le tue linfe cadenti,
onde lieto e concorde
traggi roca armonia di bassi accenti,
che lusinga l'udito e fa che l'alma
66.   de le cure maggior sgravi la salma.
     Tu, qualora cantando

XXIV. — 40. *la Sirena*: è Partenope.

il tuo dotto signore
va con l'arco temprando
ne la lira gentil fila canore,
qual Castalio novel ti vedi intorno
72. col drappel de le muse il dio del giorno.
        Deh, se stanco egli brama
al suo corpo riposo,
e nel letto richiama
ai suoi lumi talor sonno gioioso,
in pacifico oblio, mentre dispensi
78. il tuo limpido umor, lega i suoi sensi.

ANTONIO BASSO

I

Alla farfalla.
L'ammonisce nell'incauto istinto
e la consiglia a soddisfare al natio desiderio in oggetto più sicuro.

  Frena l'ali dorate: ove infelice
spazia il tuo volo e folle entrar presume?
Qual superbia insegnotti esporti al lume,
4. e l'aquile emulando e la fenice?
  Quasi lingua la fiamma ecco a te dice:
— Incauta a meta infausta apri le piume.
Per l'erbe or de' tuoi giri opra il costume,
8. ché scherzar con la luce a te non lice.
  Pirausta, a cui nel foco è viver dato,
non fia ch'invidii, ch'hai ne' fiori il loco;
11. che di Vulcan più Flora ha il grembo ornato.
  E se del lume ancor t'alletta il gioco,
senza incendio mortale avrai nel prato
14. fiamme in giacinto e ne la rosa il foco.

I. — 9. *Pirausta*: la farfalla favolosa che si credeva vivesse nelle fornaci.

II

Stato umano.
Prova con noti esempi di naturali cose
la condizione contaminata dell'uomo.

Spunta la rosa, e grato il suo vermiglio
aspra contende altrui siepe di spine;
sorge in sembiante altier candido giglio
4. ma d'alte spade è chiuso entro il confine;
vaga la fiamma appar, ma o qual periglio
cela in suo lume, o quai morti ha vicine;
piacer crinita stella infonde al ciglio,
8. ma letal fato all'uom piove dal crine;
piuma all'augel di Giuno aurea fiorisce,
cui laido è il piè; Sirena ai divi eguale
11. aspetto ottien, ch'in pesce indi finisce.
Apprendi alfin da ciò, pensier mortale,
qual sia tuo stato, ov'il ciel sempre unisce
14. con infausto ligame il bene e 'l male.

III

All'incenerite ossa d'un umano cadavere.
Descrive la natural varietà della nostra corruttibil materia
inquieta anche nelle ceneri dell'uomo estinto.

Sostenner, tempo è già, membra e figura
queste d'umano frale ossa insensate,
che volte in polve onde fur pria formate,
4. mostran di noi vil fasto esser natura.
Pasto a lui diede il mondo, indi pastura
di fere ei fu da se medesmo, ahi, nate!

II. — 7. *crinita stella*: cometa.
9. *augel di Giuno*: il pavone.

III. — 2. *frale*: corpo.
6. *ei*: l'umano cadavere.

in tenebre riposa or lunga etate
8.   chi poca ebbe qua giù di luce usura.
        Ma qual riposo è 'l suo se, informe,
      fatto d'aspri contrari atro suggetto,
11.   varia in lui la materia ognor più forme?
        O di mortal cagion continuo effetto!
      Viviam, lassi, poche ore; e di noi l'orme
14.   serbare al cener nostro anco è disdetto.

IV

Alla rosa bianca.
Variamente nominandola vagamente cerca i pregi d'essa descriverne.

      Fior che pinto di brina
      di Ciprigna al bel piede
      non fai piaga di spina,
      ma scorno col candor cui, vinto, ei cede:
      quindi, invece di sangue,
6.   vermiglio di vergogna ei per te langue.
        Alba del prato intatta,
      tra le cui bianche foglie
      de l'alba emula fatta
      pien di minuti raggi un sol s'accoglie,
      con tua candida luce
12.   natura un più bel giorno ai fiori adduce.
        Latte de l'erba ameno,
      il cui candido stuolo
      latteo calle sereno
      quasi stelle minute ordisce al suolo:
      ove con lieto ciglio
18.   Flora la schiera sua chiama a consiglio.
        Neve natia de' fiori
      che con leggiadro scherno
      ne' tuoi puri colori
      mostri in grembo ad April scherzare il Verno;

e 'n campo uscirne altera,
24. con divise di gel, la Primavera.
    Coppa di vago argento
che ricco il centro ha d'oro
vile è d'arte ornamento
a quel tuo di natura almo lavoro:
nel tuo bel giro breve
30. Zefiro in sul matin rugiada beve.
    Conchiglia de la terra,
il cui seno dipinto,
di perle in vece, serra
in grani d'or grisolito distinto:
ben tu fai scorno a quelle
36. cui dan, su l'Eritreo, seme le stelle.
    Florida colombetta,
che sull'aprile e 'l maggio
ogni tua pompa eletta
spieghi lieta del sole al novo raggio:
di te suo carro adorno,
42. la Primavera a Citerea fa scorno.
    Dunque a te, fior gentile,
a te rosa più bella,
porga ogni aonio stile
nome chiaro tra i fior di Verginella;
che convenir più mostri
48. tal nome al bianco tuo che d'altra agli ostri.

IV. — 36. Si favoleggiava che le perle fossero formate da gocce solidificate di rugiada accolte dalla conchiglia aperta e galleggiante sul mare, all'alba. Il mare *Eritreo* (il mar Rosso) era ritenuto ricchissimo di perle.

45. *aonio stile*: poetico stile (Aonie erano dette le Muse perché particolarmente venerate nella Beozia, dove appunto sorgevano le montagne chiamate Aonie, da Aone il figlio di Nettuno rifugiatosi dall'Apulia in Beozia).

GENNARO GROSSO

I

Per lo glorioso sangue di S. Gennaro in due ampolline di vetro.

A due candidi vetri, ahi non vedete
che 'l tempo invitto abbarbagliato riede,
col ferro Atropo in van gli tocca e cede,
4. trofei di vita e carceri di Lete.
E voi perfidi atei quivi correte,
in mirar di qua giù l'empirea fede,
e chi l'alma immortale esser non crede,
8. de l'immortalità veggia due mete.
Vagheggiate que' vetri, alme d'errori,
di virtù dui colossi, o ver due porte,
11. che l'eterea magione aprono a' cori.
Son de la nostra fé due chiare scorte,
e nel tempo medesmo, o sommi onori,
14. son due culle a Gennar, due tombe a morte.

II

Donna che si fa monaca.

Tronca forbice pia ricca foresta,
là dove Amor con immortal decoro
svelse per fonder dardi ampio tesoro,
4. sciolse per prender cori aurea tempesta.

Colei gode in sacrarsi a vera Vesta,
mirando il ferro insuperbir su l'oro,
e da' crini cadenti, ond'io l'adoro,
8.   turbarsi la città di Stige infesta.
      Ella per far di sommo sposo acquisto
dal ciel de la sua testa i crini piove,
11.   e versa un'aurea pioggia in grembo a Cristo.
      E con tal pioggia in disusate prove,
se a donna un Giove insidiar fu visto,
14.   ecco or da donna insidiato un Giove.

III

Festa di santi in cielo.

Quei d'erari celesti eterni eredi
gittan diamanti colà su, che poi
sembrano stelle al folgurar ver noi,
4.   gemme che sempre lor baciano i piedi.
      O soli tramontati in ricche sedi,
che più splendon che Febo in sugli Eoi,
fansi la luna e 'l sol a tanti eroi
8.   quasi palle da gioco, alma, e no 'l credi?
      Suona Cristo la croce infra le cene
fatta armonica cetra, e poscia s'ode
11.   d'angioli il canto in su le sacre avene.
      Ma che sper'io che lo mio plettro lode?
Se infinito è quel gaudio, eterno il bene,
14.   dovrebbe anco infinita esser la lode.

IV

Contro una maga.

O sacrilega donna, a che le mani
opri idolatra, e machinando ancidi?
Vai fra le notti in solitari lidi
4.   pellegrina infernal per voti strani;
      fra le pallide tombe i busti umani
spogli de l'ossa e la magia vi annidi,
ed esalando spaventosi gridi
8.   chiami gli spirti insidiosi e vani.
      E par che poi squallido il ciel s'adombre
agli accenti agli incendi, e fai per gioco
11.   di stigie larve le campagne ingombre.
      Ahi, che ami il centro e di Cocito il loco:
chi s'avvolge tra fiamme e morte ed ombre,
14.   degn'è ch'ancor abbia ombre e morte e foco.

V

Al fior in cui si vede la Passione del Signore.

O bello agli occhi miei, fiore a Dio grato,
ch'esala odori al cor non ch'a le nari,
sacramento d'april, che pregi ha rari;
4.   tra gli odori s'adore anco nel prato.
      Non de l'aurora il lagrimar pregiato,
ma cerca di questi occhi i pianti amari;
non di zefiro i soffi a quel son cari,
8.   ma de' miei labbri il sospirar bramato.
      Star sogliono tra fiori empi serpenti,
per mondarli or Giesù, ch'ama i candori,
11.   mischia tra fiori i suoi martiri e stenti.
      Cristo, poco curando i suoi dolori
e delizie stimando i suoi tormenti,
14.   gli stampa in frondi e gli descrive in fiori.

VI

Nella morte di Bernardo Grosso suo figliuolo.

    Per voto eterno il mio fanciullo estinto
solingo pellegrin poggia a le sfere,
e le glorie anelando uniche e vere,
4. schiva l'esser terren torbido e finto.
    Ei va sciolto dal frale, io giaccio avvinto
tra voglie o Furie infuriate e fere,
e poiché morte avidamente il fere,
8. lui tra le luci, e me tra l'ombre ha spinto.
    Pianta gentil, che con perpetuo innesto
al tronco de la croce unito sorge,
11. e gli angeletti a ritrovar va presto,
    quanto fosse vital da ciò si scorge,
ch'anco il pensier di lui, benché funesto,
14. al cadavere mio la vita porge.

VINCENZO ZITO

I

All'inondazione del Vulturno. Bella donna gode cantando.

Colmo d'orgoglio, il letto suo nativo
sprezza Vulturno e le campagne inonda;
nel gorgo abissa e l'una e l'altra sponda;
4. fa spalla al fiume imperversato il rivo.
De' sudati lavor vedesi privo
l'agricoltor: ché 'nferocita l'onda
gli arbusti schianta, i nati semi affonda,
8. qual d'oste irata al furioso arrivo.
Scorgonsi d'ogn'intorno alte ruine;
più d'un s'affigge a tanti danni e tanti,
11. fatte dal gonfio umor tante rapine.
Alle miserie altrui, Cilla, sol canti,
poiché solita sei d'alme meschine
14. goder festosa all'inondar de' pianti.

II

Napoli.

O contrade bellissime ed amene,
ove soglion scherzar Pomona e Flora,

I. — 4. *fa spalla* ecc.: si aggiunge ad aiutarne l'opera rovinosa.
8. *oste*: esercito.

II. — 2. *Pomona e Flora*: rispettivamente la dea dei frutti e la dea dei fiori.

ove l'aria dolcissima innamora
4. chi delizie sì care a goder viene.
    Baciano il vostro piè l'onde tirrene,
e nel gelido verno il suol s'infiora;
sentonsi qui spirar zeffiri ognora;
8. albergan cigni, ove abitâr sirene.
    S'allor che si fugò da brando acceso,
fatto esule il primo uom dal Paradiso,
11. e s'addossò delle miserie il peso,
    qui di giunger gli avesse il fato arriso,
ciò che perduto avea trovando appieno,
14. ogni suo pianto avria cangiato in riso.

III

In tempo di tumulti.

    Ai nostri danni è scatenata Aletto
e della guerra in man porta la face;
schiera imbelle e plebea fatta è pugnace,
4. il prode e 'l forte è di fuggir costretto.
    Religion, pietà non han ricetto
nello stuol troppo fiero e troppo audace:
— Armi, armi — grida, e timida la pace
8. non ha più sangue in fibra e fibra in petto.
    Ecco falso l'amor, la fede infida;
terminan l'accoglienze in tradimenti,
11. l'amicizia è sacrilega, omicida.
    Sovente avvien che nelle furie ardenti
il figlio il padre, il padre il figlio uccida.
14. Oh novo inferno d'anime languenti!

---

8. Cantano i poeti dove già cantarono le sirene (le quali, secondo il mito, disperate per il loro insuccesso con Ulisse si precipitarono nel profondo del mare e morirono: fra queste era Partenope che diede il nome alla città che fu poi Napoli).

III. — 1. *Aletto*: una delle Furie, simbolo dell'invidia.
3. Il sonetto si riferisce alla rivoluzione di Napoli del 1647.

IV

Desidera l'arrivo del sig. don Giovanni d'Austria in Napoli.

Seconda il volo degli ispani abeti,
o rege dell'eoliche foreste;
vadano altrove a scaricar tempeste
4. gli orgogliosi aquilon, gli euri inquieti.
D'april fiorito ai dì sereni e lieti
non siano più l'atre procelle infeste;
d'Austria all'eroe faccian carole e feste
8. con le Nereidi la cerulea Teti.
Al lito di Partenope le schiere
giungan del Beti gloriose e forti,
11. a incatenar Tesifoni e Megere.
Ché mal possono più nostre coorti,
benché di posse intrepide e guerrere,
14. cibare i vivi e sepellire i morti.

V

Alla galea.

Mole rostrata che raccolti insieme
i boschi d'Appennin, l'Egeo trascorri,
disprezzi il suo fragor quando più freme,
4. s'a' Palinuri tuoi scossa ricorri;
al fianco hai l'ali, al dorso alzi le torri,
di cui presso e lontan guerra si teme;
ne' gran perigli i popoli soccorri,

IV. — 2. Eolo, dio dei venti, regnava nelle isole Eolie.
4. aquilone e euro: tramontana e scirocco.
8. *Teti*: la dea dei mari.
10. *Beti*: è il Guadalquivir.
11. Tesifone e Megera sono due delle Furie.

V. — 4. Palinuro era il pilota di Enea.

8. unisci i mari e le province estreme.
    Fórmanti crin le tremole bandiere,
ti son i gonfi lin spoglie nevose
11. ed occhi l'ardentissime lumiere.
    A gara nel tuo sen Marte nascose,
pronte a le stragi, le falangi intere,
14. ed i fulmini suoi Giove ripose.

VI

Ad un teschio di capo umano.

    Morto, ai vivi terror; memoria acerba
del fin ch'attendo; orribile sembianza,
mesta reliquia, ch'alla fame avanza
4. d'ingorda morte, ed al gran dì si serba,
    se d'onor, di beltà s'alzò superba,
pur cadde abbietta e vil la tua baldanza;
con la vita hai recisa ogni speranza,
8. qual miete adunca falce il fiore e l'erba.
    Non con fervido stil folgora o tona
ne' rostri eloquentissimo oratore,
11. ciò che 'l tuo gran silenzio in me risona.
    Scaldasi l'alma nel gelato orrore:
a chi l'offese or tutta umil perdona:
14. e desta un freddo teschio un tanto ardore.

VII

A' SS. Innocenti.

    Anime avventurose, ostie innocenti,
quanto languide più, più a Dio gradite;
chiusi lumi, v'aprite astri splendenti;
4. rinovate, Fenici, estinte vite.

Fiori, benché recisi, ancor ridenti;
piante odorose più, benché sfiorite;
sangue non già, ma porpore lucenti,
8. che l'empireo di fregi ecco arricchite.
Con baldo suon, con languidetta voce,
destate, infanti, anco alle tigri amore,
11. vezzi formando all'uccisor feroce.
Mentre v'instiga il barbaro furore,
correte a gara a innalberar la Croce,
14. e di Cristo, ch'è sol, siete l'aurore.

VIII

Visita fatta dalla gloriosissima Vergine alla sua cognata Elisabetta.

Parte di sua magion con brama ardente,
per iterar gli amplessi a donna amata,
Vergine umil ch'uficiosa e grata
4. di lungo viaggiar doglia non sente.
Da più d'un coro musico eloquente,
ch'ha di piume la spoglia, è salutata;
dalle fere ch'incontra è vezzeggiata;
8. né le turba il cammin turbo stridente.
Dovunque gira il piè nascono fiori;
il lampeggiar del maestoso viso
11. cresce stelle alla notte, al dì splendori.
Ecco al fin giunge ove il pensier ha fiso:
delle gran dive uniti amanti i cori,
14. si trasforma la stanza in Paradiso.

ANTONIO MUSCETTOLA

I

Innamoramento.

Colma d'empio furor, di rabbia armata,
spargea ne' tetti altrui fiamme nocenti,
e di sangue civile ampi torrenti
4.   spandea nel patrio suol turba sdegnata;
quando a danno de' cor beltà spietata
tese degli occhi suoi gli archi possenti,
e da le vaghe lor saette ardenti
8.   in un punto mi fu l'alma piagata.
Così tra' mali altrui nacque il mio male,
e dentro un mar di sanguinoso umore
11.   l'infelice amor mio sortì il natale.
Oh di stelle crudeli aspro tenore!
Perché sperar no 'l debba unqua vitale,
14.   diêr tra le morti alor vita al mio amore.

II

Nastro verde su le chiome di bella donna.

A biondo crin, che scarmigliato e vago
i campi di un bel sen scorrea fastoso,

I. — 1-4. Accenna alla rivoluzione di Napoli del 1647.

   forma con verde nastro un fren vezzoso
4. la bianca man per cui languir m'appago.
     Per oggetto mirar sì dolce e vago
   drizza l'anima mia l'occhio bramoso,
   e parle vagheggiar lieto e pomposo
8. tra verdi sponde imprigionato un Tago.
     Poscia tra sé ragiona: — Ah, perché abbonde
   di tempeste la speme onde son viva,
11. in quel verde color l'unisce a l'onde!
     — No, no — risponde Amor — s'egra languiva
   la tua speranza, de le chiome bionde
14. con gli aurei flutti il suo bel verde avviva.

III

Partendo dalla sua donna le dona la « Gerusalemme » del Tasso.

     Queste a cui chiaro stil mille comparte
   di bellicosi eroi scempi e furori,
   or che parto a te dono, o bella Clori,
4. pegno dell'amor mio, famose carte.
     Tu leggendo le note a parte a parte,
   scorgi ne l'altrui morti i miei dolori;
   d'accesa torre negl'immensi ardori
8. l'incendio del mio cor ravvisa in parte.
     Il mio petto, di mostri infausta sede
   nel bosco immondo, e 'l mio sperar, estinto
11. negl'incanti svaniti, ivi si vede.
     Ne le stille del sangue al fin dipinto
   rimira il pianto mio; sì farà fede
14. liberata città di core avvinto.

II. — 8. Il fiume Tago era famoso per le sue sabbie aurifere.

  III. — 7. È l'episodio della torre cristiana bruciata da Argante e Clorinda al ca. XII (42-47) della *Gerusalemme liberata*.
    10-11. È l'episodio del bosco incantato al ca. XIII e al ca. XVIII.

IV

Partendo dalla sua donna
fu da quella donato un picciol teschio di morte.

    Non sia ch'io speri più trovar ristoro
a' miei tormenti, o al mio servir mercede,
se mentre movo a dipartirne il piede,
4.   morte mi dà chi a mio soccorso imploro.
    O spietata beltà, mentre che moro
tu mi dài morte in guiderdon di fede;
già l'amor mio ogni altro amore eccede,
8.   se chi morte mi dà qual nume adoro.
    Deh se l'uman calor col ghiaccio rio
morte dissolve, or come avvien ch'apporte
11.   esca maggior a l'aspro incendio mio?
    O di costante cor misera sorte;
e pur amo, e pur ardo, e pur vegg'io,
14.   ch'anco i doni d'amor non son che morte.

V

Oriuolo ad acqua di bella donna.

    Queste in urne di vetro acque correnti,
ceppi e prigion de la fugace etade,
non son figlie d'un rio, non son rugiade,
4.   ma del gran pianto mio stille cocenti.
    Ver la bella cagion de' miei tormenti
corser, quasi in trofeo di sua beltade,
e non deveasi a un mar di crudeltade
8.   tributo altr'inviar ch'onde dolenti.
    Qui le chiuse ella, ove rinchiuso tiene
il tempo, che con omeri volanti

V. — 5. *la bella cagion* ecc.: è la donna amata.

11.   può d'un cor tristo mitigar le pene,
          con quest'ancor de' mal graditi amanti
          l'ore misura; e ben segnar conviene
14.   vita ch'è tutt'angoscia, onda di pianti.

VI

Per li tumulti di Napoli sedati dal signor D. Giovanni d'Austria.

Al signor D. Francesco Dentice.

          D'angui crinita dal tartareo tetto,
          spargendo ira e furor, sorse Megera,
          e la facella sua squallida e nera
4.   l'orbe tutto infiammò, rotando, Aletto.
          Del dio bifronte a disserrar le porte
          i fulmini avventò nume sanguigno,
          ed al fragor di strepitoso ordigno
8.   in sul Sebeto s'aggirò la morte:
          e quai sul lido suo vide il Tirreno
          di barbaro furore empi vestigi,
          mentre percossa il cor da' numi stigi
12.   sdegnò plebe infedel l'austriaco freno!
          In dispietati incendi arder fur visti
          d'illustri fabri gl'immortai lavori;
          fur le sete, le gemme e gli ostri e gli ori
16.   di fiamme ingiuste momentanei acquisti.
          A le vite più auguste i degni stami
          troncò il furor de le masnade ultrici;
          lungi da' busti lor teschi infelici
20.   fer diadema funesto a' tetti infami.

VI. — 5-8. Il *dio bifronte* è Giano. Il *Sebeto* è il piccolo fiume che tocca Napoli.
      12. L'*austriaco freno* è il dominio degli Absburgo (s'intende: di Spagna).
      14. *d'illustri fabri* ecc.: opere d'arte.
      16. *momentanei acquisti*: caduchi beni.

A fulminar le ribellanti mura
mille e più si drizzar bronzi tonanti;
cadder tocchi dal ferro i sassi infranti,
24. cadaveri in un punto e sepoltura.

Dal patrizio valor mirò la plebe
innestarsi a le palme atri cipressi;
da nobil ferro i sollevati oppressi
28. col lor vil sangue imporporar le glebe.

E quali or promettean fere procelle
de l'armato Orion gl'infausti lampi!
Ma veggio, ecco, illustrar gli eterei campi
32. di felice splendor propizie stelle.

Per te, germe sovran del rege ibero,
fuggon negli antri lor gli euri frementi,
e degli astri infelici i lumi spenti,
36. piove influssi benigni il ciel guerriero;

per te di sangue rosseggianti i fiumi
non portano al Tirren tributi orrendi;
per te nel patrio suol funesti incendi
40. non inalzano al ciel torbidi fumi;

per te, di Marte l'armonia sepulta,
corron cetre a sferzar plettri festivi;
e per te, cinta di palladi ulivi,
44. tra noi la pace sospirata esulta.

Tanto può, tanto fa de' suoi bei giorni
l'ispano eroe nel giovinetto aprile:
or che fia alor che di virtù senile
48. gli anni robusti suoi sien resi adorni?

Già veggio a circondargli il crine invitto
nutrir le palme ossequiosa Idume,
e di sue glorie riverente al nume
52. erger colossi memorandi Egitto;

---

27. *oppressi*: abbattuti.
33. *germe sovran del rege ibero*: è Giovanni d'Austria.
41. i canti di guerra.
49-52. *Idume*: una parte della Palestina, la Palestina per metonimia. La Palestina e così l'Egitto stanno ad indicare l'augurale vittoria e conquista sull'impero turco (*la tracia luna* ricordata poi).

veggio di sue virtudi a' vasti abissi
offrir tributi il galileo Giordano,
e de l'armi al fulgor fuggir lontano
56.   la tracia luna paventando eclissi.

Deh, Francesco immortal, tempra la cetra
ond'eterni gli eroi, fulmini gli anni;
e de le note in su' canori vanni
60.   il semideo garzon porta ne l'etra.

Se de le glorie sue porgi il tuo canto,
che da se stesso ancor chiaro rimbomba,
Tebe la lira e la famosa tromba
64.   al tuo piè chinerà stupida Manto.

63-64. La lira di Tebe è Pindaro, la tromba di Manto Virgilio.

GIUSEPPE BATTISTA

I

Begli occhi.

Esca dalla sua cuna e goda il giorno
di ricondur per suo fanale il sole;
pieghi l'ale la notte ed apra intorno
4.   tremole faci in su l'eterea mole;
de' vaghi rai fra la minuta prole
fregi Dittinna il luminoso corno;
ché costei tutto il bello adunar suole
8.   negli occhi suoi, d'ogni splendore a scorno.
Oh qual hanno due luci in sé valore!
Talora l'apre ed ha le Grazie ancelle,
11.   talor le chiude ed ha legato Amore.
Le fisa al mare e 'l mar non ha procelle,
l'abbassa al suolo e 'l suol produce il fiore,
14.   l'innalza al cielo e accresce il ciel le stelle.

I. — 6. *Dittinna*: è la compagna d'Artemide, la fanciulla dalla rete (*diction* = rete): impigliatasi durante la caccia, secondo una tradizione, in una rete e da Artemide salvata; o l'inventrice, secondo un'altra tradizione, della rete da caccia; o la fanciulla caduta, secondo una terza tradizione, nella rete di un pescatore quando si buttò da uno scoglio per sfuggire all'inseguimento dell'innamorato Minosse. Qui è indentificata con Artemide, e sta ad indicare la luna.

II

Innamorato del ritratto di bella donna.

Oh, chi me 'l crede? Io che delusi Amore,
sotto il giogo d'Amor mi trovo avvinto,
e quel che sembra a me scorno maggiore,
4.   da simolacro inerme oggi son vinto.
Già mi vela il pensier lino dipinto,
adombrata beltà m'adombra il core,
sento da finta immago ardor non finto,
8.   e mi dà vivo duol morto colore.
Ho tutti a cieca larva i voti intenti,
tributo a sordo nume i miei sospiri,
11.   narro ad idolo muto i miei lamenti.
Così non han conforto i miei martiri,
refrigerio non provo a' miei tormenti,
14.   e rimedio dispero a' miei deliri.

III

Per bella donna che piange sul cadavere del marito.

Stilla per gli occhi in lagrime stemprato
su lo spento consorte Irene il core;
a tragedia sì mesta anch'io turbato
4.   verso dalle pupille un mar d'umore.
Ella sente gran pena, io gran dolore,
troppo ella amando, io non essendo amato;
la falce ella di Morte, ed io d'Amore
8.   maledico lo strale avvelenato.
Io cerco a lei, ed ella al cielo aita;
ella l'estinto suo brama risorto,
11.   io ch'in lei la pietà rinasca in vita.

II. — 1. *delusi*: mi presi gioco.

Ella a ragion si lagna, io non a torto;
celebriamo così, coppia smarrita,
14. io l'esequie d'un vivo, ella d'un morto.

IV

Per donna bugiarda.

Nice qualora il suo pensier mi spiega,
ogni parola è di bugie vestita;
quando ella mi discaccia, allor m'invita,
4. e quando mi minaccia, allor mi prega.
Ora pietà promette, ora la nega,
ed ora m'abbandona, ora m'aita;
mesta e lieta mantiene a me la vita,
8. e mi discioglie allor quando mi lega.
Dopo tante menzogne alfin m'induce
a non amarla più giusto furore,
11. benché beltà celeste in lei riluce.
Poi dico: — Il non amarla è grave errore;
ché se la veritate odio produce,
14. dritto è che la bugia produca amore.

V

Che l'amor suo è finto.

Scrivo talor che m'avviluppa un laccio,
narro talor che mi saetta un guardo;
ma favoloso è del mio sen lo 'mpaccio
4. e dell'anima mia mentito il dardo.
Crede altri già ch'io ne' martir mi sfaccio,
e che di fiamme in un torrente io ardo;
ma quel foco ch'io mostro è tutto ghiaccio,
8. e 'l martir che paleso anco è bugiardo.

Tra gli scherzi acidali onesto ho il core,
ed al garrir di questa penna giace
11.   sordo il pensier che non conosce amore.
Cantò Pale Marone e 'l dio del Trace,
né vincastro trattò, rozzo pastore,
14.   né brando fulminò, guerriero audace.

VI

Affetti di Medea innamorata.

Io diveller mi vanto, io crollar posso,
di lingua acherontea con sacri accenti,
a Pelia gli orni ed a Pirene il dosso,
4.   i vanni ai grifi ed ai pitoni i denti.
Le nubi ho accolto e le procelle ho mosso,
schiodato gli astri, imprigionato i venti,
alle pallide tombe il grembo ho scosso
8.   e tratto al nostro mondo ho l'ombre algenti.
Chiamai quaggiù fin dagli eterei calli
la sorella di Febo, argentea Luna,
11.   né le giovaro i temesei metalli.
Di caligini al Sol cinsi la cuna,
e dal volo frenai gli aurei cavalli,
14.   ma con Amore io non ho forza alcuna.

V. — 9. *scherzi acidali*: scherzi d'amore (dal titolo di Acidàlea, attribuito a Venere dal nome della fonte Acidalia in Beozia, dove si bagnavano le Grazie, figlie di Venere).

12. Virgilio (*Marone*) cantò nelle *Bucoliche* la vita pastorale (*Pale* era la dea dei pastori) e nell'*Eneide* imprese guerriere (il *dio del Trace* è Ares, Marte, il dio della guerra, che si credeva abitasse in Tracia).

VI. — 3. *Pelia* (da Pelias) è il monte Pelio nella Tessaglia.

11. *temesei metalli*: le frecce (Temesa era l'antica città del Bruzio celebre per le sue miniere).

VII

A persona oziosa e ben agiata.

Le fatiche del bue l'agricoltore
copulando a le sue, frange le zolle,
e della vite appoggia il tralcio molle
4. su le baiule canne il potatore.
Mena per pascolar l'erbe il pastore
l'agnelle al piano e le caprette al colle,
e mentre nel suo luglio il sol più bolle,
8. taglia oceani d'ariste il falciatore.
Tessitrici non men vegghian le fanti,
e di stame filato aurei volumi
11. sudano industri a fabricarne i manti.
Versando agli ozi tuoi voler di numi
larga benignità, l'opre di tanti
14. che travaglian quaggiù tu sol consumi.

VIII

Contra i lussi delle femmine.

Non ha satolle mai l'avide voglie
donna ch'al vaneggiar l'animo intende;
tanti profumi in su le chiome scioglie,
4. quanti ne' templi suoi l'arabo accende.
Tutto l'oro diffonde in su le spoglie,
che nelle arene illiriche risplende;
il vasto Eritra in una mano accoglie,
8. l'intera dote in un orecchio appende.

VII. — 2. *copulando*: congiungendo.
4. *baiule*: portatrici.
VIII. — 7. *il vasto Eritra*: cfr. nota v. 36, p. 375.

Nome di « mondo » a tal superbia insana,
che sembra agli occhi altrui fasto giocondo,
11. diè la gente magnanima romana.

E volle dir, nel suo pensier profondo,
che nelle pompe sue femmina vana
14. tutto racchiude epilogato il mondo.

IX

Donna vecchia in un giardino.

Nice, di solchi annosi il volto arata,
dentro a reggia sabea calcava odori,
e col volto rugoso a fuga alata
4. sollecitava i cittadini Amori.

Qui d'ogni stelo alla pittura innata,
del suo viso piangea gli egri colori,
e ripensando all'età sua passata,
8. l'età presente invidiava ai fiori.

Ella premendo zolle ove non perde
lussuria erbosa mai campo ridente,
11. vedeva già le sue fattezze al verde;

perché la gioventù godean vezzose,
carnefice degli orti impaziente,
14. tutte facea decapitar le rose.

9. *Mundus* significa appunto in latino « abbigliamento », « acconciatura »
ed è l'insieme delle vesti di lusso, dei gioielli e degli ornamenti.

IX. — 2. *odori*: fiori

X

Essendo brevissima la nostra vita,
non dobbiamo altronde procurar perpetuità che dallo scrivere.

Sembra la vita, che da noi sen fugge,
onda del Nilo in su l'egizia rena;
sembra fiore sabeo che, nato appena,
4. turbo lo schianta o fulmine l'adugge;
lieve vapor, ch'avidamente sugge
il pianeta gentil che il dì rimena;
vampa, che per lo ciel striscia e balena;
8. nube, che sul Pirene Euro distrugge.
Ma sol pagine verghi e sparga inchiostro
chi brama eternità. Così deride
11. il velen della morte il viver nostro.
More colui che le lusinghe infide
siegue dell'ozio e dell'idalio mostro:
14. una punta di penna il tempo uccide.

XI

Vive contento in villa.

D'api dorate è qui grappolo folto,
ch'abita d'una quercia ermo pedale,
dove dal suon di rauco rame accolto
4. vigila al canto e sonnacchiose ha l'ale.
Colà di canne fluttuanti ascolto
su le sponde d'un rio bosco vocale,
il cui fischiar che fu dall'aure sciolto,

X. — 5. *lieve vapor*: rugiada.
13. *idalio mostro*: la lussuria (Idalio era il promontorio e la città nell'isola di Cipro, dove sorgeva un famoso tempio di Venere).

XI. — 3. Cfr. Virgilio, *Georgiche*, IV, 64: « *tinnitusque cie et Matris quate cymbala circum* ».

8.   diede alle melodie rozzo natale.
       In mezzo ho la capanna, e mi contento
      narrar qui fole al pastorel montano,
11.   che da me pende ad ascoltarle intento.
       E schiuda pure il suo delubro Giano,
      ch'io godo pace, e nulla angoscia io sento
14.   ch'a me porpore nieghi il Vaticano.

XII

Tra i cipressi d'amenissimo giardino va divisando nuove speculazioni.

       Qui dove un fiume ha lacerato i sassi,
      e cozzando co' sassi il corno ha infranto,
      m'alzo a pensieri arcani e lascio intanto
4.   all'arbitrio del piè guidarmi i passi.
       Dal gran Liceo filosofie già trassi,
      per cui trovar nuove dottrine or vanto;
      rubar non penso, abbandonato il canto,
8.   l'arpa agli Orazi più, la tromba ai Tassi.
       Farò, s'arride il cielo all'opra ardita,
      da' rami ombrosi, in cui verdeggia impresso
11.   simolacro di morte, uscir la vita.
       E dar potrà, se fu talor concesso
      a un platano d'aprir scola erudita,
14.   principio alle mie scole anco un cipresso.

XII. — 13. *un platano*: si ricordi la scena del *Fedro* di PLATONE, con l'estiva conversazione sulle rive dell'Ilisso, sotto il platano ombroso.

XIII

Mentre stava in villa.

Dall'isola di Circe usciva il sole,
e quanto allor per le sue vie toccava
di questo mondo in su la bassa mole,
4. fatto novello Mida, egli dorava.
Alla greggia lanosa intanto Iole
i velli canutissimi tosava,
e di calte la fronte e di viole
8. alla plebe tosata indi fregiava.
Cantò fra le fatiche e disse: — O fiori,
allegrezza degli alberi ramosi!
11. O poeti del bosco, augei canori!...
Poi, mirandomi, tacque. Ed io risposi:
— O cibo delle orecchie, inni sonori!
14. O degli occhi armonia, sguardi amorosi!...

XIV

Pregia sopra tutte le altre cose lo studio delle lettere.

Sudi l'avaro. Io faticar lo 'ngegno
per ricchezze barbariche non voglio.
Mi chiuda un tetto. Altri del mar l'orgoglio
4. valichi audace oltre di Calpe il segno.
Io non invidio agli Alessandri il regno,
lo scettro ai Ciri ed agli Augusti il soglio,
quando, cinico novo, entro d'un doglio
8. ho, divorando i libri, il mio sostegno.

XIII. — 1. *Circe*: figlia del Sole, fuggita dalla Colchide si stabilì in un'isola, identificata per lo più con il promontorio Circeo, vicino a Gaeta.

4. *Mida*: il mitico re capace di trasformare in oro tutto quel che toccava.

XIV. — 4. *Calpe*: Gibilterra.

7. *cinico novo*: nuovo Diogene.

Se intendo sol come il divino Apelle
l'iri colora e come l'aere piove
11.   agitato da stridole procelle,
come immota è la terra, il ciel si move,
e per lo molle ciel guizzan le stelle,
14.   sol mi repùto inferiore a Giove.

XV

Ai suoi libri.

Muti maestri miei, voi m'insegnate
come io debba adorare i santi numi,
e con veri precetti a me mostrate
4.   come io possa comporre i miei costumi.
I sentieri spinosi a me segnate,
voi, d'Elicona, a delibarne i fiumi,
e d'eleganze voi, sciolte o legate,
8.   preziosi rendete i miei volumi.
A quanto dite voi l'orecchie intente
con diletto disserro, e poi rivelo
11.   io le vostre dottrine ad altra gente.
Quand'io vivo tra voi, godo il mio cielo;
e se turba alcun dubbio a me la mente,
14.   non cerco sfingi in Tebe o Febi in Delo.

XVI

Non ha quaggiù cosa perfetta.

Gioia sincera mai non dà natura:
ella è matrigna, e vuol di madre il vanto.

XV. — 6. *Elicona*: monte della Beozia sacro alle Muse.
7. *sciolte o legate*: cioè in prosa o in verso.

S'io del sol venni a vagheggiar l'usura,
4. pagai tributo misero di pianto.
Mi finge un vago pomo, e quello infranto
porge di sozzo verme egra pastura.
Stendo all'erbe la mano, e provo intanto
8. d'angue voluminoso aspra puntura.
Se vestita di porpora o d'argento
a me spira la rosa aure vitali,
11. le spine pungentissime pavento.
E l'ape stessa, che dorate ha l'ali,
se mi reca nel mele il nutrimento,
14. nelle cere m'addita i funerali.

XVII

Biasima l'uso degli edifici sontuosi.

Fascino dell'età. Piaghe profonde
aprono ai monti ognor ferri costanti,
e fatti i pini al pondo alati Atlanti
4. portan le rupi a navigar su l'onde.
Dove la terra il centro suo nasconde
s'apron più varchi, e teme il re de' pianti
non la gente soggetta ai Radamanti
8. rieda del cielo a vagheggiar le sponde.
Poscia d'erger così prendiam diletto
sontuosa magion, che 'l sole adombra,
11. e de' fulmini al dio porge sospetto.
Vana follia che nostre menti ingombra:
si sfa talora un regno a fare un tetto,
14. sol per aver sotto quel tetto un'ombra.

XVII. — 3. Atlante: il gigante condannato da Giove a sostenere il mondo
sulle spalle.
6. *il re dei pianti*: Plutone, il re degli inferi.
7. Radamanto: giudice delle anime nell'oltretomba.

XVIII

Vede per tutto argomenti di pensar alla morte.

Sol memorie di morte ammiro intorno
dove co' raggi delle luci arrivo.
Sono lane d'agnel, che non è vivo,
4.   questi ammanti superbi ond'io m'adorno.
    Questa penna, ch'al tempo anco fa scorno,
fu d'un augel, che già di vita è privo.
E questa carta, in cui vigilie scrivo,
8.   era pur lino e vegetava un giorno.
    S'arde un doppier a rischiararmi il tetto
sul venir della notte umido e tetro,
11.   so ch'all'esequie mie le faci aspetto.
    E forse i legni, onde riposo impetro,
che m'hanno ai sonni edificato il letto,
14.   porgeranno materia al mio feretro.

XIX

Il verno.

Son decrepiti i rami, e quella fronda
che diè nido agli augei letto è d'armenti.
Scapigliata è la terra, e 'l suon de' venti
4.   ai pelaghi più queti aspera l'onde.
    Calcan l'Istro le rote, e su le gronde
han pigrizia prolissa i ghiacci algenti.
Sprezzano le pruine i rai languenti
8.   d'un sol che tosto in mare i plaustri asconde.
    Mentre un folgore striscia, un turbo stride,
lascia l'agricoltor l'opre interrotte,
11.   né provoca il nocchier l'acque omicide.

XIX. — 5. *l'Istro*: il Danubio (che dunque è ghiacciato).

Delle serenità le tregue ha rotte
intrattabile il cielo, e sempre Alcide
14.   par ch'abbia a noi da partorir la notte.

XX

Cava moralità dal tempo autunnale.

Già caduche le ghiande ha la foresta,
e chiama a pasturar l'irto cinghiale.
L'ulivo, che vivaci ha sempre l'ale,
4.   de' succhi suoi larga vendemmia appresta.
Ecco il rustico piè l'uva calpesta,
che pendulo sugli olmi ebbe il natale,
e mentre piove il torchio ostro vitale,
8.   ne gorgoglia tra i laghi aurea tempesta.
Il pomo che degli orti è re nel regno,
le mense ingombra, e se dal sole è domo,
11.   sotto scorza vermiglia ha molle ingegno.
Ma sì bella stagion rammenti all'uomo
che se gli porge un pomo oggi sostegno,
14.   anco la morte sua nacque da un pomo.

XXI

Alla Vergine Nostra Signora.

Curvano vago serto in sul bel crine
le stelle a te, che son del cielo i fiori,
e del pianeta, onde il natale han gli ori,

13-14. Quando Ercole nacque il cielo tuonò più volte.
XX. — 3. che ha le foglie sempre verdi.
11. *ingegno*: qualità.
14. cioè dal peccato di Adamo.

4. vesti spoglie lucenti e peregrine.
    Hai sotto il piè dell'argentate brine,
onde Cintia s'adorna, i puri albori,
ed alla tua beltà, ch'avviva i cori,
8. servaggio fan le gerarchie divine.
    Tu della mente dell'eterno Giove
figlia non favolosa, albergo pio
11. fusti d'un re che tutte cose move.
    Nel seno ove le grazie Amore unio
con maniere di cielo al mondo nove,
14. per sciolgier l'uomo imprigionasti un dio.

XXI. — 6. *Cintia*: Diana cioè la luna.

GIUSEPPE ARTALE

I

Il rivale.

Naufraghi il vostro gaudio entro i miei pianti
e sian le voci mie tempeste irate,
o del mio cor crudi omicidi, amanti,
4. ch'al suon de' miei sospir, ahi, riposate!
Poiché quai fur le mie speranze erranti
sian le vostre dolcezze or fulminate,
scagli il ciel contra voi folgori tanti
8. quanti per mio dolor baci scoccate.
Sia la notte che strinse i vostri nodi
eterna notte, e lungamente amara
11. le vostre luci in ferreo sonno annodi.
E dritto è ben che d'ogni lume avara
ella, ch'agevolò le vostre frodi,
14. converta il letto or profanato in bara.

II

Bella donna cogli occhiali.

Non per temprar l'altrui crescente ardore
sugli occhi usa costei nevi addensate,
ma per ferir da più lontano un core
4. rinforza col cristal le luci amate.

Se co' riflessi il sol nutre il calore,
questa, per far più fervide le occhiate,
l'oppon due vetri, acciò che 'l suo folgore
8.   vibri in vece di rai vampe adirate.
     Ella, quasi Archimede, arder noi vuole,
ché sa che cagionò fiamme e feretri
11. per diafane vie passando il sole;
        o i petti tutti acciò ferire impetri,
ed agli strali suoi cor non s'invole,
14. vie più scaltra d'Amor, benda ha di vetri.

III

Bella donna sdegna molti che l'amano ed ama un solo che l'odia.

Molti uccido, un m'uccide, e quinci io bramo
desiata da molti un solo amante;
fuggo e seguo, odio e prego, arsa e gelante
4.   e sprezzata ed amata, aborro ed amo.
     Usa a negar pietà, pietade esclamo,
riverita e schernita in un istante,
e costante in un punto ed incostante
8.   nel medesimo tempo amo e disamo.
     Tal vinco avvinta; e la Fortuna in dono
mi diè palme e cipressi, onde dimoro
11. già fatta in un la fulminata e 'l tuono.
     Così cagion de l'altrui morte io moro,
vivo idolatra idolatrata, e sono
14. diva devota, ed adorata adoro.

II. — 9. Archimede con gli specchi ustori incendiò la flotta nemica.

IV

Elena invecchiata.

Adorata tiranna io che gli amanti
dannai col cenno ad incessanti ardori,
già veggo sui miei languidi sembianti
4.   sparger l'età nemica atri squallori.
    Tal chiude or de' miei soli i duo levanti,
e sul mio volto ove regnar gli Amori
mentre il fior di bellezza avvien che spianti
8.   con aratro crudel semina orrori.
    Sorgete or voi per rimirarmi in pene,
duci, la di cui man giace atterrata
11.   fra le tombe di Troia, Argo e Micene.
    Sorgete a rivedermi oggi invecchiata,
e dite poi che su le nude arene
14.   la rovina del mondo è rovinata.

V

Bella musica.

Moro a tue fughe e son tuoi canti incanti,
con cui maga canora anime ammaghi,
e in legar con più corde i cori amanti
4.   co' semicromi i semimorti impiaghi;
    passi i cor co' passaggi, e in tuon se canti
con dolce tuon di fulminar t'appaghi,
e a le sincopi tue petti costanti
8.   de le sincope lor gemon presaghi.

IV. — 5-8. Il soggetto è *l'età nemica*.

V. — 1. *fughe* in significato musicale, come poi *semicromi, passaggi, tuon* (cioè tono), *sincope* (è una nota appartenente per metà del suo valore alla fine di un tempo e per l'altra metà all'inizio di un nuovo tempo), *cadenze, acuto, battute.*

Non poso in pause, e i miei sospiri etnei
son tuoi respiri, e son per tua virtute
11.   le tue cadenze i precipizi miei;
        e in acuto in vibrar saette acute,
dirò che dian ne' miei dolor più rei
14.   mille colpi al mio cor le tue battute.

VI

Bella chioma, begli occhi, bella bocca, bella mano e leggiadro piede
di bella donna.

Occhi, bocca, piè, mano e chiome aurate,
bella, fra noi san debellar gli amori;
canti, balli, ardi, atteggi, e reti amate
4.   intese il crin per catenarne i cori.
        Piè, mani, labra, crin, luci adorate,
moti, voci, lacciol, nevi ed ardori
offrite, alzate, ordite, ornate, armate,
8.   co' giri, incanti, ardor, lacci e candori.
        Vago è 'l crin, l'occhio, il labro, il braccio e 'l
                                        [piede,
ma ognun empio, inuman, fier, crudo e rio
11.   stringe, strugge, calpesta, impiaga e fiede.
        O crin, piè, mani, o luci, o bocca (oh Dio!),
voi, voi, cinque nemici a la mia fede,
14.   date cinque ferite al petto mio!

Giuseppe Artale

Rame inciso in fronte alla sua *Enciclopedia poetica*
(Venezia, Baba, 1664).

VII

Al M. R. P. M. Michele Fontanarosa facondissimo predicatore
domenicano.

È lingua o fiume? ed è facondia o mare
ciò ch'ammirano in te gl'ingegni altrui?
Mare non è, ché non ha l'onde amare;
4.   fiume non è, ché non ha sponde in lui.
    Pur è mar, pur è fiume: è mar che rare
gemme produce infra' concetti tui,
è fiume che su ROSE uniche e care
8.   forma d'alta eloquenza i corsi sui.
    Dunque è mar, dunque è fiume; oltre l'usato
è dolce l'uno, e l'altro oltre il costume
11.   ha da la ROSA tua fonte odorato.
    Così, carco d'onor, ricco di lume,
scorgo il tuo vasto ingegno in mar cangiato
14.   e la FONTANA tua conversa in fiume.

VII. — 7. *ROSE*: sono le erosioni prodotte dall'impeto delle acque.

GIACOMO LUBRANO

I

Il baco da seta.

O glorioso enimma! un morto seme
schiude a tiepido ciel alma che sente;
e serpeggiando in atomo vivente,
4. a' belgici telai nutre la speme.
　　Trasforma il cibo in stame; e torce, e spreme
da le viscere sue globo lucente;
fatto subbio del sen, spola del dente,
8. ordisce in trame le salive estreme.
　　Sepolto al fine in funeral volume
rifà la vita, e Dedalo novello
11. su per l'aeree vie batte le piume.
　　Nega or se puoi che sorgerà più bello
del fango umano incenerito il lume,
14. se a' vermi ancor è fosforo l'avello.

I. — 4. *belgici telai*: sono i telai delle Fiandre celebri per i loro tessuti.
6. *globo lucente*: è il bozzolo.
7. *subbio*: è il cilindro del telaio da cui si svolge il filo.
10. *Dedalo novello*: perché, come Dedalo aveva fabbricato le ali ad Icaro,
si fabbrica le ali.
14. *fosforo*: apportatore di luce.

II

Per le capelliere postizze.

Stolida frode, ipocrisia fallita,
crede spuntar la falce anco a' destini:
con avanzi di tombe acconcia i crini;
4. scapiglia morti ad abbellir la vita.
Ostenta più d'un'Ecuba marcita
in bionde fila d'or trecce di Frini;
più d'un calvo Titon a' crani alpini
8. d'Euriali e Nisi innesta ombra fiorita.
Lusso a che fingi? Vanità che speri?
Se porgi in mano a le Fortune infide
11. di venali bugie ciuffi non veri,
non se ne sdegna Cloto, anzi sorride,
che mieter possa apocrifi cimieri
14. senza aguzzar le forfici omicide.

III

Vanità degli alchimisti nella traccia dell'oro.

Gravida il sen d'imaginarie fole,
sogna chimica l'arte a fochi lenti
infonder alma a' putridi elementi,
4. dar vita a l'oro, adultera del sole.

II. — 5. *Ecuba*: moglie di Priamo, generò numerosi figli.
6. Frine: la giovane e bella etera ateniese.
7. Titone: aveva ottenuto l'immortalità da Giove per intercessione dell'Aurora, la quale si era dimenticata di chiedere anche la giovinezza.
8. Eurialo e Niso: i due giovani amici troiani uccisi dai latini in un'impresa di guerra notturna.
10. La Fortuna era rappresentata calva.
12. *Cloto*: una delle tre parche.
13. *apocrifi*: falsi.

III. — 3. *putridi*: fermentati.

Né, cieca al fumo, ravveder si vuole
che il suo delirio è un embrion di venti,
e se vagisce mai fra scoppi ardenti
8.   in culle di carbon spira la prole.
    O de l'ingegno uman delusi inganni:
ciò che può far non fa. Può far sicuri
11. prezzi d'eternità fugaci gli anni.
    E sol precipitando estratti impuri
fissa bugie di sublimati affanni,
14. idoli di rapine ama i Mercurî.

IV

Per l'està secchissima nel 1680.

Non regnan Soli in ciel, regnan Fetonti
latran da Sirii ancor gli artici lumi,
de l'aria incendiata arsi orizzonti
4.   sbuffano in faccia a l'albe aridi fumi.
    Bollono l'ombre stesse in valli, in monti;
ogni campo par eremo di dumi;
urne di polve son l'urne de' fonti;
8.   senza che 'l sappia il mar, seccano i fiumi.
    E più superbo, e più lascivo ogn'ora
ostenta il fasto ambizion d'eterno;
11. incenerisce il mondo, e pur peggiora.
    Le vendette del ciel si prende a scherno;
né piogge di perdon col pianto implora,
14. mentre spira visibile l'inferno.

6. *embrion di venti*: parto inconsistente.
13-14. Mercurio era il protettore dei ladri e dei ciarlatani.

IV. — 1. Fetonte condusse con tale inesperienza il carro del Sole che la terra stava per prendere fuoco.

2. Anche le stelle del carro del settentrione sembrano mandare il caldo di Sirio (la stella splendente della costellazione del Cane, il cui sorgere alla fine di luglio porta grandi calori).

V

Caccia di lepri su la pesta delle nevi nel verno.

Animati tremori, errano stanche
le lepri al verno entro le spiagge alpine,
e col tenero piè scuoton le brine
4. onde a l'usato cibo esca non manche.
   Ma con frodi di giel le vie più franche
fermano i passi a lusingar rapine.
Mal sicura innocenza! hai per confine
8. sempre nera la tomba a l'orme bianche.
   Ecco latran le selve, arde Melampo,
tuonano i corni, e a le tradite prede
11. si fa carcere il suol, la fuga inciampo.
   L'insidie de la terra or chi non vede!
È sentier di periglio ogni suo scampo:
14. e dove ha più candor, manca di fede.

VI

Il biasimo delle mine.

Da l'Erebo scoppiò mostro dannato
chi a man di Furie architettò le mine,
e in sen di sotterranee rovine
4. offrì spaventi sconosciuti al Fato.
   Mancan forse di morte al corso usato
ben cento vie d'incenerarci al fine,
se l'arte in proditorie fucine
8. non apre novi varchi a l'odio armato?
   Vesuvi passaggieri, Etne volanti
cangiano in fuoco l'aria a vol di bombe,
11. e fan tremare il ciel bronzi tonanti.

VI. — 9-11. Sono indicati i cannoni.

Né basta ciò per infiammar le trombe;
ecco rende ad un lampo in pochi istanti,
14.   sorda polve meccaniche le tombe.

VII

Ego sum, qui sum.

Padre che contemplandomi fecondo
ad un pensier vital genero il Verbo;
Verbo che dove nasco entro mi serbo,
4.   ed erede di me non son secondo.
Spirto immortal, che Creator d'un mondo
sveglio aurore al fedel, notti al superbo;
volgo il ciel mite a' giusti, agli empi acerbo;
8.   pongo in tron la Virtù, la colpa a fondo.
Un Sole di tre Soli e di tre ardori;
foco sempre spirante e sempre acceso;
11.   immutabil ne' sdegni e negli amori.
Son saper tutto luce e nulla inteso;
massimo dentro me senza maggiori,
14.   sol da me incomprensibile compreso.

VIII

Terremoto orribile accaduto in Napoli nel 1688.

Mortalità che sogni? ove ti ascondi
se puoi perire a un alito di fato?
Dei miracoli tuoi il fasto andato
4.   or né men scopre inceneriti i fondi.

VII. — 3-4. Il Verbo, il Figlio, non è generato al di fuori, ed è uguale
al Padre.
12. Dio è sapienza luminosa, ma è inintelligibile all'uomo.

Sozzo vapor da baratri profondi
basta ad urtar con precipizio alato
alpi di bronzo; e in polveroso fiato
8. distrugge tutto il Tutto a regni, a mondi.
Di ciechi spirti un'invisibil guerra
ne assedia sempre, e cova un vacuo ignoto
11. a subitanee mine in ogni terra.
A' troni ancora, a' templi è base il loto:
su le tombe si vive; e spesso atterra
14. le nostre eternità breve tremoto.

IX

All'istesso.

La Terra anco è mortal: trema e si scote
di parletico umor turgida il seno,
e se le pesti sue smaltir non puote,
4. trasuda in zolfi e bollica in veleno.
Di astrolaghi presagi al guardo ignote
le vertigini occulta; e al ciel sereno,
quando l'acque nel mar dormono immote,
8. tanto imperversa più quanto vien meno.
E pur deluso l'uom pensa sicuro
vivere ad anni lunghi in bel soggiorno,
11. ove si celan tombe entro ogni muro.
Napoli a te: le tue grandezze un giorno
né men la Fama saprà dir che furo,
14. presso il Sebeto a piangerne lo scorno.

VIII. — 6. *precipizio alato*: caduta rapidissima.

IX. — 2. *parletico*: è il tremore che hanno i vecchi nel capo e nelle mani
8. quanto meno frequente accade.

X

Cedri fantastici variamente figurati negli orti reggitani.

> Rustiche frenesie, sogni fioriti,
> deliri vegetabili odorosi,
> capricci de' giardin, Protei frondosi,
> 4.   e di ameno furor cedri impazziti,
>   quasi piante di Cadmo armano arditi
> a l'Autunno guerrier tornei selvosi;
> o di Pomona adulteri giocosi,
> 8.   fan nascere nel suol mostri mentiti.
>   Vedi zampe di tigri e ceffi d'orso
> e chimere di serpi; e se l'addenti,
> 11.   quasi ne temi il tocco e fuggi il morso.
>   Altri in larve di Lemuri frementi
> arruffano di corna orrido il dorso,
> 14.   e fan cibo e diletto anco i spaventi.

XI

L'occhialino.

> Con qual magia di cristallina lente,
> picciolo ordigno, iperbole degli occhi,
> fa che in punti d'arene un Perù fiocchi,
> 4.   e pompeggi da grande un schizzo d'ente?
>   Tanto piacevol più, quanto più mente;

X. — 3. Proteo aveva la facoltà di trasformarsi in mille modi.

5. Cadmo, avendo seminato i denti del drago da lui ucciso, vide sorgere da essi guerrieri armati.

7. *Pomona*: la dea dei frutti.

12. *Lemuri*: fantasmi.

XI. — 3. fa sì che dei granellini di sabbia appaiano come cumuli d'oro (il Perù era celebre per le sue ricchezze).

4. e che una minima particella (*schizzo*) di un essere appaia magnifica come fosse grande.

minaccia in poche gocce un mar che sbocchi;
da un fil, striscia di fulmine che scocchi;
8. e giuri mezzo tutto un mezzo niente.
Così se stesso adula il fasto umano,
e per diletto amplifica gl'inganni,
11. stimando un mondo ogni atomo di vano.
Oh ottica fatale a' nostri danni!
Un istante è la vita; e 'l senso insano
14. sogna e travede eternità negli anni.

XII

Oriuolo ad acqua.

A che sognar con temerarii vanti
secoli ne' l'età mezzo sparita;
se bastan sole ad annegar la vita
4. minutissime gocciole d'istanti?
Voi talpe di ragion delusi amanti,
a ravvedervi in picciole urne invita
meccanico cristal; e in sé vi addita,
8. quasi stille del tempo i giorni erranti.
Quanto è, quanto sarà, s'esprime in acque,
cifra di fughe; e in fluido feretro,
11. naufraga sepellito il fu che piacque.
Se no 'l credi, o mortal, volgiti a dietro;
e mira l'esser tuo, che al pianto nacque,
14. struggersi a stille in agonie di vetro.

XIII

Ad un nobile mal costumato che vantava antichissima la sua prosapia.

L'arbore imperiosa in cento rami
di tua stirpe s'inalzi, e colma abondi
di corone e di mitre; infra le frondi

4. la Fama canti pur ciò che più brami.
    Fingila nata ancor pria degli Adami,
quando vagiano in culla ombre di mondi;
ché investigando già dove si fondi,
8. non troverai che polvere e letami.
    Vane genealogie. Se i pregi augusti
ne la posterità restan sepolti,
11. vili epitaffi son, titoli ingiusti.
    Odi tu che degli avi i tronchi avvolti
vanti di glorie sol perché vetusti:
14. la più antica famiglia è degli stolti.

XIV

La fata morgana nel Faro siciliano,
cioè varie apparenze riverberanti in aria
per un misto di ombre e di luce.

. . . .

    Maestro di più moti
il pennel di natura in varie tinte
abbozza lontananze
di provincie indistinte;
5. colorisce tremuoti,
onde l'egizie Tebe escono in danze.
Non è di Roma antica il Circo insano
quel selciato di nembi aereo piano?
Già vi veggio risorte
10. turbe di gladiatori urtarsi a morte.
    Miracoli di Fama
giurai le nebbie edificate in mondi;
così ben compartiti
su maritimi fondi

XIV. È un frammento che estraiamo dall'*Ode allegorica*, dallo stesso titolo,
All'Eminentiss. Cardinale Giulio Rospigliosi poi Clemente IX.

15.   con sofistica trama
       offrivan regni e variavan siti.
       Termopili fremean d'odio spartano
       minacce no, ma favole del vano,
       e talor mi s'offerse
20.   con gli eserciti suoi schierati un Serse.
           Entro i lubrici solchi
       vid'io le schiume trasformate in messi;
       e Cerere fiorita
       tra zaffiri riflessi
25.   allettava i bifolchi,
       predatrice dei guardi e non rapita.
       Ecco a rustiche cacce invita il corno.
       Quante belve mugghiando erran d'intorno!
       Guizzano passaggiere
30.   in Ercinie natanti orride fere.
           Là con vele spalmate
       volgiti a rimirar flotte d'inganno.
       Bollono i salsi argenti
       in procelloso affanno;
35.   su le poppe incantate
       e piloto e corsal naviga il vento.
       Scorron errando per gli ondosi campi
       Cicladi d'ombre accumulate a lampi;
       e in grembo a le procelle
40.   Argo per sue remiere ha nuove stelle.
           Con deliquio de' cigli
       sorger mirai piramidi cadute;
       logge di aurci palagi,
       anticaglie temute

---

23. *Cerere*: dea delle messi, è indicata per le stesse messi.

30. *Ercinie*: le montagne selvose che a nord del Danubio dividono in due parti la Germania.

36. — Il vento è insieme pilota e corsaro in quanto guida, forma e distrugge quelle fantastiche navi.

38. *Cicladi*: erano ninfe cambiate in isole.

40. *Argo*: è il nome della celebre nave su cui Giasone partì alla ricerca del vello d'oro.

45.   su base di perigli,
      le cui pietre superbe eran naufragi.
      Parastica magia! in cento forme,
      Proteo degli elementi, un fiato informe
      pianta reggie di eroi,
50.   curva in teatro i capogirli suoi.
          Or ne' meriggi estivi
      eremi incavernati offre alla notte,
      e lieto si trastulla
      in solitarie grotte;
55.   or con raggi più vivi
      mostra di genti popolato un nulla.
      Mira quante città chiude in un loco!
      Quante ne l'acque ancor ne manda a foco!
      Architetta ruine,
60.   né distingue i suoi don dalle rapine.
          Angoli d'incidenze
      forman le prospettive a quelle torri.
      Ove la luce frange
      può ravvivar Ettorri
65.   in belliche apparenze;
      e far che in morto lago inondi un Gange.
      Se vi si specchia il sol, l'aria più bruna,
      schiva de l'esser suo, cangia fortuna.
      E ben veduto un nembo,
70.   cosmopea di stupori accoglie in grembo.
          Ma qual nuova ordinanza
      di carri trionfal l'aria passeggia?
      Ballano le maremme;
      ogni flutto lampeggia
75.   con lucida incostanza,
      ed apre e serra un mineral di gemme.

47. *Parastica*: straordinaria.
50. *capogirli*: capogiri.
51 e segg. Il soggetto è sempre *il pennel di natura*.
    61. *Angoli d'incidenze*: sono quelli formati dai raggi della luce sui piani
dell'acqua o dell'aria.

Dov'è la pompa? in apparir disparve
quel torneo fallacissimo di larve;
traveggole dei sensi,
80. muoion le cose finte in men che 'l pensi.
    Se 'l reggitano autunno
di frenetici cedri in mar trappianta
l'amenità native;
ne l'oro d'ogni pianta
85. fatto nocchier Vertunno,
selvarecci Perù sbarca alle rive.
Pensili boschi, esperidi verdure
sanno fiorir su le cocenti arsure;
e di aprili sì lieti
90. giardiniero è Nettun, la Flora è Teti.
    Ne le tele ingegnose
tanti grotteschi mai non pinse Udine.
Carolare fu visto
su l'allegre marine
95. fra moresche festose
di Satiri e Tritoni un popol misto.
Qua si curva un vapor, ed erge un ponte;
qua un vortice gorgoglia, ed apre un fonte.
Su 'l tergo d'Anfitrite,
100. fascini di meteore impazzite.
    Le maestose mura
del tuo vago teatro, o Zancle augusta,
emolo il raggio immita;
e ne l'està più adusta

---

78. *fallacissimo*: estremamente ingannevole.
85. *Vertunno*: dio dei giardini, era capace di trasformarsi come voleva.
86. *selvarecci Perù*: Perù di selve, cioè selve d'oro.
87. Le Esperidi abitavano in un giardino dove crescevano pomi d'oro.
92. *Udine*: Giovanni Ricamatore, detto da Udine, che collaborò con Raffaello nella decorazione esuberante e fantasiosa, ricca di infiniti motivi, delle Logge Vaticane.
95. *moresche*: danze.
99. *Anfitrite*: la sposa di Nettuno.
102. *Zancle*: è l'antico nome di Messina.

105.   in ombrosa frescura
      su le chiare acque a galleggiar t'invita.
      Anco in ombra sei bella. Ombre di Dirce
      fingono in mezzo al ciel più d'una Circe
      che trasforma le Scille,
110.   e cangia in orti i nembi, i flutti in ville.
        Mille porti da un porto
      copia la luce tremolando a gara;
      e de le navi i rostri
      ad ancorar v'impara.
115.   Vedi il tridente torto
      del tuo Nettun, che dei marini mostri
      l'umide tirannie mette in catena;
      e carcerando va l'onda tirrena
      ricca di tante palme,
120.   con apocrifi ceppi argentee calme.

. . . .

107. *Dirce*: legata alla coda di un toro inferocito fu trascinata per dirupi. Qui sta ad indicare una favolosa visione.

108. *più d'una Circe*: molte magiche forze, cioè la fata morgana.

109. Scilla innamorata di Glauco chiese un filtro a Circe, la quale, innamorata anch'essa di Glauco, glielo preparò con inganno trasformandola in un mostro dalle sette teste di cane. Scilla si gettò in mare e si nascose in una grotta di fronte a Cariddi.

GIOVANNI CANALE

I

Beltà fugace.

    Gli alabastri del fronte, e delle rose
del volto l'ostro vago, e de' bei crini
l'oro schietto, e i zaffiri almi e divini
4.   degli occhi, che natura in ciel compose,
    e della dolce bocca l'amorose
perle conteste in placidi rubini,
e 'l grave dell'aspetto, ove i confini
8.   delle sue grazie Amor prodigo pose;
    cangeranno il lor grave, o per etade
frale o per morte, in breve spazio d'ore:
11. ché non dura fra noi mortal beltade.
    Mira dal grembo d'Anfitrite fuora
sorgere il sol con ricche chiome aurate,
14. come a sera poi cade e si scolora.

II

Invito a contemplar la divina bellezza.

    Armato di splendori il sol dall'onde
sorge a sgombrar l'esercito stellante,

I. — 12. *Anfitrite*: la dea del mare, il mare dunque.

e di luce un tesor sparge e diffonde
4.　dando vigore ai fior, vita alle piante.
　　　Clizia ai bei raggi d'or le chiome bionde
rende più vaghe al suo girar girante,
che fin ch'al mar di nuovo egli s'asconde
8.　lo segue ogn'or vagheggiatrice e amante.
　　　Anima o tu, ch'a un fragil viso adorno
un'ombra di beltà volger ti suole,
11.　lasciando il Sol che reca il sole al giorno,
　　　degli orti impara alle fiorite scole
da questo fior, ch'al sol s'aggira intorno,
14.　esser del Sol divino un girasole.

III

Il tempo con uno specchio in mano. Per l'instabilità del mondo.

　　　Quegl'io che 'n giro volgo i mesi e l'anno,
divido i giorni ed in minuti l'ore,
della bellezza e dell'età tiranno
4.　fo gioir Morte ed attristare Amore.
　　　Del volo mio non conosciuto il danno
rendo a un bel volto inaridito il fiore,
che mentre parto apporto e morte e affanno
8.　alla vita adombrandola d'orrore.
　　　All'invisibil mio continuo assalto,
benché sembri all'aspetto infermo e vecchio,
11.　l'altezze abbasso e la bassezza esalto.
　　　Contempli il mondo stolto in questo specchio
com'ei si cangi, ed io di salto in salto
14.　nuove forme e sembianze or t'apparecchio.

II. — 5. *Clizia*: il girasole. Amata e poi abbandonata da Apollo, Clizia, sdraiata a terra con gli occhi rivolti al sole, si lasciò morire di fame. Apollo la trasformò nel girasole.

IV

Che la vita umana è breve.

    L'esequie a pena han fatte in occidente
del tempo i giri estremi all'anno; e l'ore
notturne, in veste funeral d'orrore,
4. rinchiuso in tomba il dì, sue luci han spente.
    Ed or sorger si vede; e l'oriente
cuna gli appresta, il sol luce e splendore,
fasce il ciel, latte il tempo, il dì vigore,
8. sì che 'n esser passato egli è presente.
    Ma vien contrario a nostra umana vita:
ch'or nasce, or more, e non sì tosto è nata
11. ch'or cresce, or scema, è 'n sul fiorir finita.
    Onde da culla in tomba è in un volata:
se la vedi apparire, ella è sparita,
14. se la vedi presente, ella è passata.

V

Per un campanile diroccato dal fulmine.

    O degli alti edifici alto ornamento
fra nubi insuperbito e torreggiante
che alzasti il capo a guerreggiar col vento
4. non temendo del ciel l'ira tonante,
    atterrito, atterrato in un momento
ti veggio pur da fulmine rotante,
e 'l veglio alato a' danni altrui non lento
8. volar sopra i suoi danni or trionfante.
    Folle chi contro il Tempo erger si crede
macchine eccelse. O son di lui rapine
11. o abbattute dai fulmini le vede.

V. — 10. *macchine*: costruzioni.

Sgridino al fasto uman le tue ruine,
e le polveri tue facciano fede
14.   che han l'altezze i precipizi al fine.

VI

Orologio da polvere.

Scorrono più veloci il tempo e gli anni
di quest'arena instabile e cadente,
che nel gemino sen vetro lucente
4.   chiude, affrettando al tempo il volo e i vanni.
Fugge la vita involta in mille affanni
la cui fuga brevissima e repente
a pena affissar può sguardo di mente,
8.   e ha più di quest'arena e stenti e danni.
Vita infelice e che n'alletta e piace
di quest'arena, ella al cader ne dura
11.   nella certezza del durar, fallace.
Alla sua brevità pongasi cura
che con un fil di polvere fugace
14.   il suo rapido corso or si misura.

VI. — 3. *nel gemino sen*: sono le due cavità della clessidra.

FEDERICO MENINNI

I

Il pagone.

Questi che spiega a l'aure ali splendenti,
è ne' vari color Proteo vagante,
Iride de' pennuti, Argo volante,
4. ch'ha mille in vagheggiarsi occhi lucenti.
Se a la vaga stagione i fior languenti
render sa de le sfere il Can latrante,
il samio augel ch'è primavera errante,
8. non paventa di Sirio i lampi ardenti.
Emulo par de le sideree scene,
qualor sue penne occhiute, auree fiammelle,
11. l'Olimpio degli augelli a scoter viene.
Anzi d'Atlante emulator s'appelle,
mentre con meraviglia altrui sostiene
14. sovra gli omeri suoi mondo di stelle.

I. — 3. *Argo*: figlio di Giove e di Niobe, dotato di cento occhi dei quali cinquanta dormivano mentre gli altri cinquanta vegliavano. Ucciso da Mercurio, fu mutato in pavone da Giunone che gli aveva affidato la sorveglianza della giovenca Io.

7. *samio augel*: è detto il pavone perché sacro a Giunone, particolarmente venerata a Samo.

II

Bellezze impareggiabili della sua donna.

Quando al lido del mar, pompa del mare,
gemma ch'è luminosa altri rimira,
ed a predarla avidamente aspira,
4.   o come bella è su le sponde amare!
Su trono di smeraldi allor che rare
la vergine de' fior fragranze spira,
s'altri di sue pupille i rai vi gira,
8.   o come bella in sen de l'erbe appare!
Quando del ciel fra le notturne bende
sembra ogni stella un picciol dio di Delo,
11.   o come vaga in fra gli orror più splende!
Ma quando incendi in vagheggiarti io celo,
presso tua gran beltà vile si rende
14.   gemma in mar, rosa in prato, e stella in cielo.

III

Nil prodest, quod non laedere possit idem (OVIDIO).

Se refrigerio ho per quest'aria al core
alitando di lei l'aura vitale,
ella è cagion di rigido malore
4.   quando respiro il fiato suo letale.
Su gambo di smeraldo aureo natale
ha se cade dal ciel propizio umore,
e se di pioggia l'impeto l'assale
8.   sovra l'orfano gambo ha tomba il fiore.
Se l'erbe il prato a vagheggiar ne invita,
sotto quell'erbe ha fiere serpi attorte,
11.   che imprimono fischiando aspra ferita.

II. — 10. *dio di Delo*: è Apollo, cioè il sole.

O troppo de' mortali avara sorte!
Quel calor che n'infonde aure di vita,
14. l'adito funeral n'apre a la morte.

IV

Condizione della vita umana.

Questi libri, da cui più cose imparo,
e che divoro anco di Lete a scorno,
altri, per innalzar forte riparo
4. contra l'oblio, divoreranno un giorno.
In questo albergo, in cui ricovro ho caro,
mentre le cure a riposar qui torno,
se 'l ciel non fia di sue vicende avaro,
8. altri faranno in altra età soggiorno.
In questo letto, ove fra l'ombre assonno
perché rechi a' miei sensi alcun ristoro,
11. altri ancor chiuderà le luci al sonno.
Quindi rodemi il cor più d'un martoro,
solo in pensar che qui durar ben ponno
14. cose che non han vita, ed io mi moro.

V

Innamorato in tempo di primavera.

Nato era aprile, e ricamava il prato
d'accese rose e pallide viole,
pompa de l'odorifero senato,
4. la furiera del dì, balia del sole.
Quando dal dio, che di saette armato

V. — 4. L'alba è precorritrice e nutrice (donatrice di vita) del sole.
5. Amore.

aprir piaga invisibile ne suole,
fui con punta sì rigida piagato,
8. ch'ancor trafitta l'anima sen' duole.

Segnava in aria armonioso il volo,
sciogliendo a gara alternamente il canto,
11. il musico de' boschi alato stuolo.

Su la terra e nel cielo emule in tanto
ridean le stelle e i fiori; e mesto io solo
14. scioglieami al sol di due pupille in pianto.

VI

Il giglio alla rosa.

Maggioranze vantar meco non dèi,
quando april, che vagisce, alita odori.
Se riso tu di primavera or sei,
4. allegrezza ancor io sono de' fiori.

Se ghirlande odorifere gli dei
han da schiere di ninfe o di pastori,
nulla gli odori tuoi son senza i miei,
8. senza le mie bianchezze i tuoi rossori.

A te la dea che s'invaghì d'Adone
la porpora donò col sangue, e parca
11. meco non fu del latte suo Giunone.

Quando di fiori ogni contrada è carca,
de l'odorato popolo a ragione
14. tu puoi dirti reina, ed io monarca.

VI. — 9. Venere.

VII

Mirando la sua ninfa, in tempo di verno, una vite.

Col palpitante e tenero smeraldo
solea del crine al pastorel campano
questa vite scusar tetto villano,
4.   quando di Sirio avvelenava il caldo.
     Ma del verno Aquilon rigido araldo
il già verde tesor disperse al piano,
s'anco al soffiar de la sua bocca in vano,
8.   Briareo de le selve, il pino è saldo.
     D'industre ferro il provido furore
con più tagli l'assalse, ond'ella in tanto
11.   stilla per gli occhi un rivolo d'umore.
     Questa vite ch'or miri a l'olmo a canto,
può, Nice, a te simboleggiar mio core:
14.   mentre è ferito e' si discioglie in pianto.

VIII

In lode di primavera.

Or che la gioventù nasce de l'anno,
scherzan le Grazie e ridono gli Amori,
e gli alati del bosco orfei canori
4.   terminar mai lor melodie non sanno.
     A salutar gli zefiri sen' vanno
l'odorata repubblica de' fiori,
ch'indi de' vegetabili tesori
8.   a la purpurea rosa il regno dànno.
     De l'Olimpo emular l'auree facelle
vantano i fior, se 'l regnator di Delo
11.   di questi è padre, e genitor di quelle.

VII. — 8. *Briareo*: il gigante dalle cento braccia e dalle cinquanta teste.

E mentre al prato ornano i fior lo stelo,
e mentre il cielo adornano le stelle,
14. sembra stellato il suol, fiorito il cielo.

IX

La natura si compiace fortemente della musica.

Cantan gli augelli, e 'l mormorio pur gode
la foresta de' suoi rami frondosi.
L'acqua risveglia il suon tra' gorghi ondosi
4. l'argine de' torrenti allor che rode.
Tra' fiori articolar Zeffiro s'ode
aeree melodie, metri odorosi.
Eco i tormenti suoi scioglie amorosi
8. del vago arciero in rimembrar la frode.
Gli api peregrinando in valli, in monti,
se ascoltano di rame alto concento,
11. tosto i lor favi a riformar son pronti.
E a l'armonia di rustico stormento,
al suon de l'aure, al mormorio de' fonti
14. sovra i pascoli suoi danza l'armento.

X

Cava moralità dal ritorno della rondine in tempo di primavera.

Al signor Michele de Rubeis.

A ristorar d'empia stagione il danno,
che le campagne inaridì col gelo
e mascherò di tetre nubi il cielo,

IX. — 7. *Eco* si innamorò di Narciso, bellissimo cacciatore, ma respinta da questo, andò a rinchiudersi in una grotta, dove si consumse d'amore riducendosi a pura voce.

4. torna la primogenita de l'anno.
    Mentre han lussuria i fiori, e mentre sanno
    ordir purpureo a Berecintia un velo,
    e l'usignuol, nascendo il dio di Delo,
8. al cacciator rimprovera lo 'nganno,
        Progne che si partì nel verno a volo,
    riede sugli altrui tetti a' primi uffici
11. or che di fiori è tempestato il suolo.
        Ah, che volan così gl'infidi amici
    ne le nostre sventure, e riedon solo
14. quando il ciel ne riporta i dì felici.

XI

Alla sua ninfa.

    Miro sul prato in maestà pomposa,
    quand'esce l'alba a presagirne il giorno,
    assisa di smeraldi in trono adorno
4. e vestita di porpore, la rosa,
        il pieghevole acanto, e l'amorosa
    Clizia, che ai rai del sol si aggira intorno,
    l'amaranto immortal purpureo scorno
8. de la stagion più torrida e nevosa,
        il leggiadro narciso, il vago giglio,
    l'aureo croco, la mammola gentile,
11. il superbo papavero vermiglio.
        Miro. Ma ne' tesori a che d'aprile
    rivolgo, o Nice, innamorato il ciglio
14. se fior non veggo a tua beltà simile?

X. — 6. *Berecintia*: è il nome di Cibele (identificabile con Cerere, la dea delle messi) dai monti omonimi della Frigia dove era venerata.

XI. — 7-8. L'amaranto è pianta perenne.

XII

Un amico invita l'autore a goder le rive di Posilipo
col seguente sonetto.

Vientene a vagheggiare il mare e 'l monte
qui dove ombroso è 'l monte, ameno il mare,
or che carco di fior festeggia il monte,
4.   or che ricco di calme esulta il mare.
Te ne l'acque del mar richiama il monte,
te ne l'ombre del monte invita il mare:
i suoi smeraldi a te prepara il monte,
8.   i suoi zaffiri a te riserba il mare.
Sotto il tuo piede inchinerassi il monte,
e curverassi ossequioso il mare;
11.   ti darà pesci il mare, augelli il monte.
E s'arrivi nel monte e giungi al mare,
le ninfe scorgerò danzar nel monte,
14.   le sirene udirò cantar nel mare.

XIII

Alla sua ninfa.

Degli orti che erudì destra ingegnosa,
qualor ten' vieni a passeggiar la via,
umiliata ogni albore frondosa
4.   offrir suoi parti a la tua man desia.
S'apre il re de le frutta, e la natia
ricchezza de' rubin ti scopre ascosa;
a te la vite i suoi piropi invia,
8.   lussureggiante in su la rupe ombrosa.
Parla a te sospirando il pero, il moro,
mentre par che sue frondi in lingue cange:

XIII. — 5. *il re de le frutta*: è il melograno.

11.　— Io pero, o Nice, innamorato io moro.
　　Il pesco acceso il proprio sen si frange,
　　per te serba l'arancio i pomi d'oro,
14.　per dolcezza d'amore il fico piange.

XIV

Invita la sua ninfa a mirare il monte Vesuvio.

　　Vedi, Nice, quel monte? Egli è Vesevo,
ch'ha su le viti i grappoli pendenti,
i cui vermigli, indomiti torrenti,
4.　per estinguer talor la sete io bevo.
　　E dal breve dormir poi che mi levo
per girne errando a pascolar gli armenti,
contra i raggi che il sol vibra cocenti
8.　sotto i pampani suoi schermo ricevo.
　　Là Vulcano non è Sterope o Bronte,
ch'assidui colpi in su l'incude incalza,
11.　benché sparsa di fiamme abbia la fronte.
　　Ma da quella fumosa arida balza,
con petto acceso, innamorato il monte
14.　per mirar tua bellezza il capo innalza.

XV

Regna da per tutto la bugia.

　　Sol menzogne ravviso ovunque il guardo
de l'intelletto e de le luci io giro.
Se d'un nume terren la reggia io guardo,

XIV. — 9-10. Nei vulcani si immaginava che lavorasse i metalli e le folgori il dio del fuoco con l'aiuto dei Ciclopi (dei quali due sono appunto Bronte
e Sterope).

4. mille di falsità ritratti io miro;
    se 'l piè talor entro i musei ritardo,
    iperboli dipinte i lini ammiro;
    lusinghiera beltà viso bugiardo
8. n'addita, allor che a vagheggiarla aspiro.
    Turba di fole entro i licei dimora,
    né di finte apparenze è 'l cielo avaro,
11. quando a l'iride un arco il sol colora.
    Ma che giova schernir gli altri che alzaro
    trono superbo a la bugia, se ancora
14. bugie da Febo, io che ragiono, imparo?

LORENZO CASABURI

I

Amante a bella donna che gli donò un anello d'oro.

Perch'io nel tuo bel sen corra leggiero,
un'aurea rota, o bella mia, m'appresti?
O pur, maga amorosa, il passo altero
4. entro un circolo d'oro oggi m'arresti?
Forse aurata corona a me porgesti,
perché deggio di te regger lo 'mpero?
O legar come il cor la man volesti,
8. perché nulla sperasse il mio pensiero?
Forse perch'in amor beato sia,
una sfera mi doni? O pur fai nota
11. degna di ceppi già la mia follia?
Qual cifra è questa alla mia mente ignota?
ch'a mie gioie o martir non so se sia
14. di mia fortuna o d'Ission la rota.

I. — 14. La Fortuna, com'è noto, era rappresentata su una ruota. Issione
fu condannato da Giove nel Tartaro, dove Mercurio lo legò ad una ruota in
perpetuo moto.

II

Amoroso avvenimento.

    Rise Clorinda, e su la guancia bella
dolcissima pozzetta allor s'aprio,
quando il mio cor ad osservar sen gio
4. sì leggiadra d'amor cifra novella.
    — Fors'è questa — dicea — propizia stella,
ch'ad affrenar le mie tempeste uscio?
Fors'è 'l fonte del riso, ove m'invio
8. a delibar di gioie alta procella?
    Amor l'udì, che v'era ascosto. E sciolto
ver' lo 'ncauto mio cor dardo improviso,
11. cadde trafitto e vi restò sepolto.
    Oh cor beato in sì bel loco ucciso!
poiché di fiori in sul feretro accolto,
14. ti fu tomba la rosa e nenia il riso.

III

Mi glorio di me stesso per avere tenute molte bellissime dame
a sentire alcuni miei componimenti poetici.

    Coronatemi, o lauri. Il tracio legno
a te, cetera mia, ceda i suoi vanti,
ché se quegli placò lo stigio regno,
4. tu cieli di beltà tragger ti vanti.
    De' Campidogli tuoi l'alto disegno
io non invidio, o Tebro, a' tuoi regnanti;
ché teatro più nobile e più degno
8. m'alzar di belle ciglia archi stellanti.
    Mecenati, or non più chieggio a' destini

III. — 1. *Il tracio legno*: è la cetra di Orfeo. Al mito della discesa di questo
cantore agli inferi si accenna al v. 3.

che d'alme bocche al plettro mio sonoro
11. s'apran arche di perle e di rubini.
  Taccia chi inutil chiama il dio canoro,
ché di candidi petti e biondi crini
14. tratti ho monti d'argento e fiumi d'oro.

IV

A bella donna che fa molti giuochi su la corda.

  Corre Clorinda in sui ritorti lini
qual per l'aeree vie stella cadente,
e formano un meandro aureo lucente
4. agitati dall'aure i suoi bei crini.
  Or non sospiro più gli orti latini
ch'in aria architettò la prisca gente,
s'in un florido qui volto ridente
8. godo più belli i penduli giardini.
  Cade e sorge in un punto, onde deriso
vien l'occhio altrui, mentre gli dona e fura
11. del suo vago sembiante il paradiso.
  E quindi istupidito ogni uom la giura
del piede al moto, alla beltà del viso,
14. miracolo dell'arte e di natura.

V

A giovane che fa diversi giuochi su la corda.

  Lunghi voli, alti scherzi, erta salita
tu formando in un laccio al ciel disteso,
stupido lo stupor mira sospeso
4. quanto possa dell'uom la mente ardita.

IV. — 5-8. Accenna ai famosi giardini pensili degli antichi.

Non vanti più la sua colomba Archita,
or che rapido il volo ha l'uomo appreso;
né sia Dedalo teco a gara acceso,
8. se volante senz'ali oggi t'addita.
Già de' canapi tuoi gli occulti ponti
fatt'han per gelosia Giove di ghiaccio,
11. ché 'n grembo a Giuno a tuo piacer sormonti;
e più che de' Tifei teme il tuo braccio,
poiché se quei non v'arrivar co' monti,
14. tu su l'etra poggiar puoi con un laccio.

VI

Alle lagrime.

Mute oratrici, a mitigar possenti
l'irato re degli stellanti fòri,
che sapete abolir co' vostri umori
4. delle sentenze sue gl'impressi accenti;
di vostre perle i fulgidi torrenti
pagar dell'alma, anzi annegar gli errori;
ché se Giove invaghì Danae con gli ori,
8. innamorano un Cristo i vostri argenti.
Ei de' nettari suoi l'alme procelle
pose pe 'l vostro amaro anco in oblio,
11. per le cui stille abbandonò le stelle.

V. — 5. *Archita*: il costruttore della colomba meccanica, capace di volare.
7. *Dedalo*: il costruttore delle ali di Icaro.
11. *Giuno*: sta ad indicare il cielo, l'aria.
12. Tifeo o Tifone è l'essere mostruoso che cercò di detronizzare Giove, e che dopo molte peripezie, Giove riuscì a vincere schiacciandolo sotto l'Etna. Qui è identificato con i Giganti che tentarono la scalata del cielo sovrapponendo monte a monte.

VI. — 6. *pagar, annegar*: pagarono, annegarono.
9-11. Cristo per le lacrime, per la sofferenza della sua vita terrena, dimenticò le gioie della sua vita divina.

Voi dell'ambre assai più pregiar degg'io:
se l'ariste rapir vantansi quelle,
14. voi serbate virtù di trarre un Dio.

VII

Alla granadiglia.

Sacrario vegetante, a te s'appresta
de' fior la monarchia, Clizia a te cede;
s'ella fede a serbar gli amanti desta,
4. gli atei tu svegli ad imparar la fede.
Vergognosa la rosa a te concede
la corona real d'oro contesta;
ché se quella vestì l'ostro d'un piede,
8. te di sangue fregiò d'un Dio la testa.
Vinci il fior ch'additò d'Aiace il lutto,
ch'ei di vendetta ancor nudre l'ardore,
11. tu sei per man della pietà costrutto.
Cedano le Pomone oggi alle Flore;
poich'a côr della gloria eterno il frutto,
14. più ricco autunno a me disserra un fiore.

12-13. Si accenna al fenomeno dell'elettricità nell'ambra strofinata, capace
di attirare pagliuzze (*ariste*).

VII. — 2. *Clizia*: il girasole.

7. La rosa prese il suo colore dal sangue sgorgato su di essa dal piede punto
di Venere.

9. Aiace Telamonio impazzito di dolore e d'ira per non aver avuto le armi
del morto Achille da lui pretese, ed assegnate invece ad Ulisse, si uccise, e dal
suo sangue nacque un fiore simile al giacinto.

12. La divinità dei frutti (Pomona) ceda a quella dei fiori (Flora) poiché
un fiore (la granadiglia, la passiflora) mi offre la possibilità di cogliere (meditando
su di esso) il frutto della vita eterna.

PIETRO CASABURI

I

Sardanapalo effemminato.

Pingano in seno agli ori aghi fenici
saziati di luce a me gli ammanti.
Vengano pur sui troni miei regnanti
4.   l'anima a vomitar tirii murici.
Stillino a me le massiche pendici
liquefatti rubini, ambre spumanti;
vo', divorando anco gli eoi volanti,
8.   scornar gli Ortensi e rinovar gli Apici.
Lascive sere ed impudiche aurore
sempre apportino liete al genio mio
11.   le greche Frini e le latine Flore.
Né dal giusto sentiero errar pens'io,
s'a mille lussi io consacrate ho l'ore,
14.   ch'anco a' saggi Epicuri un ventre è dio.

I. — 1. *aghi fenici*: aghi dai fili purpurei.
4. *tirii murici*: le conchiglie di Tiro contenenti la porpora.
5. *massiche pendici*: quelle del monte Massico celebre nell'antichità per il suo vino.
7. *eoi*: sono i venti orientali.
8. Ortensio: il romano celebre per il suo lusso e i suoi banchetti. Apicio: l'autore del *De re coquinaria*.

II

Bella chioma nera.

Tenebroso meandro, entro il cui giro
naufragato m'avvolgo in dolci errori;
ombra ch'oscuri l'ombra e vinci gli ori,
4. mentre le tue caligini rimiro;
scorni a gl'inchiostri tuoi gli ostri di Tiro,
onde sui petti altrui descrivi ardori;
e dagli ebeni tuoi vinti gli avori,
8. la tua leggiadra oscurità sospiro.
Notte filata, alle tue chiare luci,
che su 'l ciel d'una fronte hanno il chiarore,
11. nel bel regno d'Amor l'alme conduci.
Ma se notte rassembri al vago orrore,
meraviglia non è s'amor produci,
14. poiché sol dalla Notte è nato Amore.

III

Eliogabalo uccideva i suoi convitati con diluvi di fiori.

Dove al molle Romano ebbri i Falerni
mandan su' deschi i più bollenti omaggi,
d'un april, ch'è cadente, a' molli oltraggi
4. cadono mille vite a' Giovi inferni.
Della pioggia odorosa i nembi alterni
ruban del sole all'egre genti i raggi,
e poste in sen de' più fioriti maggi,
8. veggonsi dell'età giunte su' verni.
Qui con le primavere, onde costrutti
furo i serti alle tazze, ei vuol ch'infiori

II. — 14. Secondo le antiche teogonie Eros discenderebbe dalla Notte.

III. — 1. Falerno: è il nome di un celebre vino dell'antica Roma.

11.   altri le tombe entro sanguigni flutti.
      O di fiero regnante empi rigori!
      Se già l'uomo la morte ebbe da' frutti,
14.   oggi ha l'uomo la morte anco ne' fiori.

IV

Per la nave del re d'Egitto sopra la quale era amenissimo giardino.

      Chiama dagli Ati a svolazzar sui flutti
il monarca del Nilo i vasti abeti,
su la cui robustezza in braccio a Teti
4.   ha verzieri amenissimi costrutti.
      Porta Flora su l'onde, ed ella ha tutti
chiusi in sen d'una prora i suoi roseti;
e congiunti agli autunni i maggi lieti,
8.   in un co' fiori ha qui Pomona i frutti.
      Stupisce Dori in sugli egei confini,
ch'abbia Vertunno in mezzo l'alghe amare
11.   penduli prati in su' volanti pini.
      Dell'Assirie non più, fra noi sì chiare,
vanti la terra i penduli giardini,
14.   ch'ha qui penduli gli orti ancora il mare.

V

Godo l'amenità d'un giardino.

      Fuggo le reggie, e di fiorito colle
abito gli amenissimi laureti,

---

13. Con il peccato d'Adamo che mangiò il frutto proibito entrò la morte nel mondo.

IV. — 1. *Ati*: dai monti (dal monte Ato).

9. *Dori*: la figlia di Teti e dell'Oceano e madre delle Nereidi.

ove ride, olezzando infra i roseti,
4.   col flessuoso acanto il croco molle.
    Vago il giglio odoroso il gambo estolle
i teatri d'aprile a far più lieti.
Scherza il giacinto, e sotto i verdi abeti
8.   comunica fragranze anco alle zolle.
    Quindi o cene preparo a' miei ristori,
o richiamo sugli occhi oblio ch'è grato,
11.   godo sempre di Flora infra i tesori.
    Né pavento il rigor di re spietato.
Se nelle reggie altri morì tra' fiori,
14.   oggi tra' fiori io viverò beato.

VI

Fragilità della vita umana.

Al signor D. Girolamo Borgia.

Del pigro verno esiliato il duolo,
spuntò fior cui nutrì l'alba ridente;
ma sorto appena al dì cadde languente
4.   odorato cadavere nel suolo.
    Per le campagne liquide del polo
balenò luminoso astro lucente;
ma ne' fulgori suoi svanì cadente,
8.   accompagnando i precipizi al volo.
    Sorse talora in su l'Egeo cruccioso
spuma d'argento, e poi fra l'onde amare
11.   tosto si dileguò su 'l lido algoso.
    Così fragili son l'etadi avare
di noi quaggiù, che sembra l'uom doglioso
14.   fior in terra, astro in aria, e spuma in mare.

VII

Effetti cagionati da bella donna che passeggia in un giardino
lungo le sponde del mare.

Se in mezzo a' prati, in su' nascenti albori,
di calte Elpina inghirlandata appare,
ridono allor con allegrie più care
4.   d'aprile in sen multiplicati i fiori.
Del vago piè co' palpitanti avori
se calca dell'Egeo le rive amare,
gli umidi passi incatenando al mare,
8.   d'amene calme innargentata è Dori.
S'ha ver l'Olimpo i dolci lumi intenti,
accrescer vanta all'idolo di Delo
11.   epicicli di rai, lampi lucenti.
Così scoccando a noi di Gnido il telo,
smalta per lei su' lucidi orienti
14.   fiori il suol, calme il mare, e lumi il cielo.

VIII

Invito bella donna ad un giardino.

Vagisce aprile, e d'aliti odorati,
nunzi d'albe serene, innebria i fiori;
e temprano su' rami a' nuovi amori
4.   musici epitalami i pinti alati.
Qui vieni, o Filli, ove ridenti i prati
pingon la tua beltà fra molli odori.
Mostra il tuo crin su' rinascenti albori
8.   la calta qui ne' suoi be' crini aurati.
Qui le porpore iblee del tuo bel viso
smalta la rosa, e 'l tuo candor distinto

VII. — 11. *epicicli*: cerchi.
12. *Gnido*: città della Doride dove Venere era particolarmente venerata.

11. svela il giglio nevoso al suo bel riso.
    E con cifre odorate ha qui dipinto
    nelle sue fronde i vezzi tuoi Narciso,
14. nelle sue foglie i pianti miei Giacinto.

IX

Invito la mia ninfa ad un giardino.

    Negli emblemi d'april cifre eloquenti
delle bellezze tue qui leggi, o Dori:
del tuo crine ha la calta, ebbra d'odori,
4. miniate nel sen l'ambre lucenti;
    schiude il ligustro in sugli eoi nascenti
del tuo bel seno i palpitanti avori;
e 'l tulìpo gentil, Proteo de' fiori,
8. ha de' bei labri tuoi gli ostri ridenti.
    L'iri odorosa, onde han le brume esiglio,
pinge di Flora in su l'ameno loco
11. l'arco saettator del tuo bel ciglio.
    E 'l ghiacco del tuo petto, e 'l mio gran foco,
con la bocca di neve addita il giglio,
14. con tre lingue di fiamme esprime il croco.

VIII. — 14. *Giacinto*: amato da Apollo, fu colpito mortalmente dal disco con il quale giocava insieme al dio, e fu trasformato nel fiore dallo stesso nome.

IX. — 1. Emblemi d'aprile sono i fiori.

3. *la calta*: è un fiore di colore giallo.

9. *L'iri*: o iride o ireos è un fiore di colore azzurro.

14. *il croco*: è un fiore di colore rosso o giallo.

BALDASSARRE PISANI

I

Per bella donna che lambiccava alcuni fiori.

    Poi che di Flora in su le scene erbose
Lilla intatti svenò gigli e narcisi,
e fe', parca d'april, d'acanti e rose
4.   pallidi tramortir stami recisi;
    vaga di tormentar l'alme odorose,
di sua beltà per incensar gli Elisi,
di concavo cristal nell'urna ascose
8.   i cadaveri iblei de' fiori uccisi.
    Indi dell'arte esercitando un gioco,
filando odori in lacrime stillanti,
11. morti gli espose a liquefarsi al foco.
    Quinci apprendesti a cruciar gli amanti,
Lilla, cred'io, se al tuo rigore è poco
14. ardere i cori e distillarli in pianti.

II

A bella donna che si specchia.

    Su la sfera d'un vetro i lumi intenti
stanchi per coltivar la tua figura;
ma de' begli occhi alla spirante arsura
4.   manda il freddo cristal riflessi ardenti.

Su le guance erudite ostri ridenti
sposi al candor che vi smaltò natura;
e castighi del crin che l'ambra oscura,
8. fra nastri d'or, le frenesie cadenti.
    Ma le norme prescrivi a tue sciocchezze,
per involar da lusinghier censore
11. consigli adulterati a tue bellezze.
    Lascia il vetro, o mio ben, mira il mio core,
ove di propria man le tue fattezze
14. ha con punta di stral dipinto Amore.

III

Notte inquieta d'amante.

Or che di stelle è ricamato il cielo,
nell'esequie del dì l'ombra più cresce;
e d'argenteo fulgor la dea di Delo,
4. per dar luce alla notte, il corno accresce.
    Di Giuno a flagellar l'umido velo
il taciturno augello in ciel non esce;
né in letto di zaffir dell'onde il gelo
8. con l'assiduo guizzar lacera il pesce.
    Nell'eolia prigion l'aura loquace
sopisce i soffi, e sotto il manto ombroso
11. in tranquillo silenzio il mar sen' giace.
    L'uomo ha sommerso in languido riposo
gli egri pensieri, e 'l mondo tutto ha pace;
14. da Cupido agitato io sol non poso.

II. — 5. *erudite*: coltivate, non lasciate allo stato naturale.

IV

A giovane che mirandosi nello specchio
vi trovò appeso un teschio di morte.

Specchiati, o Lidio. In quel cristallo algente
col pianto esorta a naufragar gli amori:
più che del crine il consiglier lucente
4.　　del cor t'insegna a moderar gli errori.
Con moribondi rai vetro innocente
l'espero presagisce a' tuoi splendori,
or che teschio di morte al ciglio ardente
8.　　svela tragedie e manifesta orrori.
Consigliarti non può censor più fido
che un gelo arguto, in cui contempli assorte
11.　　l'impure fiamme agonizzar di Gnido,
Larve di penitenza oggi la sorte
qui ti presenta; ed a schernir Cupido,
14.　　delle tue vanità specchio è la Morte.

V

In occasione dello 'ncendio del Vesuvio così parla alla sua ninfa.

Dalle viscere aduste orrido colle
figlia di stigie fiamme ampi volumi,
e di bollenti umor sulfurei fiumi
4.　　ne' campi erutta a dissipar le zolle.
Arriva il foco infuriato e folle
degli astri il volto a mascherar co' fumi;
e dell'Olimpo a spaventare i numi,
8.　　schegge di balze infrante all'etra estolle.
Nice, se l'orbe in vacillar discerno,
non temo già che dal Veseo tonante
11.　　sprigionato quaggiù sorga l'inferno;

temo che da quel baratro fumante
a rapirti non esca il re d'Averno,
14.   fatto di tua beltà furtivo amante.

VI

Alla sua ninfa in tempo di primavera.

Già del Tauro celeste il corno aurato
l'ingresso indora alla stagion fiorita;
e su la gonna a Berecintia ordita,
4.   pinge smeraldi ambizioso il prato.
     Flagellato dal sol Borea gelato
consiglia a' voli suoi fuga spedita;
e nel verde Liceo Zefiro addita
8.   catedra ombrosa all'oratore alato.
     De' campi ameni ad innaffiare il manto,
or che sciolgono il piè fiumi canori,
11.   sciolgono gli occhi miei fiumi di pianto.
     E mentre sorge a svaporar gli odori
il fior sul gambo, inariditi intanto
14.   delle speranze mie cadono i fiori.

VII

La lucciola.

Questa favilla alata, atomo errante,
è dell'ombre selvagge occhio lucente,
informato di rai piropo ardente,
4.   animato splendor, face spirante.

V. — 12-14. Il re d'Averno è Plutone che sbucò dalla terra per rapire
Proserpina.

VI. — 1. Il sole entra nel segno zodiacale del Toro in aprile.

3. *Berecintia*: Cibele cioè la Terra.

Quando del carro eterno al mar d'Atlante
i corridori eoi le fiamme han spente,
sembra ne' suoi baleni astro cadente,
8.   o del notturno ciel raggio volante.
  S'è di gemme odorose il campo adorno
quando vagisce il sol, gemme più belle
11. addita allor che agonizzante è il giorno.
  A che l'etra immortal l'auree fiammelle
vantar fastosa, or che di Giove a scorno
14. Cibele nel suo vel porta le stelle?

VII. — 6. Eoo: è il nome di uno dei cavalli del Sole.

TOMMASO GAUDIOSI

I

Tocca coll'ombra l'amata.

Mentre di lei, che mio bel sole adoro,
idolatra vagheggio il bel sembiante,
ed ella, empia, ritrosa e noncurante,
4. delle bellezze sue cela il tesoro;
 del corpo mio, che di lontan mi moro,
veggo per opra del gran lume errante
l'ombra felice a la superba avante
8. usurparsi il mio gaudio, il mio ristoro.
 Così m'è forza invidiar quel vano
apparente di me che l'aria ingombra,
11. mentre io vivo e verace ardo lontano.
 Oh come, Amor, le tue fallacie adombra
il mio stato infelice; onde sia piano
14. ch'ogni gioia d'amor consiste in ombra!

II

A bella donna memoria di morte.

Qualor tutta leggiadra e tutta bella
a questo tempio fai, Lidia, ritorno,
ove con viso industremente adorno
4. fai della tua beltà pompa novella;

l'umana sorte a rammentar m'appella
che tuo malgrado ha da venir quel giorno
in cui d'amore e di natura a scorno,
8.   ritornar vi dovrai, ma non più quella.
     Lasso, tremo in ridirlo. Il dì fatale
ritornar vi dovrai di morte scherno
11. a far pompa di te, ma funerale.
     Misera umanità, che dunque vale
in sembiante divin stimarsi eterno,
14. e per legge immortale esser mortale?

III

Avanzi d'amor passato.

Poi che di lei, che sospirato ho tanto
volgendo gli anni, indegnamente al fine
altri colse la rosa, io fra le spine
4.   di sdegno avvampo, e mi distruggo in tanto.
     Pur m'è rimasto un non so che d'incanto,
che vuol ch'ancor la riverisca e inchine,
e nelle luci sue quasi divine
8.   pur volga i lumi affettuosi alquanto.
     Così di mar cui travagliò tempesta,
poi ch'è cessato d'Orion lo sdegno,
11. il moto pur per qualche spazio resta.
     Ma se d'amore è pur favilla questa,
che fa più meco il suo ricordo indegno
14. da che speranza nol mantiene o desta?

II. — 14. *per legge immortale*: per legge divina, che non viene meno.

IV

Vanità d'amore e di fortuna.

Idoli de la mente, amor, fortuna,
che volete da me? So ben ch'amore
altro non è ch'un momentaneo fiore,
4. che fortuna non ha fermezza alcuna.
    In tanti aspetti non appar la luna,
quanti ha la sorte in suo perpetuo errore.
D'amor più sazio l'inesplebil core,
8. ha sempre più la volontà digiuna.
    Quel ch'ieri si bramava oggi si sprezza;
ne porta un rapidissimo momento
11. stima, gloria, splendor, grazia, bellezza.
    Felice quei che 'n libertà contento
vilipende fortuna, amor non prezza;
14. ch'alfin è un lampo amor, fortuna un vento.

V

Il guardainfante.

Che le donne talor che copia fero
di se medesme al desiderio umano,
prendano in uso l'abito straniero,
4. che da le membra lor gira lontano,
    soffrir potrei; però che 'l sesso vano
dilata il manto al faretrato arciero,
per dar più campo a quell'ardor profano,
8. che ristretto nel sen si fa più fiero.
    Ma schietta donna e di consorzio priva,
che porti intorno un padiglion rotante,

IV. — 7. *inesplebil*: insaziabile.
V. — 9. Donna pura e senza consorte.

11.   sembra ad onesto cor pompa lasciva.
    Come creder potrò che senz'amante,
come creder potrò che casta viva,
14.   chi si dispone a custodir-l'-infante?

VI

L'uso del tabacco.

    Già del mar de' piaceri e del diletto
il superbo mortal toccava il fondo
nel lusso abominevol ed immondo
4.   d'apicia mensa e di venereo letto.
    Votar la terra e l'ocean profondo
per render pago un indiscreto affetto,
era commune error, commun difetto,
8.   non sazio ancor di tutto il mondo il mondo.
    Alfin tant'oltre a trapassar risolve,
che per pascer le nari in picciol vaso
11.   indica foglia in polvere dissolve.
    Siam de la vita omai giunti all'occaso!
Ha portato fra noi barbara polve
14.   le delizie del mondo insino al naso.

VII

Il gioco delle carte.

    Scherza fortuna, e da dipinte carte
diverse sorti in un momento tira;
e ne' punti e ne' numeri s'aggira
4.   del vincer l'opra e del contender l'arte.

VI. — 4. *apicia*: ghiotta. Sotto il nome di Apicio, famoso buongustaio e
gastronomo dell'epoca di Tiberio, vanno dieci libri *De re coquinaria*.

Volar da questa a la contraria parte
l'argento e l'oro, e rivolar, si mira;
ch'ove resiste, ove fortuna aspira,
8. or toglie avara or liberal comparte.
    Vedi talor, bench'a veder sia strano,
esser ministra de' suoi danni a punto,
11. mal grado suo, la dispensiera mano.
    Da questo gioco ha 'l mio giudizio assunto
che move e regge ogni accidente umano
14. fugace instante, indivisibil punto.

VIII

Morte adegua tutte l'inegualità.

Guidommi un tratto a rimirar la sorte
in campo formidabile di Marte
mucchio d'ossa spolpate a terra sparte:
4. avanzi miserabili di morte.
    Qui meditando se distinto in parte
fosse dal vile il cavalier più forte,
se dal nato a la villa il nato in corte,
8. lì spesi indarno e la fatica e l'arte;
    ché, come tutti una materia eguale
produsse al mondo, è di mestier ch'ancora
11. abbiano tutti il fin pari al natale.
    Dunque, diss'io, se pur convien che mora,
tutto il fasto del misero mortale
14. ne la vita consiste, e dura un'ora.

VII. — 11. *la dispensiera mano*: la mano che distribuisce le carte.

IX

L'orologio.

<blockquote>

Chi m'intima la morte a suon di squille?
E chi 'l tempo misura al viver mio?
Dovria bastar che 'l luminoso Dio
4.   terminasse il mio dì con sue faville.

Dovria bastar che l'oriuol da ville
tripartisse il mio dì col suon natio;
pur nuovi ordigni apparecchiar vegg'io
8.   di mia vita a turbar l'ore tranquille.

Se le misure tue son pur sì corte,
tempo, a che giova il mio mortal soggiorno,
11.   ov'ho sempre a temer l'ultima sorte?

Che si mora una volta. Egli è men forte
una volta morir che 'n un sol giorno
14.   sentir dodici volte « ecco la morte ».

</blockquote>

X

L'organo.
Che l'azioni, e non le parole rendono l'uomo riguardevole.

<blockquote>

Per animar l'organico instrumento,
arguto ingegno i zefiri imprigiona.
Sugge lo spirto il cavo stagno e suona,
4.   ma spiacevole bombo e violento.

Ben se poi mano industriosa dona
prescritte leggi a l'indiscreto vento,
allor vaga armonia, dolce concento,
8.   di cento canne al respirar risuona.

Anima trascurata, o tu che l'ore
de la vita mortal consumi invano

</blockquote>

X. — 2. *arguto ingegno* : il mantice.
4. *bombo* : rimbombo.

11.   fra bei discorsi e favole canore,
        impara or qui. Non può lo spirto umano
      render grato concento al suo Signore
14.   se non v'accoppia a ben oprar la mano.

XI

Che quando l'uomo comincia a sapere, gli manca la vita.

        Sotto rigida sferza, or nell'algente
      rigor del verno or nell'arsure estive,
      su le carte latine e su l'argive
4.   s'affanna un uom per coltivar la mente.
        E dal sol che tramonta al sol nascente,
      or filosofa e legge, or detta e scrive;
      abbandona talor le patrie rive
8.   per veder nove cose e nova gente.
        Ma fatto saggio, ove di coglier spera
      il frutto alfin de' suoi sudati affanni,
11.   vede del giorno suo subita sera.
        O natura infedel come n'inganni!
      Più dell'ingegno uman vola leggiera
14.   la ruota irrevocabile degli anni.

XII

Nozze di Cana.

      Taccia la fama il rubicondo umore
    che de la rosa imporporò l'argento;
    volgi, o turba fedel, l'animo intento

XI. — 3. *argive*: greche.

XII. — 1-2. La mitologia aveva immaginato che la rosa rossa fosse nata
dal sangue del piede di Venere punto dalle spine.

4.   a contemplar spettacolo maggiore.
      Vedi Giesù ch'in più gentil licore
      oggi trasforma il candido elemento:
      de la forza infinita alto portento,
8.   de le nozze di Cana alto stupore.
      Tempo verrà che con più gran mistero
      cangiar vedrassi il liquido rubino
11.   nel sacramento del suo sangue vero.
      Felice me, s'al mio morir vicino,
      de la mistica mensa intinger spero
14.   l'aduste labbra a l'ineffabil vino.

XIII

Bacio di Giuda.

      Spira il Verbo umanato aura celeste,
      spirti di paradiso; e Giuda spira
      turbini di nequizia e fiati d'ira,
4.   aneliti infernali, Euri di peste.
      E pur s'inclina, e pur Giesù da queste
      labbra lascia baciarsi, e non s'adira.
      L'appella amico, e senza sdegno mira
8.   quelle luci esecrabili e moleste.
      Ben crederò ch'ogni motor superno,
      per l'immenso stupor fatto di gelo,
11.   tralasciasse in quel punto il moto eterno.
      Sofferenza del cielo, ardir d'Averno!
      Si solleva l'inferno e bacia il cielo,
14.   s'inclina il cielo a ribaciar l'inferno.

10. *il liquido rubino*: il vino.

GIOVANNI GIACOMO LAVAGNA

I

La materia prima.

Principio è del tutto, a cui dal niente
chi principio non ha principio diede;
invisibile è a l'occhio, e da la mente
4. appena l'esser suo s'intende e vede.
    Senza forma restar non mai consente,
le forme nell'amar tant'ella eccede;
i contrari per lei pugnan sovente
8. finché l'uno abbattuto a l'altro cede.
    Fa, né grave né lieve, e 'l lieve e 'l grave;
or fa 'l bianco or fa 'l nero, e pur vicende
11. e di bianco e di nero in sé non have.
    Così a noi l'esser suo scuro si rende,
che de' Sofisti entro le scole brave
14. quanto si pensa più, men si comprende

II

Oriuolo a sole.

Questo ferro, che a' rai del sol n'insegna
de' viaggi del dì l'ora sleale,
è pennel che del tempo il volo eguale
4. su le tele de' marmi a noi disegna.

Anzi sembra qualor le linee segna
de le Parche omicide arma fatale,
che le linee troncando a l'uomo frale,
8.   l'uomo in man de la morte ognor consegna.
Se da ferro mir'io l'ore segnate,
giusto pensier di sospirar m'ingombra,
11. che son l'ore di vita ore spietate.
E se 'l corso vital su' marmi adombra
una punta fatal, è veritate
14. che non è questa vita altro ch'un'ombra.

III

Farfalla.

Pertinacia animata e verme alato,
inimica de l'ombre ombra volante,
de la lucida fiamma incauta amante,
4.   la morte ad adorar spinta dal fato.
Vivo esempio d'un core innamorato,
che si consuma a' rai d'un bel sembiante,
di Clizia trasformata emula errante,
8.   ch'amorosa t'aggiri al foco amato.
Cortigiana infelice, al caro lume
tanto t'accosti alfin, che poco accorte
11. con la vita vi lasci arse le piume.
Come pari è a la tua l'umana sorte!
Quando l'uomo trovar gioia presume
14. nel mondano splendor trova la morte.

ANDREA PERRUCCI

I

Bella donna si fa nèi posticci nel volto.

    Cifre volanti in ogni macchia bruna
sul bianco foglio del bel volto addita
Clori, e in quei punti il termine raduna
4. al periodo fatal de la mia vita.
    Se splende Cintia in ciel d'ombre guernita,
vuol macchie erranti la mia bella luna;
o se i nèi son venture, ella scaltrita
8. vuol porre dove vuol la sua fortuna.
    Scorgo in faccia d'un'alba ombre vaganti;
o a dar influssi a la terrestre mole,
11. in un ciel di beltà le stelle erranti.
    Chi, ardito Galileo, fissar si vuole
al suo lume, vedrà con luci amanti
14. che son belle le macchie in faccia al sole.

II

Amante trasportato su l'isola di Stromboli.

    E dove mi portaste irati Numi?
A la più de l'Eolie aspra e deserta,
ove d'arsiccia sabbia e di bitumi
4. la spiaggia sterilissima è coperta.

    Qui de la cima rovinosa ed erta
a l'acceso fragor tremano i dumi;
e da l'atra voragine ed aperta
8. s'alzano incontro il cielo accesi i fumi.
    Le furie non bastavano d'amore,
ch'un misero pensier tanto agitato
11. trova nuovi fantasmi e nuovo orrore?
    Da le furie del mar qui sequestrato
rinvenuto ha il suo centro un mesto core;
14. ritrovato ha l'inferno un disperato.

III

Essendomi attossicato nel mangiar fonghi.

    Fumo è la vita, ed a mostrarlo appieno
tenta con fumi velenosi a terra
mandar la vita mia frutto terreno,
4. ferace per mio mal fatta la terra.
    Che pace spero, oh Dio? s'il fertil seno
a mortiferi parti apre e disserra
la comun madre? e col suo rio veleno
8. fatta madrigna mia pur mi fa guerra?
    Di Adam Natura erede ecco m'addita:
di vita un pomo a lui chiuse le porte;
11. di morte a me un boccone apre l'uscita.
    Del misero mortal misera sorte!
Se col cibo serbar crede la vita,
14. trova l'esca vital frutto di morte.

GIUSEPPE D'ALESSANDRO

I

Ad un velocissimo e nobile cavallo.

    Dell'armento guerrier campion spumante,
terrestre volator, vento crinito,
competitor veloce, audace, ardito
4. dei turbi e ancor del fulmine volante.
    Caro all'uomo e dell'uom fedele amante;
vola la fama no, ma 'l tuo nitrito
dal Tago al Gange, e in più remoto lido;
8. se corri, orma non segna il piè sonante.
    Gloria animata rinomar ti voglio;
per te acquistan onore i fogli miei,
11. tu porgi al nume alato onta e cordoglio.
    Girando, emulator del ciel tu sei:
il dorso tuo non è se non ch'un soglio
14. per gli eroi coronati e semidei.

II

Per donna mora.

    Moro per donna mora:
ella per me non more,
anzi torva mi mira
sprezzando il mio dolore;
5. spesso fra morte e vita mi raggira:
mio cor, tu che credevi
dal ritratto d'inferno
se non fiero tormento e cruccio interno?
Ah no, che pur l'eban del caro viso
10. languendo ammiro e mi ravviso anciso.

GIUSEPPE SALOMONI

I

Dono che fa un pastore alla sua ninfa.

Mentre dal suo vermiglio aurato velo
stamane in grembo a la campagna erbosa
quinci e quindi scotea l'alba amorosa
4. lucidi nembi d'argentato gelo,
    questa cols'io dal più fiorito stelo
fresca, qual vedi, ed odorata rosa,
ch'alor fra l'altre in su la siepe ombrosa
8. parea fra l'altre stelle Espero in cielo.
    Còlsila, e sol del tuo pomposo crine
degno, o ninfa, stimai l'oro natio
11. di sì leggiadre porpore e sì fine.
    Tu se di sì bel fregio hai pur desio,
fa ch'abbia, dei tuoi sdegni infra le spine,
14. rosa simil dal tuo bel volto anch'io.

I. — 8. *Espero*: cioè la più splendente fra le stelle.

II

Bellezza caduca e crudele.

Verrà la morte e con la man possente,
che l'uom fatto di fango in fango volve,
sciorrà, donna superba, in poca polve
4.   questa di tue bellezze ombra lucente.
Farà cessare freddo il volto ardente,
che gli altrui petti in cenere rivolve;
cessar la man, che ne' suoi lacci involve
8.   qual più ritrosa e fuggitiva mente.
Farà limo deforme e terra oscura
quanto hai di bel da l'argentate piante
11.   a l'indorato crin che il sole oscura.
Solo, ahi lasso, il tuo cor fra cose tante
non fia tocco da lei: poiché natura
14.   non di carne il formò ma di diamante.

III

Ninfa che si ciba di fragole.

Mentre la bella bocca onde talora
cibi la mia, famelica amorosa,
colà sedendo in su la piaggia erbosa
4.   cibavi oggi di fraghe, o bella Flora;
io, che poco lontan facea dimora
nel grembo assiso a la verdura ombrosa,
con mente insieme stupida e bramosa
8.   mandai dal cor queste parole alora:
— O bocca, alta cagion de le mie faci,
quanto somigli il cibo delicato
11.   di cui pascer te stessa or ti compiaci!
De le fraghe hai l'odor nel dolce fiato,
de le fraghe il sapor ne' cari baci,
14.   de le fraghe il color nel labbro amato.

IV

Invito amoroso.

Vedi, Cinzia, colà come s'infiora
l'estiva erbetta, e quel gran faggio al monte
quasi verde cimiero ondeggia in fronte,
4. e lieto danza al sibilar de l'ôra?
    Lassuso andianne, ove non fa dimora
chi le dolcezze altrui palesi o conte,
s'imparato non han d'un vicin fonte
8. a favellar i muti selci ancora.
    Quivi i baci accordando al suon del rio
quel mel, ch'al mele ibleo la palma ha tolto,
11. corrêmo, io nel tuo labbro e tu nel mio.
    Terrai tu l'occhio a vagheggiar rivolto
del vicin pian la bella vista, ed io
14. la vista goderò del tuo bel volto.

V

Bello avvenimento.

Sceso ad un rio di lucid'onde e terse
bianco amoroso augel, cui Citerea
sciolto, cred'io, dal suo bel carro avea,
4. la sua leggiadra imago entro vi scerse.
    Indi la bocca semplicetta aperse
ebro d'amor, mentre baciar credea
l'ombra, ch'a lui la sua fedel parea,
8. e nel chiaro cristal ratto s'immerse.

V. — 2-3. Citerea (Venere era così chiamata dall'isola di Citera, fra Creta
e il Peloponneso, isola in cui era particolarmente adorata) aveva come animali
sacri le colombe, e si immaginava che il suo carro fosse trascinato da volanti
colombe.

      Mirò, baciò; ma baciator schernito,
    spendendo i baci sol nel freddo umore
11. con doppia sete si levò dal lito.

      Si rise alor del suo bel colpo Amore,
    e Narciso a mirar tal caso uscito
14. temprò con l'altrui pena il suo dolore.

GUIDO CASONI

1

La signora Fulvia Coloreta, innamorata del cielo, nei suoi più teneri
anni se ne volò tra le braccia del suo celeste amante; ond'ebbe
occasione l'autore di piangere l'immatura sua morte con l'oda che segue.

    Fulvia, fu la tua vita
voce canora che diletta e fugge,
neve ch'al sol si strugge,
alba che muor quand'è di sol vestita,
riso che in duol vaneggia,
6. lampo che tutto in un passa e fiammeggia.
    Polve dinnanzi al vento,
iri che vaga in apparir sparisce,
nebbia ch'al sol svanisce,
pianto non di dolor ma di contento,
folgor che d'alto piomba
12. sospir che tra le labbra ha cuna e tomba.
    Ombra ch'ha 'l dì vicino,
vapor che si dilegua al sole ardente,
stella dal ciel cadente,
fior che ride e poi langue in un mattino,
volo d'augel rapace,
18. tempo che più non riede e va fugace.
    Fronda da Borea scossa,
sogno che manca a l'apparir del sole,
fumo che in alto vole,
onda sorgente che dal fonte è mossa,
aura ricca d'odore,

24.   eco che langue in poche voci e muore.
       Così tua vita breve
       fu tra noi riso, pianto, alba, vapore,
       lampo, ombra, voce, fiore,
       nebbia, folgore, sogno, aura, eco, neve,
       stella, iri, tempo, fronda,
30.   fumo, volo, sospir, polvere e onda.

II

La lucciola foriera della notte e visitatrice delle ombre, pare che faccia
alla sera un sacrificio del suo lume, poiché il fuoco di lei ardendo
senza bisogno di materia, risplende e non consuma, il rogo lucido
fiammeggia e l'olocausto acceso giamai non manca e mentre con
rapidi voli fugge e ritorna, ora scoprendo il suo lume, ora calandolo,
       forma quasi un misto d'ombre e di luce.
Questa diede occasione al signor Giulio Melchiori, gentiluomo non
meno agiato per copiose ricchezze ch'ornato di virtù e d'animo veramente reale, di discorrere intorno alle sue meravigliose qualità, mentre
egli godeva con altri gentiluomini la soavità dell'aria della sera tra
le delizie del suo nobilissimo giardino, onde l'Autore, che ama
       soggetto di tanto merito, scrisse l'oda che segue.

       Luccioletta gentile,
       mentre scherzi e t'aggiri,
       fai a l'ombre un monile
       co' tuoi lucidi giri.
       Spiritosa facella,
6.   rubin volante e fuggitiva stella,
       tu le tenebre indori
       co' tuoi voli lucenti.
       Son grana i tuoi rossori,
       oro i tuoi raggi algenti,
       e sei nel basso mondo
12.   un piropo animato e vagabondo.
       Tu sei de l'ombre il fregio,
       la pittura, il baleno,
       l'ostro, le pompe e 'l pregio,
       bell'Espero terreno;

ond'a noi parer suole
18.   notte il tuo fosco e 'l tuo bel foco il sole.
      Tenebrosa vagante,
che negreggi e riluci,
e quasi cielo errante
porti l'ombre e le luci,
tu voli senza piume
24.   nuova auriga di tenebre e di lume.
      E mentre ardendo voli,
fiaccola solitaria,
riso de' l'ombre, suoli
con aurei tratti l'aria
ricamar, quasi belle
30.   liste dorate di cadenti stelle.
      Con viaggio soave
vai per l'aria solcando,
nuova animata nave,
pur tue merci arrecando
porpore de l'aurora,
36.   e porti il lume in poppa e l'ombre a prora.
      Fiaccoletta de' campi
facellina degli orti,
mentre di foco avvampi
mentre eclissata porti
le tue stellette spente
42.   sei l'occaso a te stessa e l'oriente.
      Cara luce ombreggiata,
picciol sole notturno,
bella notte stellata,
fosco lampo diurno,
tu luminosa e nera
48.   fai che a noi splenda emula al dì la sera.
      Or fuggi e ti dilegui,
cinta di raggi aurati;
or la mia Delia segui
co' i tuoi voli dorati;
ond'al tuo lume veggio
54.   fra l'ombre il sol, mentre il mio Sol vagheggio.

PAOLO ZAZZARONI

I

Non lascia d'amare la sua donna bench'ella invecchi.

Ed ecco, o Clori, a tua ruina intento,
ch'arma i rapaci artigli il veglio alato:
già da le guancie ha 'l vago april furato,
4.   già ne le luci il dolce raggio ha spento.
L'or de la chioma tua cangia in argento,
fatto a sì bel tesor chimico ingrato;
e su la fronte tua, bifolco irato,
8.   arando va per seminar tormento.
Ma non temer per ciò che quel desio,
che sì di te m'invoglia, il tempo invole;
11.   ché cresce anzi con gli anni il foco mio.
E benché a sera or tua beltà sen vole,
sarò d'amor novo elitropio anch'io,
14.   che seguirò fin ne l'occaso il sole.

II

Per fiori donatigli dalla sua ninfa.

Una rosa ed un giglio in un legati
costei mi dona, a cui già diedi il core;
quella d'april, questo di maggio onore,
4.   anzi alba questo, e quella sol de' prati.

O d'amor geroglifici beati,
quanto v'assomigliate al mio dolore,
mentre di Lilla il gel, di me l'ardore,
8. qui spiegate di neve e d'ostro ornati.
    Ben v'odoro e v'adoro or che scolpita
la mia candida fede in voi si vede
11. e la beltà che bramo anco s'addita.
    Speme dal vostro augurio in me succede,
che come è qui la rosa al giglio unita
14. così s'accoppii a sua beltà mia fede.

III

Per un neo bruno che aveva la sua donna nel volto.

    Per accrescer di fregi opra maggiore
ornò di neo brunetto Amor quel viso,
ché qual pittor industre ebbe in aviso
4. di spiccar con quell'ombra il bel candore.
    Sotto la guancia ove rosseggia il fiore,
vezzoso splende in compagnia del riso;
atomo sembra in quel sembiante assiso
8. per far centro di gloria al dio d'amore.
    Sorse in quel cielo, e seco alba gemella
in due luci spuntò, quand'ei defunto
11. al doppio sol languia picciola stella.
    Da quel loco però non fu disgiunto;
ch'Amore, in terminar faccia sì bella,
14. lasciò de l'opra al fin quel neo per punto.

II. — 5. *geroglifici*: simboli.

IV

Ad una vite ch'adombrava la finestra della sua donna.

Vite importuna, al viver mio rubella,
quanto m'offende il tuo malnato stelo,
mentre col verdeggiante ombroso velo
4.   il mio bel Sol m'ascondi, invida e fella!
Lo tuo frondoso crin laceri e svella
del più freddo aquilon l'orrido gelo;
tuoni da l'alte nubi irato il cielo
8.   e versi sul tuo capo empia procella.
Ma teco forse a torto ora mi sdegno;
chi sa che Clori, al mio martir costante,
11.   non apprenda pietà da quel tuo legno?
che, mentre tu con tante braccia e tante
stretta t'annodi intorno al tuo sostegno,
14.   impari anch'essa ad abbracciar l'amante?

V

Descrive un atto di pietà che vide nella sua donna.

Da la sua bella stanza, ove divote
Clori le preci sue dal cor sciogliea,
colmi d'ogni pietate orando ergea
4.   gli occhi stillanti a le stellanti rote.
Al centro ove tenea le luci immote,
supine ambe le mani ella volgea,
ove dai labri ancor volar facea
8.   su l'ali de' sospir calde le note.
— Beltà che supplicando e piange e plora
ah, che non può? — diss'io: — Ben certo piega,
11.   non che 'l cielo a pietà, l'inferno ancora.
Ma mi disse un pensiero: — Indarno prega
costei che sì crudel t'affligge ognora,
14.   ché non trova mercé chi altrui la nega.

VI

Si propone un amante d'aver due donne.

Per doppio incendio mio m'offre fortuna,
entro un albergo sol, serva e signora,
d'egual beltà; se non ch'a questa indora
4. natura il capo e a quella il crin imbruna.
L'una rassembra il sol, l'altra la luna,
e questa l'alba appar, quella l'aurora;
arde l'una per me, l'altra m'adora,
8. e d'ambo io sento al cor fiamma importuna.
Misero, che farò? dovrò fors'io
sprezzar l'ancella? a la bramata sorte
11. chi scorta mi fia poi de l'idol mio?
Ah, ch'ambe io seguirò costante e forte;
e se 'l destino arride al bel desio,
14. e l'una amica e l'altra avrò consorte.

VII

Innamorossi di bella lavandaia.

Su quel margo mirai donna, anzi dea,
succinta in veste, il crin disciolto ai venti,
ch'assisa in curvo pin fra i puri argenti
4. gl'immondi panni al fiumicel tergea.
Se da l'umido lin l'onde spremea
la mano al cui candor le nevi algenti
s'annerano, il ruscel con rochi accenti,
8. amando la prigion, sciolto fremea.
Più pure a lei correan l'acque sul lido,
ch'al volto la credean di Cipro il nume
11. che le bende lavasse al suo Cupido.

VII. — 10. *di Cipro il nume*: Venere.

Di beltà così rara al dolce lume
arsi tradito in elemento infido,
14.   e crebbi le mie fiamme in mezzo al fiume.

VIII

La tomba di Taide.

Taide qui posta fu, la più perfetta
dispensiera de' gusti al molle amante.
Lettor, s'ardi d'amor, fatti qui inante,
ché stesa in questo letto ella t'aspetta.

PIETRO MICHIELE

I

Autunno.

Ecco quella da noi tanto bramata
stagion de' frutti in terra aver la reggia;
pende il pero di qua, di là rosseggia
4.   soave il pomo con la spoglia aurata.
La vite d'ogni intorno è d'uve ornata,
ch'altra l'oro, e 'l rubino altra pareggia.
Qui il contadin la preme acciò poi deggia
8.   darci al nettar egual bevanda amata.
Ogni arbore il suo frutto ha già maturo,
e de la villa al comun gaudio a pieno
11.   ride compagno il ciel sereno e puro.
Io di cure d'amor già sazio e pieno
fuor che dai labri tuoi mosto non curo,
14.   né frutti altri desio che dal tuo seno.

II

Ad un fiore.

Quanto, o leggiadro e vezzosetto fiore,
ci fan conformi il cielo e gli elementi...
Tu spargi a l'aria il tuo soave odore,
4.   e io verso dal sen sospiri ardenti;
   tu di stami annodato aurei lucenti,

      io di un crin d'oro incatenato il core;
      tu colmo sei di rugiadoso umore,
8.   io molle son di lacrime cadenti.

      A te pose natura intorno il manto
      di verde spoglia ed ecco pure anch'io
11. che di verde speranza il core ammanto.

      Ma tu col tramontar del biondo dio
      languirai scolorito. Io non so quanto
14. termine il ciel prescriva al dolor mio.

III

Ricorda alla sua donna che invecchierà.

      Qui superbo già corse al mar spumante,
      orgoglioso figliuol di padre alpino,
      il fiume; ed assordò nel suo cammino
4.   il paese vicin l'onda sonante.

      Or mostra arido il fondo, e 'l corso errante
      seco non tragge più l'abete o 'l pino;
      ma passa a piede asciutto il peregrino
8.   dove passò col legno il navigante.

      Cosa stabil non v'è sotto la luna,
      poiché tutto quaggiù struggono al fine
11. rapido tempo, instabile fortuna.

      Così con rughe al volto e neve al crine
      fia ch'a me scuopra ancor l'età importuna
14. di tua beltà le misere rovine.

IV

Dubbi tra bella bocca e buon vino.

Quinci Bacco, Amarilli, e quindi Amore
mi fan con dolci vezzi invito a baci;
l'un ne le belle tue labbra vivaci,
4.   l'altro in bicchier di porporino umore.
D'egual bellezza son, d'egual valore,
e son ambo del par dolci e mordaci;
onde ancora non so qual prima io baci;
8.   ché tra doppio diletto è dubbio il core.
Se la tua bocca a la mia bocca unita
forma di baci un mormorio concorde,
11.   mi mordi e baci in un cara e gradita.
E s'accosto talor le labbra ingorde
ai labri del bicchier ch'a ber m'invita,
14.   in un punto anco 'l vin mi bacia e morde.

V

Sopra le parole: *Initio tu Domine terram fundasti.*

Questa di tanti alteri oggetti adorna
terra, ch'al senso sì diletta e piace,
cui vago fregio e bella pompa face
4.   quando maggio o settembre in lei soggiorna;
quella sovrana sfera, ove le corna
Cintia rinova e 'l suo splendor vivace,
ove del sol la luminosa face
8.   ogni dì cade ed ogni dì ritorna;
son opre tue, Signor, tu le facesti,
ma soggette degli anni al corso alterno;
11.   ch'infinito tu solo esser volesti.
Or dunque chi soggiace al caldo e al verno
non ponga speme in quelli oggetti o in questi,
14.   che son caduchi e sei Tu solo eterno.

31. MARINO E MARINISTI, II.

PACE PASINI

I

Concorso di arsure.

Con Marte unito oltre l'usato ardente
gli omeri il sole al suo Leon premea,
sempre l'aure dormiano e non sorgea
4.   bramato nembo a consolar la gente.
   Cadea su l'opra il villanel languente,
né campo a duro vomero cedea,
lastricato di frutta il suol parea,
8.   e feretro era l'erba al fior giacente.
   Povero d'onda il rio dell'arenoso
alvo i più cupi fondi omai scopria,
11.   e movea lento, pigro e neghittoso.
   Ma d'arsure sì gravi altra più ria
ne diffondeva nel mio sen doglioso
14.   col suo gemino sol la donna mia.

II

O de l'Alpi di Rezia ombre profonde.

O de l'Alpi di Rezia ombre profonde,
burroni oscuri impenetrati e cupi,
orrori infausti e cavernose rupi,
4.   selve solinghe e di squallore immonde;

dite se gravi tenebre ingioconde
hanno quanto il mio seno antri e dirupi,
e se covile in voi d'orsi o di lupi
8. pari a la fera mia, fera nasconde;
    dite se freddo fonte in voi gorgoglia
di costei più gelato e che si deggia
11. prepor per larga vena agli occhi miei;
    dite se immobil selce in voi pareggia
la mia fermezza e se volubil foglia
14. cede nell'incostanza al cor di lei.

III

Come usignol, cui dentro occulta ragna.

Come usignol, cui dentro occulta ragna
uccellator spietatamente accorto
abbia di furto insidiato e morto
4. la volatile sua fida compagna,
    erra di qua di là per la campagna,
cerca il bosco e la siepe, il prato e l'orto,
ed ovunque egli sia senza conforto
8. con canori lamenti alto si lagna;
    tal io, cui morte inaspettata e dura
tolto ha la mia fedel, gli occhi dolenti
11. giro e rigiro entro l'usate mura;
    ed ovunque li fermi aspri tormenti
traggo, ed in faccia lacrimosa e scura
14. d'alte e meste querele assordo i venti.

IV

L'ambiziosa suntuosità dei funerali essere inutile.

Al signor conte Paolo Porto.

Con cento e cento in man faci devote
gran defonto onorar lugubri schiere
vidi, e gente comprata a squadre intere
4. simular pianti e articolar pie note;
    ahi, ché 'l lordo de l'alma unque non scote
vanità di singulti e di preghiere,
e ampiezza ancor di funeral che puote
8. se ambizion fa lacrimar le cere?
    S'anima, *Paolo*, dal suo frale scossa
scende a purgar l'immondo in foco o in gelo
11. pompa non v'ha ch'indi ritrar la possa;
    ché i lumi accesi da superbo zelo
ben illustran la via d'ire alla fossa,
14. ma non già quella di salire al cielo.

V

Diletti della vita solitaria e noie della civile.

O di solingo e rustico ricetto
sospirata quiete, ombre lontane,
come più dolce in voi lusinga il cane
4. che qui d'adulator mentito aspetto!
    Non in voi cupo e simulato affetto,
non arti son misteriose e strane,
ma ingentiliti infra la rapa e 'l pane
8. innocenti pensieri, animo schietto.
    Non di bellica tromba il fero canto
fuga i riposi in voi; ma i sonni invita
11. di Filomena armonioso il pianto.

O diletti, o dolcezze, o pace, o vita,
quanto è in voi meglio aver sdrucito il manto
14. che in tempesta civil l'alma sdrucita!

VI

Rosa che ingrati odori apra dal seno.

Rosa che ingrati odori apra dal seno,
ape che l'ago e 'l mele in un confonda,
pomo gentil ch'edace tarlo asconda,
4. raggio ch'abbagli e non riluca a pieno;
     giardin di piante infortunate ameno,
liet'aria il cui brillar nembi diffonda,
mar ch'erga infide sirti in placid'onda,
8. ciel ch'annidi procelle in bel sereno;
     dolce balen che 'n apparir se 'n fugge,
spuma che sul natal tosto si solve,
11. germe novel ch'ombra nocente adugge;
     sotto soffi di Borea e nebbia e polve,
mobil quiete ch'in girar si strugge;
14. tai delicie ha la vita e tal si volve.

VI. — 7. *sirti*: secche, luoghi arenosi.

BARTOLOMEO TORTOLETTI

I

Somiglianza.

Ove d'avara chiostra a me s'involi,
idolo mio leggiadro, il tuo splendore,
maestro a vagheggiar mi guida Amore
4.   somigliante beltà che mi consoli.
    Tu non temer però che là sen voli
da le tue fiamme fuggitivo il core;
giuroti ch'ardo più, quanto maggiore
8.   conosco il raggio onde tu splender suoli.
    In lei null'altra cosa amar poss'io
ch'il tuo solo ritratto: una è la bella
11.   luce d'entrambe ed uno il mio desio.
    Tai sono i rai del sol ne la sorella;
e se tu sole sei del giorno mio,
14.   luna esser può de la mia notte anch'ella.

II

Fiori gittati al fuoco.

Ite, rose lascive, ite d'amore
pegni vani e nocenti, un tempo cari,
e da l'arido vostro e dal pallore
4.   qual sia chi mi vi diè, per me s'impari.

Tal diverrà quella beltà ch'in fiore
oggi par che non abbia al mondo pari;
e deggio ancor seguirla? ancor dal core
8. m'usciranno per lei singulti amari?
Ahi, che pur troppo il mio desire insano
mi fe' soggetto; or tempo è ben che fia
11. sciolto il laccio crudel da la mia mano.
Intanto itene voi per cotal via
ch'il rogo vostro e 'l cenere profano
14. primo trofeo di mia vittoria sia.

III

Fiori conservati nel freddo.

Orrido verno intorno
estinti, o mio bel foco, ha tutti i fiori;
quelli del tuo soggiorno
sovrastan soli ai gelidi rigori.
5. Qual meraviglia, o Clori?
I gigli e le viole
gelar non ponno ov'è perpetuo il Sole.

IV

Mele donate.

Quelle poma, cor mio, ch'io ti mandai,
ch'in purpureo color tinse natura,
son de le guance tue viva figura;
4. in tale specchio i tuoi rubin vedrai.
A te non senza fin le destinai;
vorrei ch'indi apprendessi esser men dura;
non sa la lor beltà soave e pura
8. far quelle crudeltà che tu mi fai.

Quei color, com'i tuoi vaghi e ridenti,
fian anche in pochi dì posti in non cale;
11. nulla di sempiterno è fra' viventi.
Non ti fidar di primavera tale;
per te cadranno pur le brine algenti,
14. natura è madre a tutti i figli uguale.

V

Ch'in Dio si trovano tutte le cose desiderabili.

Mira come di rose il crine infiora,
d'aureo coturno il piè leggiadro avvinta,
e de' su' albori alteramente cinta
4. esce da l'ocean la vaga Aurora.
Qual bellezza per Dio fra noi dimora,
ch'a tanto paragon non sembri estinta?
E pur v'è alcun che la beltà dipinta
8. d'una fronte mortal, misero, adora?
Non traviar dal dritto, ebra mia mente.
Se l'alba è così bella e sì vezzosa,
11. quanto è più bello il suo Fattor possente?
In lui biancheggia il giglio, arde la rosa,
e splende puro il sole eternamente;
14. se tu miri Lui sol, miri ogni cosa.

VI

Chiede grazia a Dio di disprezzare totalmente il mondo.

Signor, di libertà dono ti chiesi
per legarmi a te solo, e tu me 'l desti;
ma il reo costume e gli avversari infesti
4. mi dillungano assai da quel ch'intesi.
Altri giunge colà dov'io pretesi

un tempo e qui s'avanza, or quegli or questi
pur mi punge la vista; agili e presti
8. tornano i pensier folli ond'io ti offesi.
    Tiene di me il possesso omai la fossa;
che voglio curar più d'onori e d'oro,
11. che non son atti a rinnovarmi l'ossa?
    Abbiasi chi si voglia il primo alloro;
fa' ch'a me non ne caglia, e che dir possa:
14. tutto nelle tue piaghe ho il mio tesoro.

VII

Per mutar paese le piaghe dell'animo non sanano.

    Sperai con trar lontano il piè fugace
da la magion natia, fuggir gli affanni,
e partito di là corsi molt'anni
4. paese peregrin, cercando pace.
    Ma l'intestino suo morbo verace
chi è colui che con la fuga inganni?
Fin che ho meco me stesso ho meco i danni;
8. tutto, se me non lascio, in van mi spiace.
    Così se del mio mal cerco l'autore
e 'l mio nemico e la mia guerra insana,
11. trovo che son io stesso il mio dolore.
    Oh medicina infruttuosa e vana
il cangiar loco! Un ulcerato core
14. per estrinseco antidoto non sana.

VIII

Sulle ruine di Roma antica.

Ti cerco in te: né poco omai né molto
trovar ti posso, alta città di Marte.
Vivi ne' marmi no, ma ne le carte,
4. e cadavere giaci in te sepolto.

Quel fasto de' trionfi in cui fu accolto
quant'ha di maestoso in ogni parte,
quella di guerra formidabil arte,
8. quell'imperio del mondo ov'è rivolto?

A tua confusion de' prischi ossari
riman la fama; e l'immortal memoria
11. è morte a te di cruccio e di dolori.

Se tante monarchie varia vittoria
ti fe' soggette, o sfortunati allori!
14. Falli rogo funebre a la tua gloria.

PIETRO PAOLO BISSARI

I

Fiore in bocca.

Stringi e mordi quel fior, bocca amorosa,
ch'emulo a tua beltà gli ostri e i candori
ardì spiegare ai mattutini albori,
4. e fare in onta tua pompa odorosa.
    È dover ch'egli cada, e tu sdegnosa
vindice sia de' tuoi contesi onori,
ch'abbiano in te la tomba i suoi colori,
8. che per te resti ogni lor pompa ascosa.
    Ma che? fra quelle labbra ei muor beato:
ché dolce e lieto fin ben fia ch'apporte
11. languir tra vezzi, e poi morir baciato.
    Felice fior, deh fosse dato in sorte
ch'io rinascendo a più felice stato,
14. cangiassi il viver mio con la tua morte.

GIAN FRANCESCO BUSENELLO

I

Lamento.

Sera, aurora alle stelle, alba alla luna,
ch'al periodo del sole il punto fai,
presta a pensieri miei tua veste bruna:
4. ruggiade de' miei pianti a cambio avrai.
D'ogni mio ben già tramontano i rai,
né mi germoglia al cor più speme alcuna;
quel rio destin che m'inabissa in guai
8. reciso ha tutto il crin di mia fortuna.
M'insegnin le tue tenebre la via
ch'all'inferno d'amor dona passaggio,
11. e si vada a eternar la pena mia:
io, senza far a tuoi silenzi oltraggio,
de miei sospiri muti in compagnia,
14. drizzerò verso morte il mio viaggio.

II

Sua donna in maschera.

La rea del mio morir, dolce omicida
di quest'arbitrio mio suo servo umile,
le membra ammanta di vestir virile,
4. che discender faria l'aquila in Ida.

I cori amanti a dolce lotta sfida
con la beltà ch'ha in ciel forse il simile;
sembianza ambigua in novità gentile
8. con armi ermafrodite avvien ch'ancida.
    Idolatrar nume sì bel m'appago:
vestite da narcisi le viole
11. hanno color delicioso e vago.
    Stupor mi lega i sensi e le parole,
ché veder parmi in disusata imago
14. una stella coll'abito di sole.

III

Ecce enim in iniquitatibus conceptus sum.

Chi dà il corpo, dà l'ombra: il sole istesso
non che la luna ha maculato il volto;
smodera nel difetto e nell'eccesso
4. ciò che nel grembo alla natura è avvolto.
    Chi raffigura saggio il mondo stolto
di follia volontaria ha il core impresso:
al cader, all'error sempre è rivolto;
8. piè che vacilla ha il precipizio appresso.
    Quel latte ch'alimenta il viver frale
è cibo del peccar che in noi creato,
11. pria che il passo moviam, destende l'ale.
    O chiuda un'ombra o non s'adiri il fato,
quel che si chiama in noi sangue vitale
14. scalda le colpe e nelle colpe è nato.

IV

Vanità d'umane grandezze.

Uom forsennato, ahi, qual follia t'induce
a bramar statue, a sospirar colossi?
Un momento a gran pena viver puossi:
4. la vita e il lampo hanno la stessa luce.
    Tutte le rimembranze in sé traduce
l'oblio che gli archi e gli obelischi ha scossi;
gli anfiteatri da l'età percossi
8. son polvi in cui vil titolo riluce.
    A che vigilie impieghi e ti consumi?
Tua memoria, varcata a regni bui,
11. ombra non lascierà de' tuoi costumi.
    Se cadi tu, non ti fidar d'altrui:
l'esser è un nulla ed i respir son fumi,
14. e il marmo esprime inutilmente un fui.

LEONARDO QUIRINI

I

Fiore che langue in bocca di bella donna.

Se già fosti felice
pargoletto odorato,
allor che a pena nato
avesti cuna di smeraldo in sorte,
5. or sei beato in morte:
che da quei labri, ove la morte prendi,
d'animato rubin la tomba attendi,
e te 'n mori baciato;
ché chi tra i baci è ucciso,
10. è un morto in paradiso.
Così pur potess'io
la tua morte comprar col viver mio.

II

La bella bruna.

Bruna sei tu, ma 'l bruno
in guisa tal col bello tuo si mesce
che beltà non ti toglie, anzi t'accresce;
e di quel brun s'appaga
5. mia vista sì che di mirarti è vaga;
come agli occhi è più grato
cinto di nube il sol, che disvelato.

III

Giuoco di neve.

Cadeva a poco a poco
giù dagli aerei campi
gelata pioggia e ne copriva i tetti,
quando l'idolo mio
5.   ch'era in sublime loco,
vago pur di ferirmi,
non ritrovando altr'armi
a piagar più possenti,
s'accinse ad aventarmi
10.   di quell'argenteo umor folgori algenti.
Aventava egli, ed io
benché cauto schermirmi
fui colto, oimè. Meravigliosi effetti:
sentii il gel feritore,
15.   agghiacciandomi il seno, ardermi il core.

IV

Nome d'Anna.

La donna del mio core
forma (chi 'l crederia?) l'anno d'Amore.
Primavera ha nel volto,
dà nel sen tumidetto
5.   all'autunno ricetto,
ne' rai, s'io dritto scerno,
porta la state, ed ha nel core il verno.

III. — 11. *egli*: cioè l'idolo mio.

Pietro Paolo Bissari

(Da *Le glorie degl'Incogniti*, Venezia, 1647).

PAOLO ABRIANI

I

Crini interposti casualmente ad un bacio furtivo.

Delle labbra di Lilla, amante ardito
libar tentai, di furto almen, le rose,
e sì la strinsi al sen che in van s'oppose
4.   mano eburnea a impedir l'inganno ordito.
    Ma il bacio ch'io rapia, mi fu rapito
dal crin che sciolto all'aure il labbro ascose,
e così folta allor siepe compose,
8.   ch'io restai nel baciar punto e schernito.
    Or va, diss'ella, ed a rapirmi impara,
stolto machinator di tue ruine,
11.   quella, ch'io dar negai, gioia sì cara.
    Ecco ch'espresso omai t'addita il crine
che negli orti d'Amor tua voglia avara
14.   rose coglier non può, ma frondi e spine.

II

Per il ballo di bella donna.

Alle leggi del suon sì dolce move
in maestrevol danza Aurilla il piede,
che ai suoi tremuli moti il senso crede
4.   mirar brillante in ciel Ciprigna o Giove.

Sveglia ogni passo a meraviglie nove,
o se snella talor s'inoltra o riede,
o se qual lieve fiamma alzar si vede
8.   o qui linea formar o cerchio altrove.
        Così mentre al salir le fiamme imita,
le stelle nel brillar disfida altera,
11.   e 'l ciel ne' giri al paragone invita.
        A spettacol sì degno estasi vera
l'anima prova, e vien da lei rapita
14.   quasi minor dalla suprema sfera.

III

Lucerna moribonda.

Mentre all'occaso tuo, lucerna fida,
giungi allor ch'io rivolgo alti volumi,
chiamoti d'ira pien con torvi lumi
4.   delle vigilie mie perfida guida.
        Ma tua fiamma spirante ecco mi sgrida,
e dice: — O tu che di saper presumi,
e sovra i fogli altrui l'ore consumi,
8.   leggi nel mio morir tua vita infida.
        Io spiro omai perché il vitale umore
tutto è consunto; e tu sempre ai confini
11.   di morte sei benché l'età s'infiore.
        Io mi scuoto a un sospir, tu al fin ruini;
il mio riede, il tuo raggio al mondo more;
14.   io viva aspiro al ciel, tu al centro inclini.

CIRO DI PERS

I

Bella donna con un fanciullo in braccio.

Vago fanciul, che fra le braccia stretto
de la mia dea, dal suo bel collo pendi,
e l'inesperta man scherzando stendi
4. or agli occhi or al labro or al bel petto;
    tu di doglia incapace e di diletto,
tocchi il sol, tratti il foco e non t'accendi,
siedi in grembo a la gioia e non l'intendi;
8. oh quanto per te provo invido affetto!
    Deh, potess'io cangiar teco il mio stato;
ché possessor di sconosciuto bene
11. sarei non infelice e non beato.
    Già ch'intero piacer qua giù non viene,
se ventura al gioir mi nega il fato,
14. mi negasse egli ancor senso a le pene!

II

Lidia invecchiata vuol parer giovine.

Mentre vuoi riparar del tempo il danno,
il tempo, o Lidia, inutilmente spendi;
quell'ore stesse ch'a lisciarti attendi
4. per giovane parer, vecchia ti fanno.
    I mentiti color forza non hanno

di destar, di nutrir d'amor gl'incendi;
cedi, cedi pur vinta e l'arme rendi,
8. ché 'nvan contrasti al volator tiranno.
    Così cadendo va bellezza umana,
e per riparo ogni sostegno è frale
11. e per ristoro ogni fatica è vana.
    Ah, che l'impiastro tuo punto non vale
per le piaghe del tempo, e sol risana
14. le piaghe in me de l'amoroso strale.

III

Per la medesima.

Ah come poco incontr'al tempo dura
di caduca beltà raggio terreno,
che sen' fugge qual rapido baleno,
4. e ritenerlo invan l'arte procura.
    L'etade, o Lidia, al crin gli ori ti fura
e gli ostri al volto e gli alabastri al seno,
e turba de la fronte il bel sereno,
8. e de' begli occhi il chiaro lume oscura.
    Nel giardin de le Grazie e degli Amori
solca indiscreto il vomere degli anni
11. non perdonando a' più leggiadri fiori.
    E tu sciocca cultrice in van t'affanni,
che per nutrir d'esca mentita i cori
14. vai tra que' solchi seminando inganni.

IV

Bella dipanatrice.

Un girevole ordigno oggi volgea
Filli, di bianco stame intorno avvolto,
che d'ampio cerchio in picciol globo accolto,

4. quanto scemava l'un, l'altro crescea.
         Quella la rota d'Ission credea
    il mio cor ch'in que' giri era rivolto;
    se ben colei che l'aggirava, al volto
8. più ch'una furia un angelo parea.
         Lo stame quello fu de la mia vita,
    ch'io vedea con piacevoli martiri
11. passar di bella parca in fra le dita.
         E se pria dilatossi in ampi giri,
    or la raccoglie in uno, e vuol ch'unita
14. solo nel suo bel volto e viva e spiri.

V

Al sonno.

    O sonno, tu ben sei fra i doni eletti
    dal ciel concesso ai miseri mortali;
    tu l'agitato sen placido assali
4. e tregua apporti ai combattuti affetti.
         Tu d'un soave oblio spargendo i petti,
    raddolcisci i martir, sospendi i mali;
    tu dài posa e ristoro ai sensi frali,
8. tu le tenebre accorci e l'alba affretti.
         Tu de la bella Pasitea consorte,
    tu figliuolo d'Astrea, per te di paro
11. van fortuna servile e regia sorte.
         Ma ciò che mi ti rende assai più caro
    è ch'a l'orror de l'aborrita morte
14. io col tuo mezzo ad avvezzarmi imparo.

IV. — 5. *la rota d'Ission*: cioè un supplizio infernale.

VI

In morte d'un amico.

Non si vive qua giù, né questa è vita
ma di vita un'imagine fallace.
Noi non avvezzi al ver stimiam verace
4.   quest'ombra vana a l'apparir sparita.
     L'alma immortal col mortal corpo unita
a se medesma isconosciuta giace;
che de l'esser di lei solo è capace
8.   puro ciel, loco immenso, età infinita.
     Tu da quest'ombre al ver, *Giorgio*, passasti:
tu, deposto del corpo il grave pondo,
11.   puro spirto e beato al ciel volasti.
     E volto il guardo in giù lieto e giocondo,
dici, schernendo i nostri umani fasti:
14.   — È spazio angusto a una sol'alma il mondo.

VII

Per una nipotina dell'Autore che visse pochi giorni.

Fortunata fanciulla, al ciel nascesti
non a la terra, e non ti fu immatura
l'ora fatal che dei tesor celesti
4.   e de l'eterno ben ti fe' sicura.
     Tu breve il corso de la morte avesti,
che con lungo penare altri misura;
la frale umanità poco piangesti,
8.   poco spirasti di quest'aria impura.
     Chi solca il mar del mondo ogn'or aduna
maggior peso di colpa, e 'l cammin torto
11.   sul tardi de l'età vie più s'imbruna.
     Viaggio avesti tu spedito e corto;
navicella gentil fu la tua cuna,
14.   che ti sbarcò del paradiso al porto.

VIII

Travagliato l'Autore da mal di pietra nell'età sua d'anni 60 compiti.

Son ne le reni mie, dunque, formati
i duri sassi a la mia vita infesti,
che fansi ognor più gravi e più molesti,
4. ch'han de' miei giorni i termini segnati?
 S'altri con bianche pietre i dì beati
nota, io noto con esse i dì funesti;
servono i sassi a fabricar, ma questi
8. a distrugger la fabrica son nati.
 Io ben posso chiamar mia sorte dura
s'ella è di pietra! Ha preso a lapidarmi
11. da la parte di dentro la natura.
 So che su queste pietre arrota l'armi
la morte, e che a formar la sepoltura
14. ne le viscere mie nascono i marmi.

IX

Orologio da rote.

Mobile ordigno di dentate rote
lacera il giorno e lo divide in ore,
ed ha scritto di fuor con fosche note
4. a chi legger le sa: SEMPRE SI MORE.
 Mentre il metallo concavo percuote,
voce funesta mi risuona al core;
né del fato spiegar meglio si puote
8. che con voce di bronzo il rio tenore.
 Perch'io non speri mai riposo o pace,
questo che sembra in un timpano e tromba,
11. mi sfida ognor contro l'età vorace.
 E con que' colpi onde 'l metal rimbomba,
affretta il corso al secolo fugace,
14. e perché s'apra ognor picchia a la tomba.

X

Terremoto.

Deh, qual possente man con forze ignote
il terreno a crollar sì spesso riede?
Non è chiuso vapor, come altri crede,
4. né sognato tridente il suol percuote.
    Certo la terra si risente e scuote
perché del peccator l'aggrava il piede,
e i nostri corpi impaziente chiede
8. per riempir le sue spelonche vote.
    È linguaggio del ciel che ne riprende
il turbo, il tuono, il fulmine, il baleno;
11. or parla anco la terra in note orrende,
    perché l'uom, ch'esser vuol tutto terreno,
né del cielo il parlar straniero intende,
14. il parlar de la terra intenda almeno.

XI

Arsura intempestiva.

D'intempestivo ardor l'aria s'accende:
mirasi in grembo a primavera il fiore
moribondo esalar l'ultimo odore,
4. e per dargli sepolcro il suol si fende.
    Fresc'aura per lo ciel volo non stende:
ché incenerite ha l'ale a tanto ardore.
Langue la messe, e di piovoso umore
8. in van ristoro a la sua sete attende.
    Fervido è 'l Tauro, e di gran fiamma ardente
ne promette il Leon. Deh quale intanto
11. soccorso avrà la sbigottita gente?

X. — 4. Secondo la mitologia Nettuno col suo tridente faceva tremare la
terra.

Di far pietoso il ciel non si dia vanto;
che s'a placarlo è 'l pianto sol possente,
14. omai negli occhi inaridito è 'l pianto.

XII

Italia calamitosa. Lamentazione.

Chi mi toglie a me stesso?
qual novello furor m'agita il petto?
chi mi rapisce? Io seguo ove mi traggi,
io seguo, o divo Apollo,
5. o vuoi per l'erte cime
del tessalico Pindo,
o su l'amene balze
del beato Elicona,
o lungo i puri gorghi
10. de l'arcado Ippocrene,
o presso i sacri fonti
di Permesso, Aganippe, Ascra e Libetro.
Ecco la cetra a cui marito i carmi,
che d'ogni legge sciolti
15. van con libero piede
a palesar d'un cor liberi sensi.
O de l'idalie selve
temuto nume, s'io rivolgo altrove
lo stil ch'a te sacrai, che d'altro a pena
20. seppe mai risuonar che de' tuoi vanti
e di colei del cui bel ciglio altero
formasti l'arco a saettarmi il petto,

XII. — 6-12. *Pindo* (monte della Tessaglia), *Elicona* (monte della Beozia),
Ippocrene (fonte dell'Elicona), *Permesso* (fiume nato dall'Elicona), *Aganippe* (figlia
del fiume Permesso trasformata in fonte), *Ascra* (borgo della Beozia sull'Elicona),
Libetro (fonte della Tessaglia): erano sacri ad Apollo e alle Muse.
17-18. Venere (Idalio era la città di Cipro dove Venere aveva un tempio
famoso).

tu mi perdona ed ella;
le mie querule note
25.   non parleran d'amore.
Lungi da me, deh, lungi
ogni tenero affetto.
un'orrida pietà mista di sdegno
tempri le corde al mio canoro legno.
30.   Veggo da' fonti uscite
del torbido Acheronte
errar crinite d'angui
per l'italico ciel le Furie ultrici.
L'una pallida, asciutta,
35.   l'ossa a pena ricopre
con pelle adusta, e le canine fauci
con radici satolla, ed a se stessa
i morsi non perdona,
e falce orrida stringe
40.   con cui disperde l'immatura messe.
L'altra, tutta stillante
di caldo sangue, il nudo ferro impugna,
e lo sdegno ha negli occhi,
gli oltraggi nella lingua,
45.   nella fronte il disprezzo, in man la morte.
La terza atro veneno
vomita da la gola,
ch'ovunque passa impallidisce il suolo
e d'orrido squallor l'aere ingombra;
50.   e di vive ceraste
scuote una sferza, ai cui tremendi fischi
sbigottisce l'ardire, ed ella intanto
con orribil trionfo
sui monti de' cadaveri passeggia.
55.   Perché il timor de' numi
impari ogni mortale,
questo drappel feroce

34. Questa prima Furia simboleggia la carestia, come la seconda la guerra
e la terza la peste.

quasi in un'ampia scena
negl'italici campi
60.   fa di se stesso portentosa mostra.
Chi può con occhio asciutto
a spettacol sì fiero
rigido starsi, ha ben ricinto il core
del più duro metallo, e chiude in seno
65.   viscere adamantine.
    Oh in quante strane guise
languir si mira il villanel digiuno,
chino in su quella terra
che mentì le promesse
70.   e la speme ingannò de l'anno intero,
chiederle almen la tomba,
se gli negò la mensa!
Altri alle sorde porte
de l'usurier crudele
75.   sospira indarno e le preghiere vane
termina con la vita.
Altri, di strani cibi
né pur tocchi finora
dai ferini palati empiendo l'alvo,
80.   per la morte fuggir la morte affretta.
Altri, mentre pur trova
chi con tarda pietate
la sospirata Cerere gli porge,
entro gli avidi morsi
85.   lascia la vita. Altri, de l'empia Parca
scorto il fatale irreparabil colpo,
cadavere spirante
porta se stesso a la vorace tomba.
    Con qual orror s'ascolta,
90.   con qual orror si mira,
da furor inuman barbara gente
spinta al sangue, a le prede,

---

83. *la sospirata Cerere*: il pane.

mischiar stragi e ruine,
e per lieve cagione

95. l'armi dovute a vendicar gli oltraggi
del fero usurpator dell'Oriente
volger contro a se stessi
quei che del vero Dio vantan la legge!
   Duro a veder ne' campi,

100. ove già lieto il mietitor solea
di Cerere maturi
raccorre i doni, or animate biade
mieter la morte ed ingrassar col sangue,
spaventosa cultrice,

105. le glebe abbandonate.
   Duro a veder l'ampie città, le ville
del vincitore ingordo
fatte misera preda, indi gli avanzi
dati alle fiamme e le delizie amene

110. de' bei palagi, antico
sudor degli avi, in breve ora consunti;
e le sacre a Lieo vigne feconde
potate in strane guise
da l'indiscreto ferro,

115. sì che mai più non chieda
da lor, se non indarno,
o frondi il maggio o grappoli l'autunno.
   Duro a veder su' geniali letti,
prima di sangue aspersi,

120. le caste mogli violarsi; e duro
veder l'amate figlie
immature a le nozze
fatte ludibrio e scherno
più che diletto di sfrenate voglie;

125. e per ischerzo barbaro, inumano,
a pena nati i pargoletti infanti
macchiar le cune d'innocente sangue.

96. I Turchi.

Ma più duro a veder ne' sacri templi,
vano refugio ai miseri, trattarsi
130.   i misfatti più gravi,
e la votata al cielo
sacra verginità ne' sacri chiostri
a le celesti spose
con sacrileghi amori
135.   rapire, e dispogliando
gli altari istessi, dagl'istessi numi
non astener le scelerate destre.
      Ahi, qual da l'altra parte
miserabil spettacolo mi tragge,
140.   ove la peste orrenda
diserta le cittadi? A cento a cento
cadon gli egri mortali
d'ogni età, d'ogni sesso e d'ogni grado,
cui nulla giova l'arte
145.   del buon vecchio di Coo,
con quante man perita
svelle radici in Ponto,
e con quanti raccoglie
ricchi sudor dagli arbori di Saba;
150.   anzi il medico istesso
cade ne l'opra e i propri studi accusa,
sì che ognun fatto accorto
che ne l'altrui soccorso è il proprio danno,
fugge, ma spesso indarno,
155.   ché prevenuta è dal malor la fuga.
      Non v'è nodo di fede
che con l'amico infermo
stringa l'amico, e col padrone il servo;
anzi a l'estremo passo,
160.   privo ognun di conforto,
non ha l'antico padre
pur un de' figli a cui

---

145. *Coo*: era la patria di Ippocrate.
149. *Saba*: regione dell'Arabia Felice ricca d'incenso.

dia gli ultimi ricordi,
né che gli serri con gli estremi uffici
165.   i moribondi lumi,
e la canuta madre
cerca indarno con gli occhi,
che dèe chiuder per sempre,
la sua diletta prole;
170.   ma si fugge, s'aborre
dal fratello il fratello,
dal figlio il genitore,
dal genitore il figlio;
e da la casta moglie
175.   s'oblia l'amor pudico
verso il caro marito,
parte già di se stessa.
Solo spavento, invece
de' già sì dolci affetti
180.   di carità, d'amore,
entro le menti sbigottite alberga.
    Son muti i fòri e sono
l'officine oziose,
ogn'arte abbandonata;
185.   la messe già matura
entro i campi negletti
l'agricoltore oblia;
e sui tralci pendenti
del dolce ismenio nume
190.   lascia invecchiare inutilmente i doni;
lascia senza custode
andar la greggia errando,
inerme preda ai fieri lupi ingordi.
Di ragunar tesori
195.   la sollecita cura
oblia l'avaro; e l'iracondo oblia
gli antichi sdegni, e degli amati lumi
non apprezza il lascivo i dolci sguardi,

---

189. Bacco è detto *ismenio* cioè tebano (Ismenio è un fiume della Beozia presso Tebe) perché nato da Semele figlia di Cadmo fondatore di Tebe.

rivolgendo i sospiri a miglior uso.

200.   Per le vie già frequenti e per le piazze
già strepitose alto silenzio s'ode
e strana solitudine s'ammira,
se non se 'n quanto ad or ad or si scorge
senza pompa funèbre
205. portarsi in lunghe schiere
a sepellir gli estinti.
Sceglie le tombe il caso, onde ciascuno
fra ceneri straniere
nel sepolcro non suo confuso giace;
210. ma gran parte insepolta
ingombra i campi intorno,
o di rapido fiume
si raccomanda a l'onde,
esca al pesce, alla fera,
215. se i cadaveri infetti
non abborrisce ancor la fera e 'l pesce.
Né pur con una sola
lacrima s'accompagna
il folto stuol de' miseri defonti,
220. poscia che lo spavento
ha ne le luci istupidito il pianto.
    O già sì bella Italia e sì felice,
ah quanto, oimè, da quella
diversa sei! da quella che solea
225. con dilettosa invidia
vagheggiarsi dai popoli stranieri!
D'ogni miseria colma,
spettacolo doglioso a l'altrui vista
t'offri, a mostrar ch'in terra
230. ogni felicità passa fugace.
    Santi numi del cielo,
ch'onnipotenti e giusti
con providenza eterna
le vicende ordinate
235. de le cose mortali,
io non mi volgo a voi;

so ben che i nostri errori
son gravi sì ch'in paragon leggiere
s'han da stimar le pene.

240.   Ma ben mi volgo a voi, numi terreni,
a voi che de l'Europa il fren reggete,
e che dai seggi eccelsi
date le leggi al popolo ch'adora
con vero culto deità non falsa.

245. Poscia che i vostri immoderati affetti
e quella poco giusta arte d'impero,
che voi chiamar solete
ragion di stato e gelosia di regno,
sono, a chi il dritto mira,

250. in gran parte cagion di tanti mali.
Tu che sostieni il glorioso scettro
dell'impero roman, tu che correggi
con la destra possente
la gran Germania, al cui valor sovrano

255. serva è fortuna, obbediente il fato;
tu che a tanti rubelli
depor facesti il pertinace orgoglio,
tu che i santi disdegni
rivolti avevi a fulminar sugli empi

260. che con rito profano
tolgon l'antico culto ai sacri altari;
perché tronchi nel mezzo
un'opra sì magnanima e sì giusta?
Qual di ministro infido

265. consiglio interessato
ti fa stimar più degno
de l'ire tue sul Mincio un tuo vassallo,
che fuor che 'l regno avito,
per legge a lui dovuto e per natura,

---

251. *Tu*: l'imperatore Ferdinando II.

264-278. Si accenna alla famosa discesa, avvenuta nell'estate del 1629, dell'esercito imperiale contro Mantova, dove Carlo di Gonzaga Nevers aveva assunto la corona ducale.

FRA CIRO DE' SS.ti DI PERS,
CAV.r GIEROSOLIMITÁNO

Ciro di Pers

Rame inciso in fronte alle sue *Poesie*
(Venezia, Poletti, 1689).

270. altro non chiede? E se dimostra in questo
forse minor la riverenza in parte
che a te si deve, è tanta
però la colpa che mandar convegna
cento barbare squadre
275. nei campi ausoni a comperar la morte
a prezzo di ben mille
stragi, ruine, violenze, furti,
rapine, incendi, sacrilegi e stupri?
e (quel che fa più giusti
280. miei gridi) a seminar gli empi veneni
de l'idra di Lutero e di Calvino,
onde s'infetti (ah, nol permetta il cielo!)
la bella Italia, ch'è maestra e madre
de la religion verace e santa?
285. E poi, se 'l turco infido
ti spezza la corona
degli ungarici regni in su la fronte,
e per sé ne ritien la miglior parte,
non par che te ne curi!
290. In contro lui t'adira;
è colà degno campo
a tua possanza, a tua fortuna augusta.
Che tardi a vendicar gli antichi oltraggi?
Non son, non son giganti
295. i traci, no. San paventar la morte
anch'essi, e san fuggendo
a vergognose piaghe esporre il tergo.
      Tu che a la Francia imperi,
invitto re de' bellicosi Galli;
300. tu cui fin nella culla
fanciulleschi trastulli
furo i guerrieri arnesi,
nutrito a l'ombra de' paterni allori,
da la cui forte destra

298. *Tu*: il re Luigi XIII.

305. se piantate non son, fiorir non sanno
      le marziali palme;
      ben da giust'ira spinto
      l'armi vittoriose
      finor movesti, o se dall'empie tane
310. scacci il rubello e i profanati templi
      ritorni al vero culto o se soccorri
      l'amico oppresso. Ah, qui l'impeto affrena;
      né d'italici acquisti
      pensa a glorie, minori
315. del vasto animo tuo. Volgi la mente
      de' tuoi grand'avi a le famose imprese;
      essi per simil opre
      non salir de la gloria a l'erte cime,
      ma perché su l'Oronte e sul Giordano
320. trofei piantaro e gloriosi e santi,
      e di palme idumee cinser le chiome.
      Là t'invitan gli esempi,
      ti chiaman là quei generosi spirti
      che nutri in sen, di nobil fama ingordi.
325. Non sa sperar altronde
      che dal franco valor giusta vendetta
      da tanti oltraggi e tanti
      la sacra tomba. A servitù profana
      tolta due volte l'ha gallico ardire:
330. or serba a la tua fronte il terzo alloro.
      Vanne e 'n quel sacro marmo
      con la tua spada intaglia
      il titolo di giusto,
      se poscia vuoi che si registri in cielo.
335.   Tu, gran monarca ispano,
      che di cento corone
      gravi la fronte, al cui possente scettro

---

319. *l'Oronte*: è il fiume che attraversa la Siria; il *Giordano* la Palestina.
321. *idumee*: di Palestina. L'Idumea è una regione della Palestina. Sono qui
indicate le crociate a cui parteciparono gli antichi re di Francia.
335. *Tu*: Filippo IV.

più d'un mondo s'inchina,
che, se dal ciel scendesse
340.   teco a partir l'impero
della mole terrena il sommo Giove,
più da lasciar che da pigliare avresti;
tu, che quando il sol nasce e quando more,
a lui presti la cuna, a lui la tomba;
345.   a che dar loco a così bassa cura,
fra i tuoi vasti pensieri,
di creder che t'importi
ch'un più ch'un altro regga
ne' lombardi confin poche castella,
350.   sì che tutti i tuoi fulmini apparecchi
contro il signor di Manto
cui tu dovresti a pena
degnar de' tuoi magnanimi disdegni?
Almen, se non ti preme
355.   che il Belga ribellante
schernisca già tant'anni
le tue giust'ire, a l'Africa ti volgi.
Ella ti siede a fronte
per lungo tratto teco
360.   antichi odi professa e spesso ardisce
mandar pochi corsari
a depredar de' regni tuoi le sponde.
Se colà volgi l'armi,
i tuoi guerrieri allori
365.   ne la terra e nel cielo
germoglieran frutti di gloria eterni.
    Tu, veneto Leon, tu che raffreni
con giusto impero i flutti
d'Adria, tu che fuggendo
370.   de le spade barbariche l'oltraggio,
con pacifiche leggi
sovra l'onde incostanti
stabil sede fondasti a regno eterno,
ov'han fido ricovro i grandi avanzi
375.   della famosa libertà latina;

deponi omai, deponi
l'antica gelosia. Forse non hanno
i possenti vicini
tanto le voglie ingorde
380.   d'aggrandir co' tuoi danni; o se pur l'hanno,
il ciel ch'ha di te cura,
renderà vani i loro ingiusti sforzi.
Mentre esser puoi delle tragedie altrui
spettator, non ti caglia
385.   entrar in scena a recitar la parte;
riserba i tuoi tesori a miglior uso,
fin che tramonti l'ottomana luna,
che dal sublime punto
le rintuzzate corna
390.   omai piega declive inver' l'occaso;
allor ne' greci regni
offriransi al tuo crin ben cento allori.
Intanto, già che brama
teco l'aquila augusta
395.   stringer nodo d'amor, nodo di pace,
tu 'l dèi gradir, ché forse
vuol ragion che congiunta
sia col re de le fere
la regina del popolo volante.
400.   Tu, regnator de l'Alpi,
che quinci stendi ne l'Italia e quindi
l'antico scettro ne la Francia, ah tanto
non t'alletti la pompa
de' paterni trofei, che non raffreni
405.   gli spiriti magnanimi e feroci
ch'altro apprezzar non sanno
che bellicose palme!
Deh, lascia che riposi,

398-399. Sia congiunta con il leone (insegna di Venezia) l'aquila (degli Absburgo).
400. *Tu*: Carlo Emanuele I.
404. di Emanuele Filiberto.

dopo tanti travagli,
410. a l'ombra sospirata
di pacifiche olive
il tuo popol divoto,
finché più nobil tromba
a ricalcar ti chiami
415. l'orme de' tuoi grand'avi in Oriente.
        Ma tu, del Vatican pastor sublime,
padre comun che premi il trono santo
che più d'ogni altro in terra al ciel s'appressa,
so ben ch'ogni tua cura
420. rivolgi a l'util nostro;
so ben che i tuoi pensieri
altro oggetto non hanno
che 'l servigio di lui, che tra' mortali
in sua vece t'ha posto;
425. e so che l'api tue,
per fabricar favi di pace in terra,
favi di gloria in cielo,
entro i prati fioriti
de le potenze umane
430. cercan diversi fiori,
né volan solo ai gigli,
com'altri pensa. Così il cielo ascolti
i santi voti tuoi, sì che tu scorga
la tua diletta greggia,
435. sommerso in Lete ogni privato sdegno,
passar con voglie unite
ne l'Asia a racquistar gli antichi ovili,
e l'abbattuta croce
a raddrizzar sul Tauro e sul Carmelo.
440.   Arresta, o cetra, i carmi;
troppo lungo è 'l mio canto; io qui t'appendo,
non come pria d'un verde mirto ai rami,

---

416. Urbano VIII Barberini, sul cui stemma erano le api a cui allude il v. 425.
    439. *Tauro*: catena di monti dell'Asia minore; *Carmelo*: catena di monti
della bassa Galilea.

ma d'un secco cipresso,
per non toccarti più fin che non si mostri
il cielo udir placato i voti nostri.

XIII

La divina predestinazione e grazia conforme Sant'Agostino.

O muse, o voi ch'ove 'l Castalio inonda
bever torbidi umori a sdegno avete,
ma del sacro Giordan lungo la sponda
4.   v'è diletto appagar più nobil sete;
datemi note ad abbassar possenti
l'orgoglio ond'uomo in suo voler si fida,
e si crede appressar gli astri lucenti
8.   se sua cieca ragion prende per guida.
Ah, che gli occhi de l'alma adombra a l'uomo
caliginoso orror di nebbia inferna,
da che la destra a l'interdetto pomo
12.   stendendo, offese la giustizia eterna.
Quindi da false imagini di bene
deluso, ognor va d'uno in altro errore,
né pur in mente un sol pensier gli viene
16.   che l'inviti a calcar strada migliore.
Né forza ha d'eseguir quanto comanda
la sacra legge del verace nume,
se divino favor dal ciel non manda
20.   di grazia in lui non meritato lume.
Allor col proprio arbitrio al ben ch'intende,
e volontario e libero si move;
allor per l'erta faticosa ascende,
24.   ché sono a sciolto piè facili prove;
allor declina i precipizi, allora
fugge i delitti infra i diletti ascosi;
non han per lui sirene arte canora,
28.   non han per lui vaghezza ostri pomposi.

Tutto in virtù di quell'interna aita,
ch'a suo piacere il gran motor dispensa,
dagl'influssi di lui l'anima ha vita,
32. egli la pasce ad invisibil mensa.

Nulla abbiam che sia nostro; il vanto cessi
d'un retto oprar, d'una costante fede;
diasi pur lode a Dio; da lui concessi
36. tai doni son, né merto alcun precede.

L'alto voler divin, prima che l'ali
spiegasse il tempo a infaticabil volo,
avea descritti entro gli eterni annali
40. gli eletti ad abitar là sovra il polo.

A questi ei preparò gli empirei seggi,
a questi agevolò gli aspri sentieri;
tu che ti fidi in tuo poter, vaneggi;
44. giunger là senza scorta indarno speri.

Ben ha folle pensier che si promette
più di sé che di Dio. Fidiamci in Lui,
e stimiam libertà ciò ch'ei commette
48. pronti eseguir, se troviam forze in nui.

Dannasi l'empio: è di giustizia effetto.
Salvasi il giusto: è di clemenza dono.
Questo è da diva man guidato e retto,
52. quei lasciato a se stesso in abbandono.

— Non viene a me, non viene alcun, se tratto
non è dal Padre mio. Prestisi fede
a le voci del Verbo: alcuno affatto
56. mai non perdei di quei ch'egli mi diede.

Sì disse il Verbo. È temeraria inchiesta
del consiglio divin cercar ragione,
perché quella a sé tragga e lasci questa
60. alma cader ne l'infernal prigione.

D'infinito saper scarsa misura
son pochi raggi d'intelletto umano.
Questi a noi la sensibile natura
64. secreti asconde, e 'l ricercarli è vano.

Ei che del ciel le stelle, ei che l'arene
numerate ha del mar, solo comprende

perché patisce l'un dovute pene,
68.   e l'altro a grazie non dovute ascende.
          Ma non quindi al peccar porgan licenza
       sciocchi argomenti, e dica alcun: — L'abisso
       o 'l ciel m'attende, né cangiar sentenza
72.   puossi di quel ch'eternamente è fisso.
          Perché, duro a me stesso, ognor co' prieghi
       inutilmente ho da stancar gli altari,
       se 'l decreto del ciel non fia ch'io pieghi,
76.   quando a me pene o premi egli prepari?
          Dunque, fia meglio a' lieti scherzi intento
       passar con Bacco e con Ciprigna il giorno,
       e 'l fugace piacer stringer contento,
80.   di tempestive rose il crine adorno.
          Stolto, non t'ingannar! Ciascun l'inferno
       col suo voler, col suo poter s'acquista;
       e la colpa onde merchi il danno eterno
84.   destinata non è, ma sol prevista.
          E per salire al ciel non solo i fini,
       ma i mezzi ancor son preparati; a Dio
       sol ne guida un sentier; mentre il cammini,
88.   forse puoi dir: — Son degli eletti anch'io.
          Ma se per altra via t'inoltri, oh quanto
       hai ragion di temere! E 'n fra i timori
       d'un danno eterno, ancor ti darai vanto
92.   di goder liete mense e lieti amori?
          Amareggiati e miseri contenti,
       che da la via del ciel tranno in disparte!
       Deh, siam quanto si puote al cielo intenti,
96.   grazie rendendo a chi 'l poter comparte!
          Di divina rugiada il seno asperso
       ne' dotti fogli suoi così ragiona,
       a le bestemmie di Pelagio avverso,
100.   il saggio, il santo, ond'è famosa Ippona.

XIII. — 100. S. Agostino, vescovo di Ippona, polemizzò contro Pelagio che esaltava il potere della libera volontà umana e negava il peccato originale e la necessità della grazia divina.

XIV

Della miseria e vanità umana.

Misera sorte umana,
e che cosa è qua giù che non sia vana?
Qua giù tra questa valle
del basso mondo, in questo
5. passaggio de la vita,
ch'altri se 'l crede stanza, e non s'accorge
che né pur un momento
lece fermar il corso,
onde rapidamente
10. ne spinge il tempo al destinato albergo.
E pur l'uom così intento affisa gli occhi
e del corpo e de l'alma
in questi oggetti che passando incontra,
ch'altro par che non miri,
15. ch'altro par che non pregi; e non s'avvede
che mentre in lor trattiene
e lo sguardo e 'l pensiero,
o gli ha trascorsi o non è giunto ancora;
e quel che sol gli tocca
20. fuggitivo momento,
rapido è sì ch'appena il sente il senso.
Misera sorte umana,
e che cosa è qua giù che non sia vana?
È la vita mortale
25. vana un'ombra che passa,
lieve un'aura che fugge,
quasi a raggi del sole apposta nebbia
che tosto si dilegua,
un lampo che venendo è già sparito,
30. un fior che nato appena
o lo rode la greggia,
o lo tronca la falce,
o lo svelle l'aratro,
o lo recide l'unghia,

35. o lo calpesta il piede,
    o turbine l'abbatte,
    o grandine l'oltraggia,
    o da soverchio ardor, soverchio gelo
    inaridito, inlanguidito cade.
40. Misera sorte umana,
    e che cosa è qua giù che non sia vana?
      Altri or suda, or agghiaccia
    sotto i fervidi raggi
    de' più cocenti soli,
45. sotto i gelidi oltraggi
    de' più freddi Aquiloni
    co 'l curvo aratro esercitando i campi;
    e con avara speme
    fida i semi a la terra,
50. perché con larga usura
    risponda a' voti suoi prodiga messe,
    e ad or ad or cruccioso
    incontro al ciel s'adira,
    ché gli par ch'a suo senno ei non alterni
55. del seren le vicende e de la pioggia;
    e ad or ad or paventa
    che nube in ciel risorga
    gravida de' suoi danni,
    e partorisca grandine ch'abbatta
60. ne le mature ariste
    la sua prossima speme,
    onde de l'anno intero
    la lunga fede un'ora breve inganni.
    Ed ecco, ecco ch'al fine
65. l'infelice cultor fatto cultura
    se 'n va co 'l proprio sangue
    ad ingrassare, a fecondar le glebe.
    Misera sorte umana,
    e che cosa è qua giù che non sia vana?
70.   Altri crede la vita
    sovra fragile abete al vento, a l'onda,
    e indocile a soffrir povera sorte

de' più remoti lidi
cercando va le peregrine spiagge,
75. fin che di ricche merci
colma la nave sì, ma non la voglia,
ecco, o rimane l'ingannata speme
e da' venti dispersa
e da l'onde sommersa,
80. o trascorsi i perigli
de la bugiarda Teti,
l'ancore affonda al desiato porto
e lieto appende al patrio nume i voti.
Ma non può far che in tanto
85. la nave de la vita
non trascorra veloce
al lido de la morte.
Spieghi la vela a qual si voglia vento,
diritta passi o si rivolga in giro,
90. abbia contrari, abbia secondi i flutti,
quel sol l'aspetta inevitabil porto.
Misera sorte umana,
e che cosa è qua giù che non sia vana?
Altri con lunga cura
95. sollecito s'affanna
per inalzar palagi
di materia superbi e di lavoro,
ma lasciando interrotta
e la speranza e l'opra
100. convien che vada ad abitar la tomba;
restan de' venti gioco,
de' fulmini bersaglio
l'eccelse moli un tempo;
ma poi scosse dagli anni
105. spargon d'alte rovine intorno il suolo.
Misera sorte umana,
e che cosa è qua giù che non sia vana?
Altri con voglie avare
ansioso travaglia
110. perché s'empiano d'oro ingorde l'arche,

e de le sue ricchezze,
fra cui mendico vive,
più che signor, custode,
altro piacer non tragge,
115.   altr'uso non conosce,
che di poterle vagheggiar con gli occhi;
ma tutti i suoi tesor non son bastanti
di pagar in suo nome
il debito comune a la natura;
120.   ond'a la fin lasciando
tutti i sudati acquisti
che da prodiga man vengon dispersi,
ne l'arche de la morte egli è riposto.
Misera sorte umana,
125.   e che cosa è qua giù che non sia vana?
         Altri ogni studio pone
per saper di natura
i profondi secreti,
e con mente inquieta
130.   vassene dagli effetti
investigando le cagioni ascose:
travaglioso pensier, insana cura
che forse il cielo diede
per occupar de l'uomo
135.   la curiosa mente;
e che altro al fine impara
dopo ben cento e cento
serene notti vigilate indarno,
che quel solo saper di non sapere?
140.   Misera sorte umana,
e che cosa è qua giù che non sia vana?
         Altri d'onore ingordo
cinto di duro usbergo
segue di Marte la sanguigna traccia,
145.   e sotto il freddo Giove
tragge le lunghe notti,
e 'l rauco suon di bellicosa tromba
gl'interrompe i riposi,

perché il fato incontrando
150. passi dal breve sonno al sonno eterno.
Ma s'anco gli perdona
il nemico furore,
e di ben mille palme
e di ben mille spoglie
155. carco ritorna a le paterne mura
e i trofei gloriosi agli archi appende,
non però de la morte
schifa l'armi fatali,
che 'l mandan là dove confuso e misto
160. non si discerne il vincitor dal vinto;
e quel ch'al mondo resta
lieve susurro e debole bisbiglio,
cui dan nome di gloria,
ne' regni sconosciuti,
165. che sono oltre i confin di questa vita,
o non s'ode o tormenta o non s'apprezza.
Misera sorte umana,
e che cosa è qua giù che non sia vana?
    Altri ne l'ozio molle
170. solo gradisce i placidi riposi,
e quai più lieti e quai più dolci oggetti
pon le brame appagar de' sensi frali
fortuna a lui consente;
a lui qual più soave
175. puote il senso allettare esca pregiata
prodiga man dispensa;
stilla a lui Creta di cidonii tralci
peregrine bevande;
a lui s'intreccia il crine, a lui s'adorna
180. qual più vaga fanciulla
ha nel suo regno Amore,
e con voglia concorde
dolcemente risponde a' suoi desiri.

XIV. — 177. *cidonii*: di Cidonia, celebre città antica dell'isola di Creta.

Oh imperfetti piacer, gioie fugaci!
185. Quella beltà lasciva,
ch'ei fa de' suoi pensieri unico oggetto,
ha di rose e ligustri
fiorito il volto e 'l seno,
ma poi cedendo in breve e questi e quelle
190. fuori che acute spine
che gli pungono il core,
fuori che nere bacche
che gli macchiano l'alma, altro non resta.
Goda pur lieto, goda
195. tra le festose cene
i delicati cibi,
in fin ch'egli divenga
di mille immondi vermi
putrido cibo, abbominevol esca;
200. goda pur lieto, goda
tra le morbide piume
i dolci abbracciamenti,
in fin ch'egli sen vada
in su la bara ad abbracciar la morte.
205. Misera sorte umana,
e che cosa è qua giù che non sia vana?
Altri là 've fortuna
quasi in tragica scena
di porpora e di scettro un uom adorna,
210. idolatrando il simulacro vano
de la caduca maestà terrena,
spogliato di se stesso
il suo proprio voler consacra in voto;
e fondando ne l'aura
215. di mutabil favor vane speranze
entro a ceppi servili,
d'oro no ma dorati,
merca a prezzo di vita
tesori di fortuna;
220. e cerca trar da servitude impero:
e se non tronca in mezzo

le sorgenti speranze
l'inesorabil forbice di Cloto,
fabricando a se stesso
225.   mal fide scale in su l'altrui ruine,
poggia tanto che preme
già le lubriche cime
del favor sospirato,
e 'n parte oscura e bassa
230.   ode gli emuli suoi gemer depressi;
e vede a sé d'intorno
di sforzata umiltà finti sembianti,
che la sua folle brama
nutrendo van d'ambizioso vento:
235.   quando l'instabil dea volgendo intorno
la non mai ferma rota,
ei da le cime al fondo
in un punto si vede esser travolto;
e quanto più poggiando in alto sorse,
240.   tanto ha maggior del precipizio il danno.
Misera sorte umana,
e che cosa è qua giù che non sia vana?
    Altri in superba reggia
calca sublime trono,
245.   e mille intorno e mille
pendono da' suoi cenni
umili servi e timidi vassalli.
Il suo volere è legge,
il suo impero è destino;
250.   tutti i disegni suoi fortuna approva;
ma soggiace egli ancora
a la legge crudel de la natura,
ed o per tempo o tardi
la corona deposta e 'l regio manto,
255.   al fato cede, e de' suoi vanti è meta
un oscuro sepolcro,
e l'ombra sua confusa
tra l'ombre va de la più bassa plebe.
Misera sorte umana,

260.   e che cosa è qua giù che non sia vana?
        Ma se non è qua giù, tra queste valli
     del basso mondo, in questo
     passaggio de la vita,
     cosa che non sia vana,
265.   la saggia mente umana
     tenti con altre prove
     di fabricarsi altra fortuna altrove.

GIOVAN FRANCESCO LOREDANO

I

Delirio del senso.

Ossa trite del fato e della morte
di pregiati sepolcri infauste spoglie
sacro ministro in aureo vaso accoglie,
4. e invita l'uom a non curar la sorte.
Queste ceneri, ei grida, e fredde e morte
daran la meta alle tue ardite voglie,
ogni velo mortal convien si spoglie,
8. e mova il volo in ver l'empirea sorte.
La superbia de l'uom qui si risolve:
dove fu il suo principio, al fin s'adita
11. che di corso mortal il premio è polve.
Ma il senso traditore ognor m'invita,
già che l'esser vital si perde e solve,
14. a goder degli amori e della vita.

II

Temerità dell'uomo.

Procellose rovine ha il mar profondo
con scogli fieri e perfide sirene,
pascon la morte l'infeconde arene
4. d'infami precipizi il sen fecondo.

Sdegna la terra l'odiato pondo
del misero mortal, e lo sostiene
solo per sepelirlo e dargli pene,
8. ch'offre un sepolcro ad ogni passo il mondo.
    Corrompe il cielo i suoi benigni aspetti,
e ogni momento furibondo appare
11. con minacciosi e fulminanti oggetti.
    Senza curar di Dio l'opre sì rare
e reso cieco l'uom da pazzi affetti,
14. sprezza il ciel, calca il suolo, e scorre il mare.

INDICI

INDICE DELLE TAVOLE

INDICE DEL VOLUME

LIRICHE